新潮文庫

凶悪

—ある死刑囚の告発—

「新潮45」編集部編

新潮社版

8804

筆者紹介

宮本太一（みやもと・たいち）
1966（昭和41）年、和歌山県生れ。'89年、
早稲田大学第一文学部を卒業後、新潮社に入社。
以後、「FOCUS」、「週刊新潮」、「新潮45」の
各編集部で、記者、編集者として活動。
2008年より、「新潮45」編集長を務める。

本文写真・新潮社写真部

凶悪

――ある死刑囚の告発――

まえがき

人が消える。忽然《こつぜん》と。

人が死ぬ。タイミングよく。

まるで、排水口から水が流れ落ちるように、社会の端に待ち構える陥穽《かんせい》から黒々とした暗闇《くらやみ》の底に呑《の》み込まれていく人たち……。

彼らに共通するのは、ある程度、齢《とし》を重ねていること。多額の現金はないが、それでいて、まとまった土地や家屋はもっている。しかし、多くは事業で失敗し、借金漬けになって、不動産も金融機関やマチ金などの抵当でがんじがらめになっている。

人生の失敗を忘れるため、現実逃避の手段が必要なのだろう。たいがい、本人は酒びたりの日々である。永年、浴びるように口に流し込んできたアルコールは、やがて体を蝕《むしば》んでいく。糖尿や肝機能障害を患《わずら》っている人間のなんと多いことか。

そうして失踪《しっそう》したり、あるいは急死をとげる人たちの話を周りで聞くことはないだろうか。

だが、かりに耳にしても、自分に関係がなければ、ぼんやりとした話でしかあるまい。独居老人が増え、地域社会のつながりが希薄になった今、そういう話題は常にぼんやりとしたものでしかない。

「そういえば、あそこに独りで暮らしていたおじいちゃん、いつの間にか居なくなっちゃったね」と。

しかし、ある人物の周辺に集中して、こうした失踪劇や死亡事案が起きているとしたら、どうだろう。

そう、これから語る失踪者や死者たちのストーリーに共通するもう一つの重要なポイントは、彼らの周辺に、常にある人物の影が仄《ほの》めくことだ。その様は、さながら死に神のようである。ときには背後にピタリとはりつき、ときには正面に姿を現し、紳士の仮面をつけて優しい言葉をなげかける。滅びゆくものの死臭をかぎとるハイエナや、傷ついた魚の血の臭《にお》いを探りあてるサメのように、その影は堕《お》ちてゆく弱者に忍び寄ってくるのだ。

そして、彼らの失踪や死とともに、唯一《ゆいいつ》残されていた資産はものの見事にきれいさっぱり整理されてしまうのである。その人物は、彼を慕い、その巧みな錬金術をあてにした人間たちからこう呼ばれ、崇《あが》め奉《たてまつ》られていた。

〝先生〟と。


【ケース一】

六十歳くらいの独身男性。茨城県内を中心に不動産の仕事に従事。ある不動産ブローカーと仕事をすることが多かった。取り引きをする過程で、このブローカーから数百万円の金を借りたが、返済が滞り、トラブルに発展していた。その最中の平成十一年、突如、失踪。


【ケース二】

埼玉県大宮市（現・さいたま市見沼区）に、大地主の甥《おい》っ子として生を受けた男性。私生児として生まれ、伯父と母親の死後は、兄とふたりで受け継いだ土地を守っていた。

ところが、三十年ほど前に突然、家を出たきり、蒸発。やがて、兄も冷たいフトンの中で孤独死をとげる。家は主《あるじ》のいないまま荒れ果て、時間の移ろいとともに朽ち果てていった。

忽然と姿を消した弟の住民票は役所の職権で消除されたが、八年前、人知れず復活されていた。縁もゆかりもないはずの地、茨城県水戸市のマンションの一室に移されていたが、そのマンションの住民で彼の姿を見たものは誰一人としていなかった。そしてその直後、大宮の土地は、ある不動産ブローカーの手を経て、業者に転売された。

失踪したこの男性は生きていれば、八十一歳になる。そう、生きていれば……。


【ケース三】


茨城県南部の町でカーテンなどを扱うインテリアショップの経営者。会社経営に行き詰まり、数千万円の負債を抱え込む。息子が勤める不動産関連会社の社長からも借金をした。

この社長の知人に、ある不動産ブローカーがいた。このブローカーのもとで雑用をすることになり、水戸市内にある事務所で、半ば住み込みのような形で起居することになった。ブローカーらからは、〝カーテン屋〟とか〝じじい〟などと呼ばれ、バカにされていた。

その後、茨城県笠間《かさま》市の山の中で、変死体で発見される。しかし、結局、警察は病死か自殺として事案を処理した。享年《きょうねん》六十七。死亡時、約八千万円の生命保険に加入していた。

【ケース四】

茨城県南部の某市内で造園業を経営する一家。敷地五千平方メートル以上の豪邸に住み、他にも市内数ヶ所に一ヘクタールほどの土地を所有。近所では資産家として知られていた。

しかし、社長であった主人が亡《な》くなると、とたんに会社が傾く。妻があとを継ぎ、長男が家業を手伝ったが、赤字経営が続いた。

妻は土地や屋敷を担保に、借金を重ねた。長男は借金まみれの窮状からなんとか抜け出そうと、あちこちのツテを頼った。そうして紹介されたのが、ある不動産ブローカーだった。

ブローカーは「俺が借金をきれいにしてやるから、すべて任せろ。君の住む家や仕事も与えてやる」と豪語した。

その後、確かに彼らの負債は消えた。しかし、その代わり、豪邸は跡かたもなく解体され、土地は人手に渡った。ブローカーは多額の売買仲介手数料を手に入れた。

長男はブローカーの配下の人間となり、水戸市内にある彼の事務所で住み込みで働くようになった。そして、平成十六年十月、将来を悲観して自殺。

母親は水戸の老人ホームにいるというが、友人でさえ、彼女の消息を知るものはいない。


【ケース五】


茨城県日立市内に住む六十歳代の男性。大地主で、マンションやアパートを何棟も所有していたが、詐欺師《さぎし》にダマされ、億単位の借金を抱え込むハメになる。不動産は次々と切り売りされ、最後は自宅の土地も分割されて数棟の住宅が建てられた。彼には、そのうちの一軒と、隣接する更地だけが唯一の資産として残った。

この崩壊の過程で、彼はある不動産ブローカーと知り合う。水戸市内のブローカーの事務所に、起居していたこともある。そして、目の前にぶら下げられたわずかばかりの現金欲しさに、最後に残っていた自宅に隣接する土地の権利をブローカーにゆだねてしまった。ブローカーは、この土地の売買を仲介したが、売買代金は全《すべ》て、地主の彼ではなく、ブローカーの懐《ふところ》に入った。

その後、彼はひとり自宅にいるときに変調をきたし、病院に担《かつ》ぎ込まれる。翌日、病院で急死。

【ケース六】

茨城県日立市内の設計会社の責任者。仕事の関係で、ある不動産ブローカーと知り合う。

ブローカーが主導した土地開発で一緒に仕事を組み、設計を請け負った。しかし、この事業の最中に、乗用車に排気ガスのホースを引き込み、自殺をとげた。今もって自殺の本当の理由は明らかになっていない。

【ケース七】

茨城県某市のサラリーマン。五十歳を前に夢の一戸建てを購入した直後にリストラにあい、定年前に退職を余儀なくされた。家のローンの支払いに困り、自宅にサラ金の抵当もついて、にっちもさっちもいかなくなったとき、家の内装工事に関係していた不動産ブローカーが現れた。

「借金を整理したうえに、住むところも用意してやる」

甘言を弄《ろう》するブローカー。もはや他にすがるもののない家族は、この申し出に応じてしまう。その代償として自宅は失ってしまったが、借金はなくなった。このブローカーは、家族のために市内で格安の貸家を見つけ、賃貸契約の連帯保証人にもなった。そして、ブローカーは、この不動産売買の仲介で、相応の金を手にいれたという。

その後、家族にも愛想を尽かされ、一人暮らしとなった男性のもとには、たまに不動産ブローカーがコンビニ弁当などをもって来るくらい。やがて、誰も訪ねるものがいなくなり、ドアの前には新聞がたまるようになった。

警察が踏み込んだときには、男性は骨と皮だけの変わり果てた姿になっていた。警察は変死として扱ったが、事件性はないとして処理した。享年六十四。

ここに列挙した話は、フィクションの材料や作り話の類《たぐい》ではない。いずれも実在する事件《ケース》である。そして、すべての事件に登場するのが「ある不動産ブローカー」。もう、説明する必要もないだろう。これはどれも同一の人物、前述した〝先生〟、その人なのである。

あなたがたはこう思うかもしれない。このブローカーは他人の資産を整理して金にする〝整理屋〟だ。整理屋が行くところ、人生の破滅者がいて、暗い悲劇がある。時にはそこに死の臭いがつきまとうのも当然だろう、と。

しかし、一人の人間の周りで、これだけ集中して失踪者や自殺者、変死者が相次いで出るのを、単なる偶然と片づけてよいのだろうか。しかも、ここに述べたもの以外にも、彼の周りには不審なケースが埋もれているのである。

くり返すが、これらは小説の世界の話ではなく、実際に起こったことだ。事実、このうちの数件については事件性が高いと見て、茨城県警が水面下で情報収集を進めてきたのである。

「不動産ブローカー」の周辺で、いったい何が起こっているのか。

この謎《なぞ》を解くこと。それはすなわち、人生の敗者に忍びより、残された骨までしゃぶり尽くそうとする〝悪意〟の存在を浮き彫りにし、その正体を暴《あば》くものと確信している。

それを企図して、平成十七（二〇〇五）年十月、月刊誌『新潮45』は「誰も知らない『3つの殺人』――首謀者は塀の外にいる！」と題した記事を発信した。私はその編集部に属し、取材班の中心にいた。

記事の内容は、殺人事件を犯し、死刑判決を受けて東京拘置所に在監中の元暴力団組長が、他にも警察に認知されていない余罪があるとして、殺人や死体遺棄事件を自白したものである。

最高裁に上告中の後《ご》藤良次《とうりょうじ》というその被告が、時効でもない事件につき、獄中から誌面で殺人を告発するという前代未《み》聞《もん》の展開に、警察のみならず、マスコミ各社は色めきたった。

しかも、後藤が上申書で告白した事件の首謀者である〝先生〟は、今なお、何食わぬ顔で社会を闊歩《かっぽ》しているというから、その衝撃は凄《すさ》まじかった。

そして、師走《しわす》の迫った昨年十一月末。『新潮45』の記事が発信されてから、実に四百余日もの時間を要して、ついに〝開かずの間〟がこじあけられ、かすかな光が漏れてきた。

《後藤良次被告が茨城県内で3件の殺人事件に関与したとする上申書を提出した問題で、同県警は25日夜、被害者の1人とされた男性の妻、（中略）○○容疑者（筆者注・記事中では実名）ら5人を詐欺容疑で逮捕した》（朝日新聞　平成十八年十一月二六日付朝刊）

ケース三の被害者の家族の別件逮捕により、警察当局は一点突破、全面展開を目指した。そして、返す刀で、〝先生〟に斬《き》り込んだのである。

《「殺人上申書〝関与〟男を別件逮捕、家宅捜索」強盗・殺人の罪で死刑判決を受けた元暴力団幹部がほかの殺人を告白する上申書を提出した問題で、警察は殺害にかかわったとされる男を強要の疑いで逮捕し、十日、男の自宅を捜索している。（中略）今後、殺害とのかかわりについて慎重に調べる方針》（日本テレビのニュース　平成十八年十二月十日）

こうして当局は、今現在も、〝先生〟の殺人容疑での立件と事件の全容解明を目指し、懸命の捜査をつづけているのだ。

本書では、後藤良次が語った、いまだ知られざる事件の詳細と、〝血の錬金術師〟とも呼ぶべき〝先生〟が企てた、恐るべき殺人計画の全貌《ぜんぼう》を明らかにしていくつもりだ。また、『新潮45』の記事がでるまでの舞台裏や、報道後の出来事についてもお伝えしていきたい。

なお、本書で取り上げる内容はあくまでも、平成十八年十二月十八日現在のものであることをお断りしておく。事態は刻一刻と変化している。

『新潮45』編集部　宮　本　太　一

※本文庫版でも、その内容、記述は平成十八年末を基点とし、加筆、修正は最小限に止《とど》めた。但《ただ》し、事件のその後の展開を詳細に追った「最終章」を書き下ろし、巻末に収録した。

第一章　独房からの手紙

〈暗がりの中で、怯《おび》えたじいさんの目が弱々しい光を帯びていた。

あたりに人の気配はまったくなく、遠くに二軒ほど人家の灯りが見えるだけだ。

静まり返った暗闇《くらやみ》の原野の中で、「ハァ、ハァ」という自分たちの息遣いだけが聞こえた。車のライトを頼りに、掘り終えた大きな穴は一時間の土方仕事の成果だ。

自分は車のトランクを開け、そこに監禁していたじいさんを穴のところまで引きずり出した。じいさんは両手足を縛られ、口にはタオルで猿ぐつわをされて、まったく抵抗できない状態だ。

彼はこれから自分の身に何が起こるのか、運命を悟っていた。自分はじいさんを穴の底に放り込み、他の仲間とともにその上から土をかけつづけた。ドサッ、ドサッという籠《こも》ったような土の音がした。

罪悪感はなかった、この時は。

誰にも気づかれずに、これほど簡単に人を地上から消せ、しかもそれを大金に置き換えられるとは。じいさんがこの世で最後に見たものは、自分を生き埋めにしようとする、いかつい男たちの姿だ。その目もついには閉じられ、土に覆《おお》われ始めた。ドサッ、ドサッという音だけが周囲に鈍く響きつづけていた——。

そして六年後……。

憎むべきは、〝先生〟、あなただ。

あなたの大切なあの豪奢《ごうしゃ》な邸宅。高価な酒が並ぶワインセラーと、大金の隠し場所を備えた地下室から、自分たちが一階のリビングに運んできたのは、一本七十万円もする赤ワインと、紙のレンガでしたね。

ソファーに身を沈め、赤ワインを楽しみながら、自分たちはテーブルに高く積んだ一万円の札束を見ていた。一千万円の束が全部で十七個、総額一億七千万円もの現金を。

恍惚《こうこつ》とした表情で、赤い美酒に酔いしれながら、先生、あなたは言った。

「良次くん、いい物件があれば投資していいから、この金の中から好きなだけ持っていきなよ」

お金はいくらでも作れると言わんばかりだった。

そう、自分は知っている。これらの大金が血にまみれていることを。あなたは人の命と引き換えに、錬金術のように金を作って見せるのだ。そして自分もその恩恵に浴した一人だった。

しかし、自分はあなたの裏切りを絶対許せない。自分との約束を踏みにじり、娑婆《しゃば》に残した舎弟を自殺に追い込んだ〝先生〟。あなたには自分と一緒に地獄に堕《お》ちてもらわねばならないのだ。

自分がこれから明らかにすることは、〝先生〟とともに手を染めた、一連の余罪殺人事件への懺悔《ざんげ》であり、未《いま》だ野に放たれている〝先生〟への復讐《ふくしゅう》の誓いである。

その男は、金と血に飢えた二重人格者であり、知能を兼ねそなえた連続殺人犯《シリアルキラー》なのである》

これは、四方を灰色の壁にかこまれた狭い空間で、ただひたすら暗い情念を燃やしつづける男の述懐である。

《大変なことになったよ。同じ東拘《トーコー》にいる殺人事件の被告から、とんでもない相談を

受けたんだ》
東拘とは、東京・葛飾《かつしか》区小《こ》菅《すげ》にある東京拘置所のこと。通称〝小菅〟に勾留《こうりゅう》されている知人、高橋義博《よしひろ》被告からそんな手紙が届いたのは、一昨年二月のことだった。
《これは、広く社会に知らせないといけない問題だよ。それに報道できれば、とてつもないスクープにもなるんじゃないかな。手紙では細かい内容は伝えられないから、近く時間を作って面会にきてください》
　手紙の行間から、彼の興奮した様子が十二分に伝わってきた。
　高橋被告はバブルの時代、不動産業などで成功した人物で、会社をいくつか経営していた。当時はプロ野球・巨人軍の何人かの選手と親しく交際したり、ボクシングの元東洋太平洋チャンピオンの後援活動などにも注力していた。また、いまやハリウッド男優としても高い評価を受けている俳優とも、家族ぐるみの付き合いをしていたという。金回りの良かった時代に、芸能人やスポーツ選手らのちょっとしたタニマチを気どっていたようだ。
　しかし、バブル経済が崩壊した後、ご多分にもれず、彼の会社も経営に行きづまった。億単位の負債はどんどん膨れあがっていくが、もはやおいしい仕事はない。
　運転資金や返済にあてる金を借りる先は、普通の金融機関からマチ金に変わり、そして暴利の暴力団金融へと変わっていった。

はげしいキリトリ（借金取り立て）に追い込みをかけられる日々。追いつめられた高橋被告は、ついに犯罪に手を染めてしまったのである。会社の部下ら三人を使い、かつて土地の売買を仲介したことのある資産家医師とその不動産を管理している美容院経営者を拉致《らち》、監禁。彼らを脅迫して、数億円の金を奪おうとした。

しかし、見込みとちがい、実際に手に入れられた金額は数百万円にすぎなかった。しかも、安易で無謀な計画から、被害者二人を帰すに帰せなくなり、実行犯たちは、医師と美容院経営者を栃木の山中で生き埋めにし、殺害してしまったのだ。平成四年のことである。

この強盗殺人事件で、高橋被告たち四人は逮捕、起訴された。平成十二年、一審の横浜地裁は主犯の高橋被告に死刑、他の実行犯三人に無期懲役の判決を言い渡した。高橋被告はこれを不服として控訴したが、二審・東京高裁は訴えを棄却。高橋被告は最高裁に上告中の身だった（その後、最高裁で上告が棄却され、死刑が確定）。

どうして私がこの高橋被告と知り合ったか、語らねばなるまい。

『FOCUS』という写真週刊誌があったことを、覚えていらっしゃるだろうか（平成十三年休刊）。平成十二年、『FOCUS』は、森喜朗政権の中枢《ちゅうすう》にいた中川秀直内閣官房長官（当時）の女性スキャンダルなどについて追及していた。

中川氏には、大物右翼団体幹部との不適切な交際疑惑や、それにまつわる国会での虚偽答弁の疑い、また覚せい剤使用の嫌疑をかけられていた自分の愛人女性への捜査情報の漏洩《ろうえい》疑惑などがあった。そこで、『FOCUS』は彼が内閣の要の地位に座り、国政を担《にな》うことは著しく国益を損なうのではないか、と世論に訴えたのである。

私は当時、同誌編集部に所属し、この取材チームの一員だった。この報道を受け、当初は官房長官の座に居座りつづけていた中川氏も、最終的には辞任に追い込まれることになった。

その後、中川氏は『FOCUS』の記事の主要部分をのぞく一部につき、名誉毀損《きそん》の民事訴訟を提起した。この訴訟に対抗するため、私はそれまで接触していた取材対象者以外にも、中川氏について詳しい情報を持ち合わせている人物を新たに探していた。その中で、中川氏のかつての後援者のひとりをつきとめた。聞けば、強盗殺人事件を起こし、〝小菅〟にいるという。

それが、前出の高橋被告だったのである。私は、同被告への接触を試みようと判断した。

平成十六年四月一日、『週刊新潮』編集部に異動していた私は〝小菅〟を訪れ、高橋被告に面会を求めた。彼は当初、突然のマスコミ関係者の来訪に驚き、怪訝《けげん》な表情を浮かべていた。しかし、訴訟対策のために中川秀直氏の情報を集めているという訪問の意図を説明すると、すぐに理解を示してくれた。

これが高橋被告との最初の出会いだった。それ以来、面会や手紙による長期にわたる交流が始まった。彼が犯した犯罪は凶悪極まりなく、許されるものではない。しかし、私は実際に高橋被告の人柄に触れ、約束を守ろうとする姿勢や愛嬌《あいきょう》に富む人間性に好感を覚えた。

高橋被告は、中川氏の選挙地盤である広島県出身である。若いころから、地元で裏社会に通じたある有力者の自宅や事務所に出入りしていた。彼は言う。

「私はその有力者を尊敬し、本当に親父《おやじ》のように慕っていた。あるとき、その有力者から、『俺が面倒を見てやっている政治家がいる。一度会っておけ。おまえの方でも選挙とか何かあれば、応援してやってくれ』といわれた。そうして紹介され、市内の料理屋で引き合わされたのが中川氏だったんだ」

以来、選挙運動を応援したり、自分の会社の部下を秘書として派遣するなど、何かにつけ、中川氏を支援してきたという。

裁判対策の情報収集を終えた後も、私は仕事と関係なく、高橋被告との交流をつづけた。手紙のやりとりはもちろん、時間があるときには面会にも赴いた。こちらの都合だけで、その場かぎりのつきあいで済ませるつもりはなかったのだ。

それが彼の中で、私に対する信頼を生んだのだろうか。交流をつづけていた平成十七年二月初旬、彼は「東京拘置所内で重大な情報に接した。相談したい」と、連絡を送ってきた。

そこで相談されたのが、やはり殺人事件で死刑判決を受け、現在、最高裁に上告中の「後藤良次」という被告のことだった。

「後藤さんは、暴力団関連のトラブルから二人を死なせて、死刑判決を受けているが、まだほかにも人を殺しているようなんだ。警察は気づいていないらしいよ。本人は最高裁に上告はしているけど、もう死刑でいいと思って、観念している。それより、他の殺人事件をマスコミで公表したがっているんだ。それで、拘置所仲間から、『自分の知り合いで、新潮社にツテのある者がいるから、手紙で連絡をとってみたらどうか』と、私のことを紹介されたらしい」

平成十七年二月、久しぶりに面会に訪れた私に、高橋被告は興奮した口調でそう語った。しかも、ほかの事件というのはひとつだけではなく、複数ありそうだという。

「とりあえず、文書でほかの事件というのをすべて書かせられませんかね」

「わかっている。後藤さん本人にはすでに、余罪事件のことを文書にまとめて、私のところに送るように言ってある。彼は『それらの事件を発表したいから、新潮のお知り合いを紹介してくれませんか』と、相談してきたんだ。事件をまとめた文書が郵便で届いたら、すぐにあなたにそのまま送ります。それを見て、すぐに後藤さんのところに面会に入ってください」

高橋被告はそう言ったが、私にはいろいろ疑念があった。

まず第一に、拘置所に勾留中の人間との手紙のやりとりは、いくら接見《せっけん》禁止（面会禁止）が解除されている被告が相手とはいえ、ある程度の制限がかかる。当局側のチェックが入り、犯罪や不正にかかわるような内容や、著しく公序良俗に反するようなものであれば、部分的に黒く塗りつぶされたり、場合によっては手紙そのものが差し止められることもあるだろう。悪く言えば、検閲である。

「でも、新たな余罪事件を書けば、拘置所側は驚いて、手紙のやりとりに介入してくるのではないでしょうか。こちらが取材に動く前に警察に知らせるかもしれませんよ」

そう心配する私に、高橋被告は事もなげにこう言いはなった。

「そんな心配ないよ。東京拘置所が一日にいったい何通の手紙に目を通すと思う。とほうもない数だよ。ひとつひとつ細かくチェックなんてできない。接見禁止解除になっている被告であれば、基本的に手紙のやりとりは自由にできるんだ。それに事件の告白を書いたとしても、チェックする者からすれば、それがすでにその人間が裁かれている過去の事件についてのものか、全然知られていない、新たな事件に関するものかなんて、区別がつくわけがないから」

なるほど、そう言われればそのとおりである。長年、〝小菅〟にいるだけに、彼の説明には説得力があった。

それから一ヶ月後――。

《いや〜、驚きだね。後藤さんが書いたこの文書を読んでみてよ。これが全部、本当だとしたら、大変なことだよ。とんでもない連続殺人犯だ。もしかしたら、歴史に残るような凶悪殺人犯になるかもしれない。しかも、ほかに共犯者がいて、首謀者は娑《しゃ》婆《ば》にいるというんだ。これは早く社会に知らせないと、危険極まりないよ。もちろん、最初から真実だと鵜《う》呑《の》みにするわけにはいかないから、取材は慎重に進めてください。後藤さんには、これをあなたに送ることの許可はとってありますから、この文書をも

とに取材をすぐに開始してください。まず最初は挨拶《あいさつ》もかね、何か食べ物を差し入れたうえで、後藤さんに面会に入ってください》

そういう高橋被告の手紙とともに、数枚の文書が同封されていた。漢字の誤字や脱字が目立つ、稚拙な文章。しかし、一生懸命思いを込めて書いたことだけは、その筆圧の高い文字からも充分、伝わってくる。後藤被告が記した直筆の文章だった。

もっとも、相手はふたりの人間の命を奪った殺人犯である。真剣さは感じられるが、しょせんは自分本位で凶悪な犯罪者だ。客観的に考えれば、果たして、どれだけ本当のことが書かれているのか、分かったものではない。

そこには彼が犯した三つの事件の概略と、その実行犯などが綴《つづ》られていた。ここで、その内容の主要部分を抜粋し、原文のまま転載したい（一部の氏名、住所は、伏字とした）。これが、後に後藤が茨城県警に提出する上申書の原型になった。また、一部に後藤の記憶違いや間違いもある点をあらかじめことわっておきたい。

《●1999年平成11年11月中旬ころ　〝殺人〟

・茨城県水戸市○○　○丁目○番○号305号室

後藤良次（りょうじ）

・茨城県○○市○○町　○丁目○番○号　○○商事社長
A（筆者注・〝先生〟のこと。書面では実名）
・茨城県○○市○○　○丁目○番○号　○○○○店社長
山田正一（仮名）
◎3名で共謀の上で、大塚氏男性60才位をネクタイで絞殺し遺体を茨城県○○市内の焼却場で燃やした。Aと大塚氏の間で金銭のトラブルから頭にきてしまい、A自身のネクタイで締め殺してしまい、遺体を茨城県○○市○○の（有）○○敷地内の焼却場で燃やして処分して始末した。

●〝不動産殺人事件〟1999年平成11年11月下旬ころ
共犯者、殺害を実行した者達
・後藤良次
・A
・神奈川に住む、不動産ブローカー・岡田毅（仮名）
◎共謀の上で、殺害。○○商事所有地（茨城県北茨城市の土地）に生き埋めにする。亡《な》くなられた方、前の住所は埼玉県大宮市（今のさいたま市）から平成11

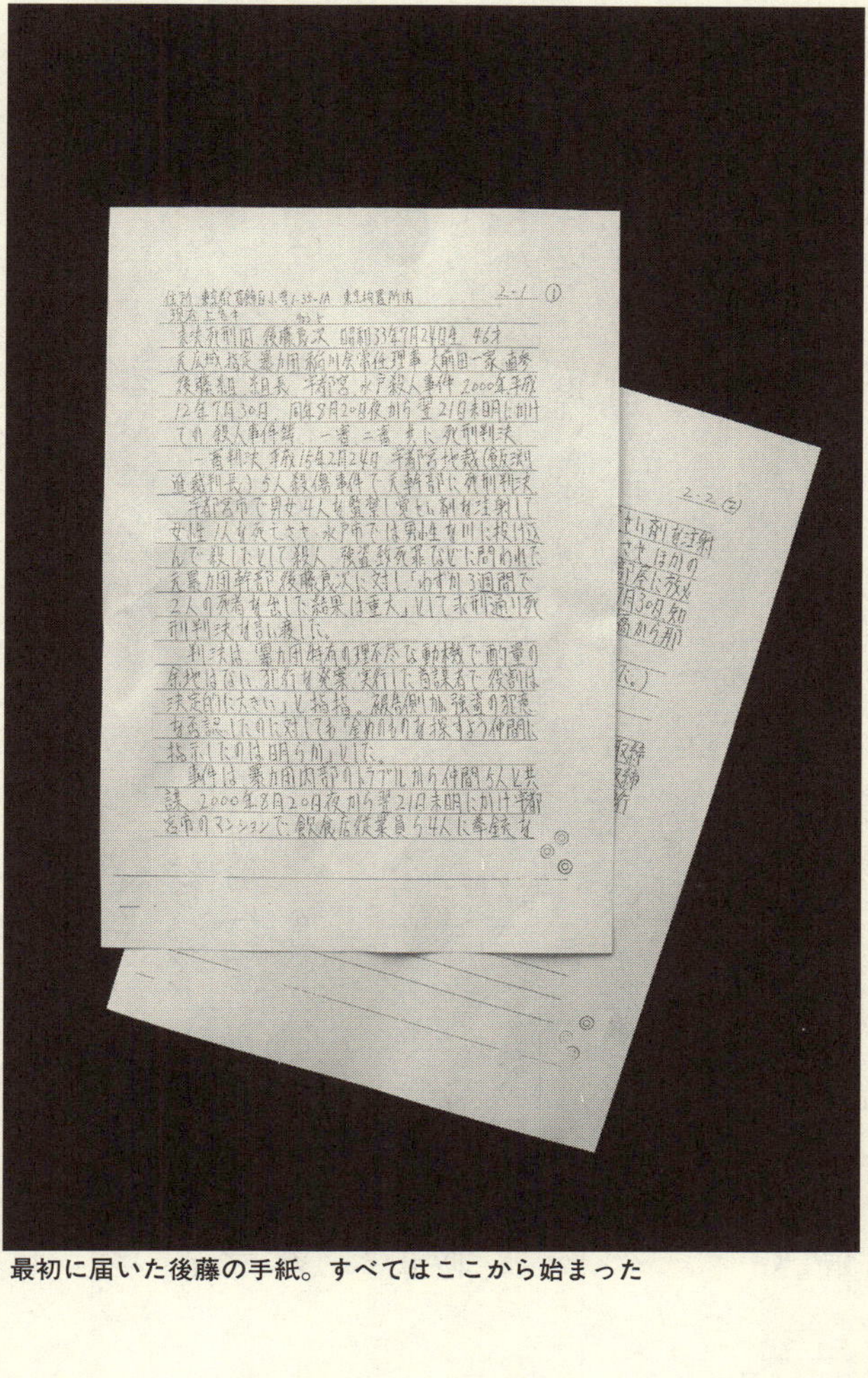

住所 東京都葛飾区小菅1-35-1A 東京拘置所内　2-1 ①

東京死刑囚 後藤良次 昭和33年7月24日生 46才
元広域指定暴力団稲川会常任理事 大前田一家 直参
後藤組 組長 宇都宮 水戸殺人事件 2000年平成12年7月30日 同年8月20日夜から翌21日未明にかけての殺人事件等 一審 二審 共に死刑判決
一審判決 平成15年2月24日 宇都宮地裁(飯渕進裁判長) 5人殺傷事件で元幹部に死刑判決
宇都宮市で男女4人を監禁し覚せい剤を注射して女性1人を死亡させ 水戸市では男性を川に投げ込んで殺したとして殺人 強盗致死罪などに問われた元暴力団幹部 後藤良次に対し「わずか3週間で2人の死者を出した結果は重大」として求刑通り死刑判決を言い渡した。
判決は「暴力団特有の理不尽な動機で酌量の余地はない。犯行を発案 実行した首謀者で役割は決定的に大きい」と指摘。被告側が強盗の犯意を否認したのに対しても「金品を奪うよう仲間に指示したのは明らか」とした。
事件は暴力団内部のトラブルから仲間5人と共謀、2000年8月20日夜から翌21日未明にかけ宇都宮市のマンションで飲食店従業員ら4人に拳銃を

最初に届いた後藤の手紙。すべてはここから始まった

年12月中旬ころ岡田毅が、住所を茨城県水戸市○○　○丁目○番○号302号室に移転する。氏名がはっきりしませんが、頭、倉×××氏と言います（筆者注・姓の頭に「倉」の文字がつくという意）。

◎倉×氏、今のさいたま市に土地を所有していた事から、殺害して金を奪う計画を立て、（中略）拉致し（中略）その後、A、所有地に行き、（中略）地面に穴を掘り、（中略）縛り付けて身動きの出来ない倉×氏を放り込んで、穴を埋めた。

12月に入り、今の埼玉県さいたま市の法務局で、水戸市に移転していた倉×氏の印鑑と印鑑証明証を使い、（中略）土地の名義を一端、A名義にして、土地を売却した。売却金額は、私が直接受け取ったので無いのですが、7000万円位には成ったと思います。

◎倉×××さんが、消息不明では無く殺害されているのです私達に。

●〝保険金殺人事件〟

◎2000年平成12年8月7日ころ茨城県笠間《かさま》市、笠間署管内、山の中で発見され当時自殺扱いになって解決している事件、他殺事件です。当時茨城県○○市〇〇町〇—〇のB社社長、たしか〇〇社長さんだと名前はそう思いますが（筆者注・このケースも、被害者の名は姓の頭文字しかはっきりしていなかった）。

・共犯者。殺害を実行した者。

　後藤良次

　A

　小野塚博敏（仮名　筆者注・後藤の舎弟）

　鎌田仁（仮名　同右）

・直接、殺害に関わっていないが「計画的保険金殺人事件」の依頼者。

　山田正一

（B社の）〇〇社長（筆者注・被害者）の家族、奥さん、娘夫婦。

・共犯者、茨城県〇〇市、〇〇銀行の関連会社に勤めて居る〇〇〇〇です。

◎殺害の計画、犯行を加だてたのは、山田正一、A、B社社長の家族、奥さん、娘夫婦です。A社長の話しでは、山田正一社長からB社が経営困難に成り潰《つぶ》れそうなので、貸している金を取りもどしたく、家族も面倒を見るのが、つらく一緒生活するのが嫌になり、三者で相談した結果、B社の社長が、生命保険8000万円に入って居る事、山田正一社長も4000万円を貸して居る事から、家族なども、納得の上で、「計画的保険金殺人」を計画し実行した。殺害には半月がかかった。殺害には、毎日、酒を飲ませ、徐徐に、体を弱らせていた。◎最後の殺害計画は、（中略）A社長宅で無理やり、ウォッカ、アルコール度、98度を飲ませて、殺害しようとした。鎌田仁が、体を押さえ込み、A社長が、無理やりビンごと口に突っ込み、飲ませた所、意識が無くなり、後に倒れる。（中略）遺体を車に運びこみ、国道50号線を笠間市に向い走り、笠間市の山の中に、死体遺棄するに至る。

◎2000年、平成12年8月7日笠間署管内山の中で発見され、当時自殺扱いになって解決した。》

ごらんのとおり、彼が告発した三つの事件は、いずれも警察に把握されていないか、認知されていても事件性のない自殺として処理された案件だ。しかも、彼が〝先生〟と呼ぶ事件の首謀者Aは、いまだ野に放たれ、社会を闊歩《かっぽ》しているというから驚きだ。これがすべて真実であれば、確かに大変な事件である。社会に与える衝撃ははかりしれないものになるだろう。

ここでまず、このような数々の事件を犯した「後藤良次」という男がどういう人間なのか、どんな事件で捕まって刑事訴追を受けているのか、記していきたい。

後藤良次は、広域指定暴力団・稲川会の中で、群馬県前橋市を本拠地とする大前田一家（絶縁処分を受け、すでに解散）という組織の幹部だった。一家の総長から直々に盃《さかずき》を受けている〝直参《じきさん》〟で、自身も「後良組《ごりょうぐみ》」（後に宇都宮後藤組と改称）なる組を構えていた。

しかし、平成六年十一月、群馬県警に暴力行為、銃刀法、火薬類取締法、覚せい剤取締法違反などで逮捕され、懲役四年の実刑判決を受けた。福島刑務所に服役した後藤は、平成十年九月に仮釈放で出所する。宇都宮に戻り、中古車などを扱って、再興を目指した後藤。しかし、シノギ（暴力団の収入源）を維持するのは難しく、やがてカタギに近い状態になり、旧友がいた水戸市に流れていったという。

そこで、旧友の紹介で知り合ったのが問題の人物、A。彼が〝先生〟と仰いだ不動産ブローカーである。

〝先生〟の指南をうけて、ともに不動産関連の仕事にたずさわった後藤は、いきなり羽ぶりがよくなる。貧乏ヤクザの不遇の時代と比べると天地の差で、ベンツやセルシオなど高級車を乗り回す身分になり、我が世の春を謳歌《おうか》したという。

が、その春も短く終わってしまう。生来、筋を通すタイプの人間だが、その反面、直情径行的で粗暴な面をあわせもつ後藤。彼は暴力団関係の知人らとのトラブルから、殺人など二つの重大事件をたてつづけに引き起こし、逮捕されてしまったのだ。

まず一件目は、平成十二年七月。刑務所時代の〝ムショ仲間〟だった「斎藤正二」という、山口組系の暴力団関係者の殺害である。後藤は、斎藤に何かにつけ嘘《うそ》をつかれダマされていたことに気づき、メンツをつぶされたと激昂《げきこう》。告発した三件目の事件にも登場する、舎弟の小野塚博敏とともに、相手を生きたままヒモやガムテープで〝スマキ状態〟にし、水戸近郊を通る高速道路の橋の上から那珂《なか》川に投げ捨てたのである。

数日後、全身に刺青《いれずみ》の入った死体が、茨城の大洗沖の海上に浮かんだ。すぐに被害者の携帯電話の発着信履歴から、後藤が捜査線上に浮上した。

そして、その三週間後、舎弟の小野塚や鎌田仁（これも告発文書の三件目で共犯とされた人物）ら五人と、今度は宇都宮市内のマンションで男女四人に拳銃《けんじゅう》をつきつけ、監禁してしまう。

四人のうちの一人の男が、後藤が仕事で使っていた〝パシリ〟だった。この男が不義理をくり返したので、激怒したという。後藤は、彼らを縄などで縛りあげ、高濃度の覚せい剤を大量に射った。そして、一人の女性を急性薬物中毒で死亡させたのである。

しかも後藤らは、残る三人の胸などをハサミでめった刺しにし、身体《からだ》や居間に灯油をまいたうえで、室内に火を放って、乗用車などを奪い逃走したとされている。この事件は当時、新聞やテレビで大きく報じられ、一部週刊誌にも取り上げられた。

これらの事件から浮かびあがる後藤の人物像は、凶悪な、危険きわまりない狂犬そのものである。地元の暴力団関係者の間でさえ、「怒り出したら、何をしでかすか分からない男」「大前田の殺し屋」と、怖《おそ》れられていたほどだ。

後藤は大前田一家の幹部でありながら、実際には、拳銃の腕や出入り（ヤクザ同士のケンカ）における度胸の良さをかわれ、抗争などでのヒットマン的な活躍が目立ったようだ。

平成二年には、群馬県館林《たてばやし》市の前橋競輪場外車券売り場で、対立する住吉会系の組長を射殺したという。事件から約一年後、後藤は数人の仲間とともに殺人罪で逮捕された。しかし、有力な物証がなかったため、検察は立件を断念。彼は不起訴処分で釈放されている。

殺人罪で逮捕されながら、刑事訴追を免れたことで、後藤は警察・検察を甘く見たのだろうか。日本が法治国家であることを無視するかのごとき態度で、その後、前記のような常軌を逸した事件をたてつづけに起こしたのである。

しかし、〝ムショ仲間〟を川に投げ捨てた水戸の殺人事件（以下、水戸事件）と宇都宮の強盗致死事件（以下、宇都宮事件）のふたつの事件では、すぐに捜査線上に浮上し、逮捕、起訴されることになった。

平成十五年二月、一審・宇都宮地裁は、「暴力団特有の論理に基づく理不尽なもので、動機に酌量の余地はない。犯行を発案、実行した首謀者で、役割は決定的に大きい」「わずか三週間の間に二人の死者を出した結果は余りに重大」などとして、死刑判決を下した。

そして、十六年七月、二審・東京高裁も「非情の限りを尽くした悪らつな犯行で、被告の冷酷さは常人の理解をはるかに超えている。監禁された四人のうち、一人が縄を解いて自力で脱出し、消火していなければ、残る三人も焼死していたと推測される。極刑はやむを得ない」として後藤の控訴を棄却し、一審の死刑判決を支持した。現在、後藤は最高裁に上告中の身である。

その後藤が、実は同時期、他に二件の殺人事件と一件の死体遺棄を行っており、それらは警察に認知されず闇《やみ》に埋もれている、と証言しているわけだ。

死刑が確定する可能性が高いとはいえ、上告中の者が、より自分の罪を重くし、死刑を確定的にしてしまう新たな殺人事件を告白することなど、極めて稀《まれ》である。また、前述したように、後藤とともに一連の事件を行った首謀者が、いまだ社会でのうのうと生活を送っているというのである。にわかには信じがたい、衝撃的な告発だった。

平成十七年三月十六日。私は、ある部屋の扉の前に立っていた。

東京都葛飾《かつしか》区小菅一―三五―一。すぐ北を埼玉県、東は千葉県に隣接する東京の北東のはずれに、その建物はある。

東武伊勢崎線の小菅駅前に広がる約二十万平方メートルの敷地。その地に四年前に新設された獄舎施設は、冷暖房が完備され、ハイテク装置による万全のセキュリティ・システムで監視体制が整えられている。上空からのぞむと、その房舎は精密時計のムーブメントの一部のようでもあり、鳳《おおとり》が翼を広げてはばたかんとする一瞬の姿のようにも見える。

ここに故・田中角栄元総理や鈴木宗男代議士が収監された。オウム真理教事件の首謀者、麻原彰晃がいる。ライブドアのホリエモンこと堀江貴文元社長や、村上ファンドを率いた村上世彰《よしあき》元代表が落ち、殺人鬼・大久保清や連続射殺魔の永山則夫が処刑された。

私がいるのは、東京拘置所・新獄舎南棟六階。この棟では各フロアとも廊下の真ん中に拘置所職員らの詰め所がある。それをはさんで左右に五部屋ずつ、計十室の面会室が並んでいる。そのうちの一つの前で、私はいくつかの質問を反芻《はんすう》していた。

ここに上がってくるまでには、いくつかの手続きが必要だ。まず、一階の受付で被告との面会を申し込む。まだ裁判中の被告で、証拠隠滅などのおそれがなく、接見禁止が解除されている人間については、本人が拒否しないかぎり、誰でも面会できることになっている。

一般面会申込書には、会いたい被告の名前、その人物との関係、用件の項目にチェックする箇所（安否、家庭など）、そして申込人の氏名、住所などを書きこむ欄がある。

私は、面会希望者の空欄に「後藤良次」、関係は「知人」と書き、要件は「安否」のところにマルをした。受付に提出すると、すぐに番号を記した青い色の紙を交付される。これで、受付完了というわけだ。

あとは病院の待合室のような場所で待つだけ。そこには液晶のモニターがあり、被告が拘置されている階層ごとに、面会の順番がまわってきた申込人の番号が映し出される。そのモニターと放送の案内に注意しながら、自分の番号が呼ばれるのを待つシステムである。

自分の番になると、ペンやメモ類だけをもって、他の荷物は基本的にはすべてロッカーにあずける。そして、空港同様、金属探知機のゲートをくぐらなければならない。ここで音が鳴れば、携帯用の棒状の金属探知機をもった職員による身体検査を受けることになる。

こうした手続きを経て、ようやく拘置所のなかに入ることができる。長い廊下を奥まで進むと、やがて明るく開けたエレベーターホールに出る。エレベーターは左右に二つ。このいずれかに乗り、自分が会いたい被告がいる階まで上がっていく。後藤は当初、六階にいたが、後により監視が厳しい八階に移されてしまう。ドアの上に三番と記された部屋の前に立ち、正直、私は緊張していた。

後藤は元暴力団組長である。しかも、今、彼が裁かれている事件の中身を知れば、よほどの事情がなければ、関わりあいを持ちたくない人物である。しかし、私はそのよほどの事情を抱え込んでしまっていた。私は相当の覚悟をもって、この面会に臨んだのである。

そもそも、後藤はどうしていまさら余罪事件を打ち明ける気になったのだろうか。本人が書いてきた文書には、被害者への贖罪《しょくざい》とあった。確かにその気持ちは嘘ではないだろう。控訴審でも死刑判決をうけ、あきらめの境地に達した。そしてようやく被害者に思いをはせ、自白することで少しでも償いになればと考えたというのである。

しかし、それだけではあるまい。本当の目的はなにか。まず最初に容易に想像できるのは、自分の事件が最高裁にかかり、死刑確定へのカウントダウンがはじまった後藤が、「こんなのもありますよ」とばかりに新たな事件をもちだし、時間稼ぎを目論《もくろ》んでいるということだ。

その告発に信憑性《しんぴょうせい》があれば、捜査当局は捜査に乗りださねばならず、新たな事件で刑事訴追という流れになるかもしれない。そうなれば、今の審理は止まり、あらためて後藤を裁くために膨大な時間を要することになる。時間稼ぎには充分である。

そしてもうひとつ。事件の首謀者とされる男への報復である。後藤と〝先生〟は、かつて蜜月《みつげつ》の関係だったはずである。それが、後藤の逮捕後、ふたりの間になにがしかのトラブルが発生し、亀裂《きれつ》が走った。それを機に、後藤は〝先生〟に激しい憎悪《ぞうお》を抱き、共謀した事件をバラして、道連れにしようと目論んでいる。もっとも強い動機は、これではないか。

この動機なら、不純とはいえ、ある意味わかりやすく、受け容《い》れやすい。ただ、問題は、だからといって、告発内容が真実ということにはならない点だ。逆に言えば、告発内容さえ真実であれば、動機はさほど重要な問題にはならないのではないか。

もっともマズいのは、後藤の目的が単なる時間稼ぎであったり、また〝先生〟に嫌がらせをしようとして、架空の事件をでっち上げている場合だ。

そうした様々な思いや疑念が頭の中を交錯するなか、面会の時間はやってきた。

部屋の扉をあけると、そこは二畳ほどの小さな空間で、イスが三つ置かれている。目の前には透明の特殊ガラスのしきり板がある。その向こうには、やはり同じような狭い空間と被告用と職員用のイスがあった。

頑丈ではあろうが、厚さにすればわずか数ミリしかないガラスの板。そんなものでしかさえぎられていない空間のあちら側とこちら側……。しかし、その間にはどこまでも深く暗い溝が横たわっている。同情の余地のないケースが大半だろうが、あちら側の人間のなかには、それなりに劇的で生々しいドラマがあった者も少なくないはずだ。

この空間に今、もうすぐにでも人命を奪った凶悪な殺人犯がやってくるということに、私は現実感《リアリティ》をもてないでいた。

すぐに向こうの小部屋のドアが開き、職員にともなわれた男が姿を現した。

「お世話になります。自分のために来てくださって、ありがとうございます」

そういうと、彼はイスに腰かけた。これが後藤との最初の出会いだった。

身長は百七十数センチ。だが、がっしりした骨格をしており、体は大きく見える。勝手に思い描き、頭の中で膨らんでいた無骨で凶悪なイメージと違い、ゲタのような形をした顔つきは柔和で、実際の年齢より若く映った。

自分がお願いをしている立場なのだということを強調したいのだろうか。思いのほか低姿勢で、言葉遣いも一生懸命、丁寧なものになるよう努めていた。

「こちらこそお世話になります。高橋さんの紹介でやってきました。後藤さんが書いた文書はいただきました。貴重な証言、ありがとうございます。これをもとに詳しく話をうかがいたいと思っています」

後藤は余罪事件の内容はすべて事実であり、自分は絶対に嘘はつかない人間だから信用してほしいと訴えた。

「後藤さん、まず最初に告発の動機をうかがいたいんです。どうして、今、その心境になられたんですか」

後藤は言った。

「とにかく、自分はもう死刑になる人間です。最高裁に上告はしていますが、判決は変わらないでしょう。それならいっそのこと、これまでの罪をすべて洗いざらい喋《しゃべ》って、きれいな身になって、死んでいきたいと思うようになったんです。

自分は今、本当に心の底から被害者の方々に申し訳ないと思っています。できる償いはなんでもしたいと考えています。そのためには、表に出ていない事件も明かさないといけない。そうしないと、被害者が浮かばれません。それにすべてを明らかにしないと、今、裁かれている事件の被害者にも償いにならないんですよ」

横にいた職員はガラス板の下に斜めに備え付けられた木製の小さな机にノートをおき、会話の内容をメモしている。逐一ペンを走らせているわけではないが、これが妙に気になった。

「今、裁かれている事件の被害者と、闇に埋もれている事件の被害者への贖罪《しょくざい》が動機だということですね。それはわかります。でも、それだけではないですよね。首謀者の〝先生〟への怒りもあるのではないですか」

そう訊《き》くと、彼はノドをつまらせるようにしながら、やっとの思いで言葉を吐き出した。

「そうです。自分はどうしてもあいつを許せないんです。それまでは、〝先生、先生〟

と呼んで、たてていましたけど、やつはとんでもない詐欺師《さぎし》の先生ですよ。人殺しの犯罪者の先生です。かつて、自分が舎弟のようにして可愛《かわい》がっていた藤田幸夫（仮名）という男がいました。やつはこの藤田を見殺しにしたんですよ。

藤田はもともと極道の世界の人間ではありません。沢田一孝（仮名）という男と同様に、事業に失敗し、生活に行き詰まって、〝先生〟のところに転がり込んでいたんです。彼らは〝先生〟の水戸市内の事務所で居候《いそうろう》をしており、そこで自分は知り合いました。それ以降、自分はふたりを舎弟として扱い、可愛がってやっていたんです。

藤田には生活能力がなかった。自分は心配して、逮捕される直前に、〝先生〟に〝生活の面倒を見てやってください〟と頼んだんです。〝先生〟は引き受けたといったのに、実際には藤田を見放し、約束を反故《ほご》にした。そのために、あいつは昨年十月に自殺してしまったんですよ」

これが真実の訴えの迫真性というものだろうか。もちろん、被害者への贖罪の気持ちを疑うつもりはないが、〝先生〟への恨み節を口にするとき、それまで物腰が柔らかかった彼の顔にすごみが増した。ほんのりと〝本性〟が浮かぶように。

「それだけじゃなく、舎弟の鎌田仁のことも許せないんです。やつは宇都宮事件で自らの罪を軽くするために、嘘の供述をした。このために、自分の主導した部分が実態より大きくされてしまったんです。やつに対しても、心の底から憎いと思っています。一緒に大罪を犯した他の連中が、のうのうと社会生活を送っていることにもガマンならない。〝先生〟はもちろんですが、共犯の『会社社長・山田正一』『不動産ブローカー・岡田毅』『保険金目当てに殺されたB社社長の家族』が、涼しい顔をして社会にいることに納得がいきません。そんな感情があるうえに、〝先生〟が約束を破ったことから、怒りが爆発してしまったのです」

このときにかぎらず、首謀者とする〝先生〟や、舎弟の鎌田などへの報復の決意を語るときの後藤は、いつも凶暴性の片鱗《へんりん》を見せ、ほかの場合とちがい、はるかに語調に迫力が増すのである。

後藤が話した動機は、迫真性に満ちていた。宇都宮の事件につきあわされた舎弟らからすれば、逆恨みとしかいいようがないだろうが、彼の裏切られたという思いが強いことは事実のようだ。

しかし、問題は舎弟のように可愛がっていた藤田幸夫が自殺したのが前年十月なのに、どうしてこの数ヶ月間、沈黙を守り、ガマンしてこられたのかということだ。

後藤自身の裁判の控訴審判決が同年七月であったことを思えば、藤田が自殺した時点で、すぐにでも告白のための準備に動いたとしてもおかしくない。

なにかある。十月以降の数ヶ月の間に、後藤と〝先生〟との間で何か重要なトピックスがあったはずである。しかし、それを聞き出すには、面会の時間はあまりに短かった。

「これは今後、あらたに面会し、時間をかけて聞き出していこう」

そう思った私は、後藤に対し、失礼にならないよう、彼が書いてくれた文書の基本的な部分についてもいくつか質問した。

ただ、これも根掘り葉掘り尋ねて、ディテールを埋めていこうとすれば、膨大な時間がかかる。彼が書いたものは、事件の概略の概略にすぎない。今後、何回も面会や手紙のやりとりを重ね、詳細を聴きだし、事件の全貌《ぜんぼう》を明らかにしていかねばならない。

しかも、聞いたらそれで終わり、ではない。どんな取材においても、話が捏造《ねつぞう》されるケースはあり得る。後藤の話も、ひとつひとつ細部をつめ、事実に合致するかどうか検証し、裏づけをとっていかなければならないことはいうまでもない。そうして、告発が真実かどうか、あるいは真実と信じられるだけの相応、相当の理由があるかどうか、見極めなければならない。

話が信じられたとすれば、今度は記事化を考えると同時に、犯人に逃亡されないよう、場合によっては、直前に警察に通報する必要があるかもしれない。警察に信憑性があると判断させ、動いてもらうためには、それなりの証拠や材料が必要だ。捜査当局に提供するための、報告書のような文書も作成しなければならないだろう。

それに、一番重要でかつ困難なのは、最終の局面に差しかかったとき、当事者の〝先生〟を含めた関係者へのアプローチをいかにしておこなうかということである。必須《ひっす》ではあるが、難しい取材になることは想像に難くない。

また、事前に、関係者らの写真映像も撮っておかねばならない。

私は、これからこなさなければならない途方もない量の仕事に、目がくらむ思いがした。

「はい、時間です」

唐突に、職員の事務的な声がうつろに響いた。私は現実に引き戻された。

わずか十数分間の面会が終わった。

許される面会時間は、基本ラインはあるものの、実際には職員の裁量にゆだねられている。十分足らずで打ち切られてしまうこともあれば、二十分以上、話せる場合もある。それこそ、人によるわけだ。

「ご面倒をおかけしますが、よろしくお願いします」と言って、後藤が別れ際《ぎわ》に何度もおじぎをしたのが印象的だった。

たった十数分、死刑判決囚と対峙《たいじ》しただけなのに、手にはじっとり汗をかき、心身ともに極度の疲労感を覚えていた。

こうして、私と後藤とのファースト・コンタクトは終了した。

第二章　サイは投げられた

〈殺《や》るといったら、必ず殺るんだ。しかし、さすがに気分のいいものじゃない。保険金目当てにアルコールで殺した〝カーテン屋〟の遺体を前にし、気分が悪くなった。こんなときは、いつも使うお気に入りのお香を焚《た》くにかぎる。〝先生〟の事務所の玄関で休んでいると、彼や小野塚たちが遺体を奥のフロ場に運んでいった。自分は、香のかおりで気持ちを落ち着かせていた。

ふと目をあけ、あぐらをかいた足元を見ると、靴下の先が濡《ぬ》れているのに気づいた。足先がなにか濡れた物体に触れ、その水がしみこんできていたのだ。

そこには、これ以上ないまでに膨張しきった人間の腐乱死体がころがっていた。

小野塚たちが、フロ場で裸にし、冷水に漬けこんだ〝カーテン屋〟の遺体をここまで運んできたのだろうか。しかし、よく見ると、それはところどころ破れかけ、びしょびしょになったシャツとズボンを身につけている。どこかで見た覚えのある上着だった。

ぴちゃぴちゃ。

ぴちゃぴちゃ。

液体がはじかれるような妙な音がしている。そして、上着のところどころが、もりあがるようにして、せわしなく動いていた。自分は、おそるおそる立ち上がろうとした。その刹那《せつな》、上着の腹部のあたりから小魚が飛び跳ねた。

「ウワァッ」

驚きのあまり思わずうめいた。上着がめくれあがり、でっぷりした腹がのぞくと、そこには何十四もの小魚がうごめき、ぴちゃぴちゃと跳ねている。

魚が飛び跳ねる力で、上着がずるりずるりと破れ落ちる。すると、両肩から両腕にかけて彫られた、大きな鯉《こい》の入れ墨があらわれた。

自分は悟った。それは、数日前に大洗沖で発見されたばかりの「斎藤正二」の水死体だった。

斎藤は、自分の車の中でヒモとガムテープでがんじがらめにしばられている間も「後藤さん、やめてくださいよ。これは何ですか。冗談はやめましょうよ」と余裕の表情だった。何事にも動じない斎藤らしい。しかし、車から小野塚とふたりで抱えて、高速道路の橋の欄干に乗せると、表情が一変した。暗闇《くらやみ》の中でも、はるか底のほうに那珂《なか》川が流れているのが見える。

「やめてください。お願いです」

その瞬間、斎藤はようやくこちらが本気だということがわかり、泣き叫んで命乞《ご》いをした。

しかし、もう遅い……。

仰向けになっていた遺体の顔がごろりと回り、こちらをむいた。その眼には、すでにまぶたの肉はなかった。顔が何倍にも膨張しているのに合わせ、眼球も異様なほど膨れ上がっている。

クラゲの肉みたいだ。しかし、白くにごったゼラチン質の目玉は徐々に赤みを増し、やがて全体が真っ赤な血に染まった。

この世のものではない、恐ろしい眼《まなこ》。やがて血の涙がそこから沁《し》み出しはじめた。赤く燃え上がる眼は夜叉《やしゃ》のように怒り狂っていた。

「俺のせいじゃない。おまえが悪いんだ。ナメたまねして、ダマしつづけやがって。俺のメンツをつぶしたおまえのせいだ」

声になって出ているのかどうかさえ、もう自分には分からなかった。

「良次くん、良次くん」

そのとき、激しく上体をゆさぶられた。

「良次くん、なにやってんだ」

気がついたら、〝先生〟の顔が目の前にあった。ようやく自分は現実に還《かえ》った。

〝先生〟は言った。

「これから笠間《かさま》の山ん中に、遺体をぶっこみに行くぞ」

今でも忘れられない光景だ。どうして〝カーテン屋〟の遺体を処理していたあの時、一瞬の夢の中で斎藤の死体が出てきたのか。こんな自分にも、罪悪感のかけらが残っていたのだろうか。

そうだ、贖罪《しょくざい》だ。そして報復。いずれにせよ、面会に来たあの記者が、もうすぐまたやってくる。あの男にすべてを信じてもらわないといけない……〉

私と面会後の後藤の心象とは、こうしたものであっただろう。

後藤が告発した三件の余罪事件——これだけの犯罪が実行されながら、警察がまったく把握していないなんてことがあり得るだろうか。または、当局が死亡を認知していながら、その事件性に気づかず、自殺として処理してしまうなんてことが……。

私は、強い疑念にとらわれていた。

それに、三件とも被害者の遺族がいるはずだ。相続などの問題もある。人ひとりが忽然《こつぜん》と消えてしまっていて、遺族が騒がないなんてことは考えられない。警察に相談した者がいるのではないか。失踪《しっそう》届や家出人捜索願を出せば、警察は動くはずだ。都合よく、この犯罪者グループの前に天涯孤独の人間が何人もいたと考えるほうに無理がある。

日本は法治国家だ。後藤の証言は通常であれば成立しえない、まるで映画や犯罪小説の世界のような話である。

どうしても拭《ぬぐ》いきれない、大きな疑問もある。

話をすべて事実と仮定しよう。それでは、首謀者とされる〝先生〟は、どうしてこの件を隠蔽《いんぺい》しようとしなかったのだろうか。

彼と後藤は、一蓮托生《いちれんたくしょう》の関係である。見捨てられたと逆恨みし、ヤケになった後藤がすべてをぶちまければ、〝先生〟も逮捕され、死刑は確実だ。通常であれば、必死になって、後藤の口封じに動くだろう。それも、一時的なものではなく、恒久的につづけられなければならない。

最初は〝先生〟も頑張ったのかもしれない。懸命に事件の秘匿《ひとく》を懇請したのかもしれない。しかし、後藤は事ここに及んで、封印をやぶり、ほかの事件を語り始めてしまったのだ。命がかかっているというのに、どうして〝先生〟は、隠蔽する努力をつづけなかったのか。

その人間の立場になって考えてみよう。私は〝先生〟になったつもりで、あれこれ思考をめぐらせた。

〈私は〝先生〟だ。これだけの事件を犯してしまい、逮捕されれば、極刑は免れない。当然、死刑にはなりたくない。しかし、共犯の後藤が勝手にほかの殺人事件を起こし、捕まってしまった。

チクショー、あの野郎。余計なことをしやがって。俺のいうことを聞いて、俺と一緒に動いていればいいものを……。あれだけおいしい思いをさせてやったのに、恩を仇《あだ》でかえしやがった。でも、こうなってはしかたがない。なんとかして、やつの口を封じておかないと。それも未来永劫《えいごう》にわたって。

そのためには、勾留中のやつの面倒を何かにつけ見てやらないといけないな。それに、裁判のために弁護士もつけてやらねばならないだろう。痛い出費だが、しかたあるまい。

後藤が接見禁止解除になったら、拘置所に会いにいこう。あくまでも立会いの職員には悟られぬよう、隠語を使いながら、自分と一緒にやった事件の隠蔽を懇願せねばなるまい。

「金の心配はするな。中に入っても、金は必要だ。困ったときには、いつでも用立てるから、言ってくれ」

「そのかわり、わかってるよな。良次くん。頼むよ。金を作れるのも、外で働いていられればこそだ。あれらの件は君の胸に秘めておいてくれ。くれぐれも頼むよ。一生、いつまでも」〉

私が〝先生〟であれば、こうした行動をとらざるをえない。〝沈黙は金なり〟で、後藤も承諾しただろう。

しかし、沈黙は破られた。封印は解かれてしまったのである。一蓮托生だったはずのふたりの関係に何があったのか。なにが原因で、三角錐《すい》の頂点ではりつめるようにしてつりあっていた危険な均衡《バランス》は崩れてしまったのか。

かように、次から次へと疑問が湧《わ》き起こってきた。自分は後藤に何がしかの目的で利用されようとしているのかもしれない。だとしたら、彼の真の目的は何か――。

「後藤さん、これまで首謀者の〝先生〟は必死になって、『自分の事件を話さないでくれ』と頼んできたんじゃないですか？　普通に考えれば、いろんな働きかけがあったんじゃないかと思うんです。私が彼の立場ならそうしますからね」

平成十七年三月二九日。第二ラウンド。私は面会室でふたたび死刑判決囚と向き合っていた。

「そうですよ。面会の際、あいつは必死の形相で、自分に事件を黙っていてくれと、暗に頼んだんです。『そうしてくれれば、良次くんのために、弁護士も俺がつける。国選弁護士じゃ、一生懸命やってくれない。私選をつけるから、最高裁まで争おう。頑張って、最後まであきらめずに闘えば、良次くんは死刑にはならないよ』と言ってくれたんですよ」

やはり、そうか――。後藤はつづけた。

「でも、全部、嘘《うそ》だったんですよ。弁護士もつけてくれなかったし、金もたいして差し入れてくれなかった。そもそも、宇都宮の拘置所にいた時に、一回、面会に来てくれただけで、〝小菅《こすげ》〟に移ってからは、一度も来やしませんよ」

そこが、まさに謎《なぞ》なのである。

「後藤さん、それが不思議なんです。実際には彼はなんの支援もしてくれなかったんですか」

「いや、最初のころ、二回くらいは金を入れてくれたんです。でも、その合計もたったの十三万円ですよ」

「どうして、彼は支援をつづけなかったのでしょう。後藤さんだって、黙っちゃいないでしょう。何か連絡をとられたんじゃないですか」

私は、後藤と〝先生〟とのやりとりの全容を知っておきたかった。これこそが、後藤の話の信憑性《しんぴょうせい》がどれだけあるのか、見極める材料になると思ったからだ。

「最初、手紙を出して、支援を求めました。でも、まったく返事は来ませんでした」

「後藤さんにすれば、彼のために重大な殺人事件を黙ってあげているんだから、ふざけるなという思いが強かったでしょう。納得できなかったんじゃないですか。さらに、彼に真剣になってもらうため、何か手立てを講じたんじゃないですか」

後藤は、これはあまり言いたくなかった、できれば伏せておきたかった、といった調子で苦笑いしながら、明かした。

「そうです。だから、自分はやつの自宅に配達証明で手紙を送ったんですよ」

「配達証明郵便ですか。そこにはなんと書いたんですか」

「『話がちがうじゃないか。約束を守れ』と書いたんです。それでも返事がこなかった。だから、自分はもう一度、送りました」

「配達証明は全部で何通出されたんですか。時期も教えてください」

「四回は出しました。去年の十二月頃から今年初めにかけてです。そもそも配達証明は、藤田が自殺したことをほかの舎弟から聞かされたから、送りはじめたんです。『どうなってるんだ。なぜ藤田の面倒を見ず、自殺に追い込んだ』と怒って出しました。しかし、返事がこない。それで、自分を無視できないようにするため、その次は奥さんの名前で出してやったんです。

『嘘ばかりついて、俺をダマしたら、許さないぞ。このまま俺を裏切るのなら、自分はあんたと一緒にやった事件をすべてバラすぞ。マスコミや警察に話してもいい。自分は本気だ。死刑なんて怖くないんだ。あんたが手を染めた犯罪を明かされたくなかったら、約束を守れ』――。

だいたい、そういう内容を書きました。しかし、やつはどうしたと思いますか。受け取ったのは最初の二回。その後の二通は中身を開けもせず、受け取り拒否で突っ返してきたんですよ」

後藤は、やるべきことはやっていたのである。

「それ以外には、後藤さんのほうでは何か彼に対し、アクションを起こしましたか」

「手紙や配達証明郵便じゃあ、ラチがあかないので、実力行使に出ました。娑婆《しゃば》にいる舎弟のひとりを茨城県内の〝先生〟の自宅に行かせ、藤田幸夫がどうして自殺するに至ったのか、その経緯を聞きだすのと、その落とし前をどうつけるのか、確認させようと思ったんです」

「なるほど。それで相手の反応は？」

「いや、本人は出てこなかったんですよ。奥さんが玄関に出て『主人は胃の調子が悪くて血を吐き、入院中です。家にはおりません』と言われたらしいんです。それが本当かどうかはわかりません。今から考えれば、もしかしたら、居留守を使われたのかもしれない。でも、〝先生〟が胃が悪いというのも事実なんです。今まで何回か体にメスを入れていて、本人も『おれは胃ガンを切っているんだ。そんなに長くは生きられないんだよ』と弱音を吐いたことがあるんです。

ですから、自分はよけい焦《あせ》ってるんです。やつに病気で死なれたら、困る。自分と同じ目にあわせ、逮捕や裁判の過酷さ、死刑になることの恐怖を味わわせてやりたいんです。そうでないと、復讐《ふくしゅう》にならない。病気で普通にベッドの上で死なれたんじゃあ、自分を裏切ったことや、舎弟を自殺に追い込んだことへの報復にならないんです。だから、急ぐ必要があるんです。とにかく早く記事にしてください」

後藤は焦燥感を漂わせながら、切羽詰った面持ちで訴えた。

実際は〝先生〟は居留守をつかったのだろう。手紙がダメなら、今度は人だ。後藤が自分のところに人間を送り込んでくるのは、織り込み済みだったはずだ。かりに本当に不在だったとしても、日ごろから妻には、「後藤という男はヤクザもので、ありもしない嘘の話をでっち上げて俺を脅しているんだ。後藤の関係者が訪ねてきたら、俺は血を吐いた、病気で入院中だ、胃ガンだ、とでも言っておけ」といい、追い返すよう指示していたにちがいない。

とはいえ、もしかしたら、本当に病気なのかもしれない。胃ガンというのは、後藤と蜜月《みつげつ》時代に〝先生〟が話した内容だ。だとすれば、嘘をつく必要もあるまい。そう思うと、今度は私の中にも焦りの感情が芽生えはじめ、焦燥感が湧いてくるのだった。

しかし、それにしてもどうして、〝先生〟は後藤の要求をはねつけたのだろう。内容はだいたい予想がつくとしても、配達証明郵便の形で手紙が送られてくれば、中身が気になるはずだ。それを封も開けずに送り返すとは……。もし本当に余罪の殺人事件に関わっていたならば、後藤を拒絶するような態度はとれないはずではないか。

　そうした疑念が顔に出ていたのだろうか。後藤は動物的な直観で、こちらの心の内を見透かしたかのように、こう言った。

「いいですか。金を出す、いくらでも出すと、そのときは言いますよ。困ったときはそう言うもんです。でも、いざとなると、やはり無駄な出費はおしくなるんです。どんな状態におかれていてもです。

〝先生〟だって、同じなんですよ。できるだけ、金の払いは先延ばしにしたい。しかもこちらは塀の中にいて、直接的に手出しはできないんですから。自分はいまは死刑を受け容《い》れる覚悟ができ、贖罪の心境に達していますが、最初からそうだったと思いますか」

「いえ、そうは思いません。やはり誰だって、死刑にはなりたくないでしょう」

「そうです。自分も同じです。だから、〝先生〟にしてみれば、自分の判決が出るまでは安心していたんです。すくなくとも、二審の東京高裁の判決までは絶対、大丈夫だと思っていた。問題は、そこで自分が最高裁に上告するかどうかです。もし、上告を断念すれば、『後藤は死刑を覚悟した。こうなったら、何をしてかすか分からない。

他の余罪殺人事件をすべてぶちまけるかもしれない。いよいよ本気で金をつかって、口封じに動かないとマズイ』と思ったでしょう。

しかし自分は上告した。〝先生〟は思いますよね。『まだ大丈夫だ。後藤は〝生〟に執着している』と。要するに、死刑になりたくなくて争っているうちは、ほかの殺人事件を打ち明けるような無茶なマネはしないと踏んだんです。だって、打ち明ければ、死刑は免れないじゃないですか。

だから、最高裁の判決が出るまでは、後藤がいくら脅しをかけてきても相手にする必要はない。判決が出る前後に本気で考えればいい、と〝先生〟はタカを括《くく》っていたんですよ。自分がこんなに早く報復を決断して、余罪事件を表に出そうとしているとは、思いもしないでしょう。

自分はこれまで、宇都宮事件について『強盗致死』ではなく、『傷害致死』であると争ってきました。弁護士さんが、その戦法をとってくれた。それが認められれば、死刑から無期懲役に減刑されるかもしれないと言ってくれました。自分もわずかながら、その可能性に賭《か》けていたんです。だから、他の殺人など自供するわけにはいかなかった。

実際、逃亡中も、小野塚や鎌田たちと『宇都宮の事件で捕まっても、絶対、保険金殺人については秘密にしておこう。発覚すると罪が重くなってしまう』と話し合っていたんです。

しかし、自分は高裁の控訴棄却を受け、すっぱり諦《あきら》めがつきました。もう無理なんだと。だから、余罪を隠しておく理由がなくなったんです。

それにしても、自分の告発が雑誌に発表されれば、〝先生〟はさぞかし驚いて、腰を抜かすことになるでしょう。計算が狂った、しまった、と後悔するはずです。でも、もう遅い。自分は捨て身でやっていますから。怖いものはありません。

とにかく、やつの一番の失敗は、約束を守らず、舎弟のように可愛《かわい》がっていた藤田を自殺に追い込んだことです。これだけは本当に許せない。自分は怒り心頭に発しているんです。今からやつが驚く顔が楽しみですよ」

なるほど、と私は心の中で思わずうなった。犯罪者の心理、心の奥ひだを垣間《かいま》見た思いがした。茨城と東京の間にある百数十キロもの距離。高いコンクリートの塀。厚い鉄の扉。そうした様々なものに遮断されながらも、〝先生〟と後藤は互いの心情をさぐりあい、ギリギリの心理戦を展開していたようである。

最高裁に上告した以上、後藤は〝生〟に執着している。凶悪な余罪殺人事件をさらに公《おおやけ》にして、死刑を決定的にするような自暴自棄なマネはしないはずだ。だから、最後の審判がくだるその日までは、なにもしてやらなくても、とりあえずは安全だ——。〝先生〟はそう考えたというのである。この解説には説得力があった。

ここで、私はもうひとつの不安の種を明かし、彼に確認した。それは確認であり、こちらにとっては宣言でもあった。

「わかりました、後藤さん。ところで、もうひとつ確認しておきたいのですが、あなたはまずマスコミを動かした。こうして私が会いに来たのですから。それを材料にして、また〝先生〟に『自分のところに記者が来ているぞ』と、連絡するつもりはありませんか。それをやられると、いろいろ予防線をはられて、こちらは取材ができなくなってしまいます」

「そんなことは絶対しません。もし伝えちゃったら、やつは逃げちゃうじゃないですか。自分はやつを逮捕させて、自分と同じ苦しみを味わわせてやりたいんですから」

後藤は本当に〝先生〟を窮地に追い込むであろう、これからの展開が楽しみで楽しみでしょうがないという顔をしていた。

「そうですか。じゃあ、信用させていただいていいですね。それと、これは後藤さんが願わなくても、マスコミがあなたに接触してきていると気づけば、向こうがあわててコンタクトを取ってくる可能性があります。『約束を果たせず、悪かった。お金を用意したから許してくれ。金は本当にいくらでも出す。だから、マスコミにあの件の話をするのだけはやめてくれ。もちろん、警察にもバラさないでほしい』と。実際に、彼が金をもってきたらどうしますか」

少し回りくどい言い方だったが、後藤に真意は伝わった。彼は必死の色を浮かべ、訴えた。

「心配しないでください。金なんてもってきても、相手にしませんよ。途中で話を引っ込めるようなことはしません。いいですか。自分は金欲しさに、やつを脅すために、新潮さんに来てもらったんじゃないんです。金なんて、自分はもうどうでもいいんですよ。そんなことより、自分の真の目的はやつへの復讐なんです。だから、来月でも、来週でも、今すぐにでも余罪事件を記事にして発表してほしいんです」

最大の目的は復讐――。

ここでは動機の倫理性は問うまい。その顔に嘘はないと思った。

「わかりました。ただ、そんなにすぐ簡単に記事にできるものではありません。疑うわけじゃないけど、やはりこちらも報道機関の端くれですから、ひとつひとつ取材で裏づけをとり、真実だと確信できた時点で報道させてもらうことになります。取材やそこで得た材料の判断、記事の発表の時期だけは、申し訳ないけど、こちらに任せていただきます」

「わかっています。すべてお任せしますから。男が一度、『任せます』、といったら、最後までとことんお任せしますから」

「わかりました。それと最後にもう一度、確認しておきますが、後藤さんの意向と関係なく、〝先生〟が態度を急変させて、接触してきても、私の方はもう止まりません。その心配はないと仰《おっしゃ》ったし、その気持ちは信じます。ただ、そういうことはないとは思いますが、かりに後藤さんから、『先生が謝ってきたので、許してやりたい』とか、『やつがこれだけの金をもってきたので、あの話はなかったことにしてほしい』と、途中でお願いされても、一度、取材に動き出せば、もうこちらはストップすることなく、取材を進め、こちらの判断で記事を公表します。そういう条件でなければ、取材がはじめられません。それで良いですね」

「もちろんです。お金が目的じゃありませんから。よろしくお願いします」

「わかりました。それでは本格的に取材を開始します」

そう言って、私は席を立ち、お辞儀をした。そのとき、後藤が、

「高橋さんからいわれて、渡すように言われているものがあります。用意してあるから、宅下《たくさ》げの許可をとった紙をもらって、持っていってください」

と言った。

「それは何ですか」

「写真です。自分の顔写真。それがないと、記事にしてもらえないと、高橋さんが言うもんですから。でも、もう自分には写真の現物などはなくて、そのコピーしかないんです」

「では、それをお借りします。複写して、今度、お返しにあがりますから」

「いや、返さなくていいですよ。もう自分には必要のないもんですから。差し上げます。持っていってください」

そう言うと、後藤は立ち上がって一礼し、面会室を出て行った。その際、立会いの職員から、詰め所に寄るよう言われた。

面会室を出て、中央の詰め所に近づくと、職員の一人が、「じゃあ、これね。一階の宅下げの窓口に出して、受け取って」と言って、窓ガラスの下から一枚の紙片をこちら側に差し出した。そこには「宅下げ証明書」とあり、後藤の名前と受取人として私の名前が書いてあった。

「宅下げ」というのは、拘置所にいる被告の私物を外に出して、関係者に引き取ってもらうことを指す。手紙類や書籍、雑誌などがたまると、房の中や被告用の荷物置き場がいっぱいになり、保管しきれなくなる。そのため、定期的に荷物を外に出し、親族などに引き取ってもらうのだ。また衣服についても、夏場は冬物がいらないから外に出す、冬場は夏物の要がないから知人に保管してもらうなど、やはり宅下げをすることになる。

その反対に、拘置所の外から房内の被告宛《あて》に荷物や金品を入れることを、「差し入れ」という。また、拘置所が荷物の保管場所で預かっている被告の私物を本人の希望により房の中に入れることを「舎下《しやさ》げ」と呼ぶ。

一階にある宅下げの窓口は混んでいて、行列ができていた。順番がきて、窓口に六階でもらった紙片を差し出す。待つこと十数分。一枚の写真のコピーが渡されるものと思っていたが、予想に反して出てきたのは、黒いヒモで結ばれた書類の束だった。見るとそれは、「宇都宮事件」や「水戸事件」に関する、後藤や共犯らの供述調書などだった。彼が裁かれている事件の捜査資料の一部なのだろう。そのコピーは、厚さにして数十センチはあった。これはこれで貴重な資料だが、後藤が渡すといったのは、顔写真のコピーである。私は意味が分からず、間違いではないかと職員に尋ねたが、間違いないといわれた。それで、中をパラパラとめくって、合点がいった。

ある調書のコピーの末尾に、後藤や共犯らの逮捕時の顔写真が添付されていたので

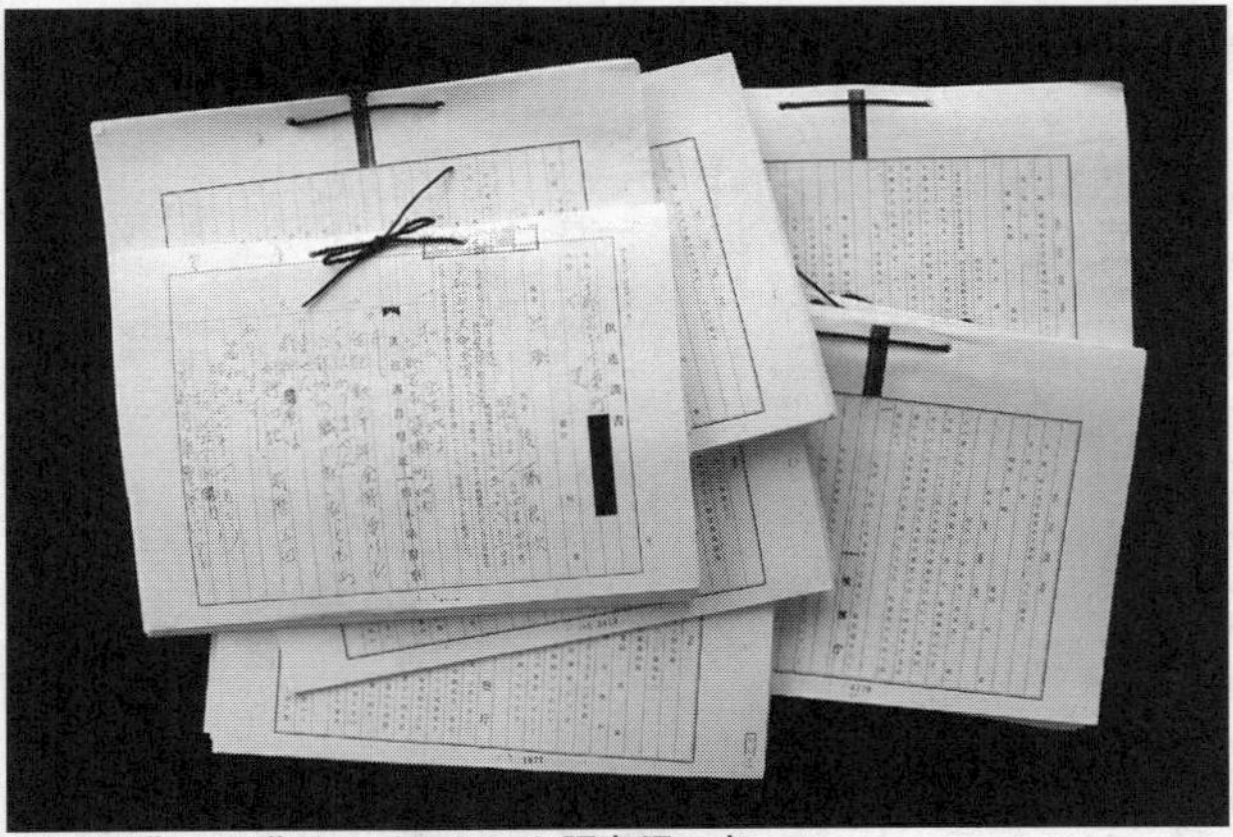
“宅下げ”で後藤から受け取った調書類の束

ある。正面と右側から、ひとりにつき二通り撮影されていた。コピーだから画質は粗いが、容貌《ようぼう》はよく見てとれる。

逃亡の果ての逮捕だったということもあるのだろうが、その写真の後藤の顔は疲れが濃く、ひどいものだった。髪は石川五右衛門の絵のようにぼうぼうで、無精ひげも伸び放題。むくんでいるのか、顔が膨らんで見える。

とりわけ迫力があるのは、その目だった。何人《なんぴと》をも威嚇《いかく》する凄《すご》みで、正面を睨《にら》みつけるまなこ。まさに、前科が何十犯もあるようなヤクザ者の相貌である。血色がよく、憑《つ》き物が落ちたような柔和なイメージの今の顔とは雲泥《うんでい》の差だ。知らない人が見れば、同一人物とは思えないのではないか。

私はその書類をもち、東京拘置所を出た。

体が重かった。拘置所の塀に沿ってぐるりと回り、東武伊勢崎線の小菅駅までは歩いて十分弱。高速道路の高架の下を歩いていく途上に、小川が流れる緑道《プロムナード》があった。かつては利根《とね》川の末流で、古隅田川と呼ばれるその川の水は、堤防の向こうに流れる大きな荒川へと注いでいる。

小川沿いには、桜の木が何本も並んでいた。来るときはなぜか気づかなかったが、桜はすでに満開で、たがいに競うように咲き乱れている。美しい花びらを愛《め》でながら、私は「小菅万葉公園」という仰々しい名のついた小さな休憩所のベンチに腰をおろした。

サイは投げられた。

しかし、この事件の取材を自分は貫徹できるだろうか。

桜はこんなに綺麗《きれい》なのに、その木の下で、私はおどろおどろしく殺伐とした事件に対峙《たいじ》するプレッシャーを感じながら、同時に虚脱感に苛《さいな》まれていた。せせらぎには陽の光がきらめき、まぶしかった。

ふと前を見ると、川岸に小さな野良《のら》ネコがいた。岸の縁で、じっと水の中を覗《のぞ》きこんでいる。かと思うと、すばやい動きで、川面《かわも》に浮かぶ小さな岩場に飛び移った。そして、そこから水面をうかがい、前足でなにかを威嚇している。

川の中にいたのは大きなコイだった。よく見ると、何十匹もうようよ泳いでいる。ネコは前足でコイのあたまを叩《たた》いたかと思うと、興奮して岩場から岩場へとピョンピョン飛び跳ねた。その動きにあわせて、コイも体をくねらせ、水面を跳ね、水しぶきをあげる。それに驚いたネコがさらに過敏に反応し、川岸から岩場へ、岩場から川岸へと飛び移っていく。

戯《たわむ》れているのではない。あきらかに狙《ねら》っているのだ。このネコは相当、腹が減っているのだろう。しかし、相手のコイはネコよりも明らかに大きかった。ネコはターゲットを絞り、川岸にうちあげようとしているようだったが、同時に自分より大きな獲《え》物《もの》に恐怖も感じているのが見てとれた。だから、獲物はなかなか仕留められず、ときおり後ずさりし逃げるように川岸に戻るのだ。

「ハハハ、ムリね。大きすぎよ。もっと、小さいの狙わないと」

いつの間にか横に外国人が立って、その様子を眺めていた。中東系の濃い顔立ち。偏見ではないが、今、日本ではイラン人の犯罪が増加しているのは厳然たる事実だ。罪を犯して捕まった知人の面会にきたイラン人だろうか……。

彼はこちらに同意を求めるように、笑みを浮かべた。私は、うなずいて同意した。

第三章　〃先生〃VS殺人犯

ここに、一通の供述調書がある。

日付は平成十二年十月四日。被疑者氏名A。これは、後藤が一時〃先生〃と仰ぎ、そして今、報復の矢を射んとしている不動産ブローカーの名前である。

彼は、後藤が宇都宮事件を起こした際に逃亡中の後藤に接触。後藤に逃走資金を渡したとして、犯人隠避《いんぴ》に問われ、逮捕されていたのだ。もしかしたら、当初、捜査当局は事件そのものへの関与も疑っていたかもしれない。

この調書は、そのとき〃先生〃が取り調べをうけ、作成された検察官面前調書（検面調書）だ。後藤が宅下げして、渡してくれた資料の中にあったひとつである。

〃先生〃は後藤のことをどう捉《とら》え、扱っていたのか。〃先生〃の立場から見て、当時のふたりの関係はどのようなものだったのか。それを知る有力な手がかりとなる。なにしろ第三者である検察官が強制力を行使し、喋《しゃべ》らせた内容なのだ。

もちろん、すべてを額面どおり受け取ることはできない。〝先生〟にしてみれば、殺人容疑で捕まった後藤との関係は、できるだけ希薄に見せたいところだろう。しかし、それを割り引いたとしても、逃亡時の後藤と〝先生〟とのやりとりが分かる貴重な証拠ではある。ふたりに関する何らかの事情が読み取れるかもしれない。

実際、この調書には、後藤の告発の真贋《しんがん》を判断するうえで、重大なカギが隠されていた。

少し長くなるが、主要部分を抜粋して掲載させていただく。なお、プライバシーに配慮するため、必要に応じて、登場人物や会社名を伏字にしている。

《私は（水戸市内の）事務所に、仕事に失敗したりして生活に困った人を寝泊まりさせていて、平成一二年二月頃からは藤田幸夫（筆者注・平成十六年に自殺）という男を住まわせていました。

今回の事件を起こした後藤良次、小野塚博敏、鎌田仁、沢田一孝と私の関係について話します。

私は、後藤良次のことをいつも「良次君」と呼んでいるので、これからは後藤のことを良次君と呼んで話します。

最初に私と沢田一孝との関係について話します。

沢田は、私が住宅設備機器の卸業を営んでいたときに、運転手として雇っていた人間で、私は、沢田の仲人《なこうど》をやるなどしており、弟のように思っています。

平成五年三月に、○○商事が倒産して、その後、沢田は、水戸市内で土木関係の仕事を始めました。しかし、沢田も平成一二年三月末頃に仕事に行き詰まってしまい、妻とも離婚し、住むところも無くなったとして、私を頼ってきたので、水戸市の事務所に寝泊まりさせて生活の面倒をみてやっていました。

次に私が後藤良次と知り合ったいきさつについて話します。

私が、良次君と知り合ったのは、平成一一年一二月頃のことでした。

私は、今は破門になっていますが、元稲川会大前田一家の組員で、不動産ブローカーをしている○○から「後藤は大前田一家の組員であるが、堅気《かたぎ》になって仕事をしたいので、不動産の仕事を教えてもらいたい」などと紹介されて、良次君と知り合いました。

私は、良次君が、現役の暴力団員であることから法に触れるようなことをされると困るので「切り取りはやってないよ」と債権取り立てのようなことはやっていないと言ったところ、良次君は「わかってますよ」と言って、まともな不動産取引を覚えたいと言っていました。

ただ、良次君は、登記簿謄本《とうほん》の取り方も知らないらしく、私が何もそこから仕事を教える必要もないと思い「良い物件でもあったら、話を持ってきな。仕事を教えながら一緒にやってもいいよ」などと言ってやっただけで、後藤につきっきりで仕事を教えるというような約束まではしませんでした。

なお、私は、良次君達周辺の人から「先生」と呼ばれています。

これは私が「先生」と呼ばせているわけではなく、私が、七億円もの負債を抱えながら、夜逃げなどせずに少しずつでも借金を返済しており、また、沢田や藤田のような困った人の面倒を見ていることから、いつの間にか「先生」と呼ばれるようになったのだと思います。

次に、私が、良次君達が事件を起こしたことを知ったいきさつなどについて話します。

水戸市にある○○商事の事務所に向っている途中、○○銀行の関連会社に勤めている○○○○さんという知人から電話があり「Aさん、知り合いの後藤が人殺ししたみたいだよ。テレビでやってたんだ。指名手配になっている」と言われたのです。

それで私は、「大変なことになった。何で良次君が人殺しなんかしてしまったんだろう」などと思い、藤田に電話して新聞の夕刊を買っておくように頼んで急いで事務所に向かいました。

事務所にいた藤田も青い顔をしており、私が「嘘だろう」と聞いたところ、藤田が「後藤さんに間違いないです」と言ったので、(中略)この時、私は、事務所に沢田の姿がないのに気づき、もしや沢田も良次君と一緒に事件を起こしたのではないかと頭をよぎったので、藤田に沢田の行方を聞いたところ、沢田も後藤さんと一緒に出かけたきりだということでした。

私は、沢田も良次君と一緒に事件を起こしてしまったのではないかと考えるといてもたってもいられなくなってしまいました。

帰宅途中、私の携帯電話に良次君から電話が入りました。

私が、良次君に「良次君、新聞見たぞ。宇都宮の事件やったのか」と聞いたところ、良次君は「先生、やってないですよ」と答えたので、私は「沢田も一緒か」と聞いたところ、良次君は「一緒ですよ。今、北茨城にいます」と言いました。

私は取りあえず良次君に会って、事実を確かめようと思い、良次君に日立北インターに来るように言いました。

良次君は、動揺した様子も見せず「先生、やってませんよ。マンションに行ったら覚せい剤を使って乱交パーティーをやっていて、自分が行ったときには既に死んでたんだ。沢田も運転を頼んだだけで、何もやってないんですから、帰していいですから」と言ったのです。

私は、さらに良次君に「良次君、本当にやってないんだね。テレビや新聞に出てるんだよ。指名手配になってるんだよ。やってないんだったら警察に出頭したらいいだろうよ」と言いましたが、良次君は「だって先生、俺はやってないんだから」と何度も繰り返していました。

私は、沢田を私の自宅に連れていくことにして、車を走らせましたが、（中略）沢田は「社長、俺もマンションの部屋に入ったんです。後藤さん達は大丈夫と言ってるけど、俺は相手の人達に顔を見られてるんです」とぼそぼそといった感じで、ようやく事件に関係していると打ち明けたのです。

沢田から話を聞いたところ「後藤が四人に覚せい剤を注射したり、小野塚や鎌田が四人を縛ったこと。後藤が四人を拳銃《けんじゅう》で脅したり、刃物で切りつけたこと。四人のうちの一人の女が、途中で死んでしまったこと」などをとぎれとぎれに話してくれ、更に良次君からは私には絶対喋るなと言われていて、もし喋ったら妻や子供を殺すよと言われていたということを話してくれました。沢田は「子供達が心配なんです」などと言って踏ん切りがつかないようでしたが、私が「少しでも軽く済んだ方が良いだろう。自首するのと逮捕されるのでは、罰も違うんだぞ」と説得したところ、沢田は「わかりました、社長の言うとおりにします」と言って出頭する決心をしました。

その後、(中略)良次君から「大洗の釣り道具屋の近くの民宿にいる。先生に話したいことがある」という電話がありました。

民宿の前には、鎌田が待っていてくれ、鎌田の案内で二階の部屋に上がったところ、六畳くらいの部屋に、良次君と小野塚がいました。

この時の良次君の顔つきは、いつもと違っており目は血走って言葉使いもとても乱暴で、覚せい剤でも注射して少しおかしくなっているのではないかと思うくらいでした。

そして良次君は、私に「俺と先生は嘘のない付き合いをしていたよね」と言い、鎌田に促すようにすると鎌田が「沢田から聞いたんですが、先生は沢田を警察に出頭させると言っていた。沢田は私にも自首しろとか言ったり、後藤さんが覚せい剤をやってるとか、この件で後藤さんが破門になるとか、捕まれば死刑だとか先生が沢田に言ったと話していた」と話したのです。

良次君は、沢田に対し、事件のことを警察に話したら妻や子供を殺すと言っていたことから、私が沢田を自首させようとしたことが、良次君にわかってしまえば、私も良次君に殺されるのではないかとも思い、背筋がゾッとするような気分になりました。

とにかく私は、「自首しろとは言ったよ。当然だろう」と言って、更に「良次君よ、何で沢田を中に入れたんだい、ひどいぞ」などと必死の思いで言いました。

その途中、良次君に彼女の○子から電話が入ったようでした。

良次君は、最初穏やかに話していたのですが、途中「警察に電話しろ」とか言って怒りだして電話を切ったのです。

すると良次君は、小野塚に対し「てめえが仕組んだのか。俺の女はどうするんだ。この野郎ぶっ殺してやる」と怒鳴ってテーブルの下から拳銃を出して小野塚に向けました。

私は、良次君が小野塚に拳銃を向けたことから、私の目の前で人殺しがあったら、私の人生は終わってしまうと考え、夢中で拳銃を両手で持ち、銃口の向きを変えて、良次君に「何、仲間割れしてんだ。引っ込めろよ」と怒鳴りました。

良次君は、私の怒鳴り声で、我に返ったように拳銃をテーブルの下に戻しました。

私は、良次君が、拳銃をテーブルの下に隠した状態で私を呼び出していたということが分かり、私の出方次第ではその拳銃を私に向けたのではないかと思いました。

そのため私は、これ以上、良次君と付き合っていては自分がどうなるか分からないと思い、支払いをするため持っていた二一〇万円のうちから一〇〇万円が入った封筒をバッグから取り出して良次君の前に置き「良次君やってないならいいよ、信用するよ。この金をやるから使えよ。俺も馬鹿《ばか》じゃない、一〇〇万円をやれば逃亡を助けたことになる。使えよ」と言ったのです。

もちろん、私は、良次君達が宇都宮で殺人事件を起こし逃げていることはわかっていました。そのような良次君達に一〇〇万円を渡せば、当然良次君達はその一〇〇万円を使って逃亡するでしょうし、そうなることはわかっていました。

ですから、この一〇〇万円を良次君に渡せば、良次君達の逃亡を助けることになって、私も何らかの罪に問われることは十分わかっていましたが、とにかく良次君と縁を切りたい、これ以上付き合って殺されるような目にはあいたくないという一心でその一〇〇万円を渡しました。

私が、その一〇〇万円を良次君に渡すと、良次君は「すいません」と言ってそれを受け取り、だいぶ気持ちも落ち着いたようなので、私は、今が逃げ出すチャンスだと思い、民宿を出たのです。

現在の私の気持としては、沢田に、本当のことを正直に話して一日も早く罪を償ってもらいたいと思っております。また、私自身、結果として後藤や沢田の逃走を助けたりするような行為に及んでしまい、この度は深く反省しております。》

さて、どうだろうか。

この供述からは、不本意ながら関係をもってしまった元暴力団組長がとんでもない事件をしでかし、その男の潜伏先でやむにやまれず金を出して事件に巻き込まれてしまった、哀れなお人好《よ》しの切実な叫びが伝わってくる。緊迫感に満ちており、それゆえ証言内容には、それなりの説得力も感じられよう。

後藤は言っていた。

〝先生〟と水戸で知り合ってから、すぐに不動産の仕事を教えてもらい、仲間にしてもらった。おいしい思いをさせてもらった、と。二人の関係は蜜月《みつげつ》そのものだった、と。

しかし、である。〝先生〟には、それまでにも暴力団関係者の知り合いがいたという。新たに知り合ったばかりの後藤を、元組長だからといって、これほど厚遇し、短期間で親密になるものだろうか。

さらにおかしいのは、知り合いになったばかりの人間に、殺人を犯したことを打ち明けて、助けを求めたことだ。告発した最初の事件で、後藤は〝先生〟から相談を受け、死体遺棄を手伝ったと言っているが、しょせんは他人である。逆に、この件で生涯脅しつづけられるかもしれない。本当に人殺しを行い、隠したければ、普通なら自分だけで処理しようと考えるのではないか。

正直に言おう。私は最初、この供述調書を読んだとき、後藤と〝先生〟の関係については、〝先生〟の主張の方が事実ではないかと思った。

知人に紹介された元組長に対し、むげな扱いもできないから、適当に相手をしていた。本気で一から不動産の仕事を教えたって、自分にはなんの得にもならないし、はなからそのつもりはなかった。したがって、我々はそんなに親しい間柄ではないんだ、と。この〝先生〟の主張の方が、世間一般の感覚からしても、うなずけるというものだ。

では、〝先生〟はなぜその後藤に百万円もの逃走資金を渡したのか。それも、この状況におかれた彼の立場にたって考えてみれば分かる。目の前で殺し合いなんて行われたら困るし、その攻撃の矛先がいつ自分に向くかもしれない。それで怖くなり、何とかその場を収めて、切り抜けるために現金を出したという。この説明に無理はなく、合理的でさえある。後藤との関係を追及された〝先生〟の申し開きには、なんの曇りもないように見えた。

ただひとつ、どうして殺人事件を起こして指名手配中の後藤に対し、危険を冒してまで接触を図ったか。その一点をのぞけば……。

後藤との第三ラウンドは、平成十七年四月十二日だった。ちなみに、私はこの四月一日付で、十六年間、携わった週刊誌の職場を離れ、月刊誌『新潮45』編集部に異動していた。

〝先生〟の検面調書を読むと、殺人事件云々《うんぬん》というより、そもそも、ふたりの関係という、話の入り口からして、双方の主張は真っ向から食い違っている。そして、私の判断では、〝先生〟の方に分があるといわざるを得ない。

それと、もうひとつ、この検面調書を手にする前から抱いていた疑念がある。それが〝先生〟の調書を読んで、さらに深まった。

私は、聞きにくかった話を後藤にぶつけてみようと思った。これについてはすでに、現在、最高裁で彼の刑事弁護をつとめている国選弁護人の大熊裕起《ゆうき》氏に確認していた。

大熊弁護士は言った。

「いやぁー、それはないですよ。私ももう何回も後藤さんに面会し、話をしていますが、そうだとしたら、まともな会話が成り立ちません。過去はそうだったかもしれませんが、今はそんなおかしな傾向はまったくないですね。後遺症は残っていないでしょう」

薬物中毒による後遺症。前記のとおり、後藤には覚せい剤取締法違反で訴追された前科がある。かつては常用していたことも認めていた。それによって、後藤は幻覚を見たり、幻想を抱き、それを事実と思い込んでしまって、恨み骨髄の〝先生〟を告発しようとしているのでないか。いわゆる〝シャブぼけ〟である。

弁護士は、こちらの不安を笑い飛ばした。だが……。

この質問が愚問であることも承知している。仮にそうだとしても、本人は否定するに決まっているからだ。だから、本来は面会時の様子や、会話の中で、その傾向があるかどうか摑《つか》み、判断するしかない。

これまでのところ、その兆候はなかった。かりに重度の後遺症が残っているとしたら、面会のやりとりの中で、すでにほころびが出ているだろう。だが、私はあえて尋ねた。

「後藤さん、大変失礼な質問で、こういうことを訊《き》かれると、気分を害するかもしれませんが、これも仕事なんで、許してください」

「はい」と、後藤はうなずいた。真剣な表情で私の質問を聞いていた。

「後藤さん、過去に覚せい剤で捕まったこともありますよね。宇都宮の事件でも、被害者に覚せい剤を射っている。常時、覚せい剤が身近にある生活だったと思うんです。逃亡中のときも捕まるまで、使用していたんですよね。かなりの量をやっていたんですか」

後藤は、少し怪訝《けげん》な表情を浮かべながら言った。

「ええ。昔は相当やっていましたよ」

「そうですか。いや、何が言いたいかというと、今回、証言してくれている余罪事件。中身がすごすぎて、内心、額面どおり受け止めていいものかどうか、正直言って、すこし当惑しているんですよ。

これだけの事件をほかに起こしていて、警察がまったく気づいていないなんてことがある得るだろうか、とか、首謀者が捕まらずにいられるものだろうか、とかね。いや、もちろん、嘘をついているといってるんじゃないんですよ。ただ、あまりにすごすぎて、受け容《い》れがたいんです。そこで、あえて訊くんですが、後藤さん、覚せい剤中毒に陥っていた時期があるんじゃないですか。その後遺症が残っていて、後藤さん自身、自覚のないうちに、幻覚を見たり、幻想を抱いて、それをこちらに話している、ということはありませんか」

　後藤は、ようやくこちらの質問の意図が理解できたようだった。当惑し、苦笑いするような表情を浮かべて、答えた。

「いや、それはありません。心配しないでください。確かに、自分は中毒のようなものでしたが、もうクスリはすっかり抜けています。禁断症状もありません。欲しいとも思いませんよ。それに、自分は過去に覚せい剤関連の更生施設や医療施設に入ったことはありませんし、その種のリハビリを受けたこともありません。本当に重い中毒や後遺症があれば、そういうところにいれられるんでしょうけどね。

　この告発は幻想ではないし、幻覚を見たり、幻聴を聞いて、それを話しているのでもありません。私が言っているのは、すべて本当の話です。殺人事件は本当にあったんです。妄想じゃありませんよ。心配されるのもわかりますが、本当に大丈夫ですから」

後藤は笑いながら、しかし淡々と、覚せい剤中毒による幻覚や幻想である可能性を否定した。その様子に、こちらも少し安堵《あんど》を覚えた。少なくとも、五年前からの長期の勾留で、覚せい剤は彼の体からは抜けているはずだ。現在は、中毒症状によるおかしな言動や受け答えがないことだけはまちがいなかった。

「後藤さん、この前、いただいた資料の中で〝先生〟が後藤さんに対する犯人隠避容疑で逮捕され、取り調べを受けたときの調書があったんですけどね。後藤さんとの関係について、知り合って日が浅く、さほど親しくなかった、と言ってるんですよ。すぐに蜜月関係になったという後藤さんの証言とは、最初から食い違っているんですよね。実際はどうなんでしょうか」

後藤の顔には、まだそんなことを疑っているのかという半ば呆《あき》れたような感情と、それでいてやはり、〈あなたに頼るしかないので、どうか信じてください〉と、哀願するような切実な思いが入り混じった複雑な色が浮かんでいた。

「ダマされちゃダメです。あいつは嘘《うそ》つきのプロなんですから。前にも言ったように、それこそ、嘘つきの〝先生〟、詐欺師《さぎし》の〝先生〟ですから。自分とやつは、本当に親しかったんです。こっちが元暴力団組長で人殺しで逮捕された経験もあるということで、妙に自分のことを気に入って、連れ歩こうとしたんです。仕事のことで、人に恨みを買われたり、なにかとトラブルを抱えこんでいたから、自分をボディガードや用心棒のように侍《はべ》らせたかったんですよ」

「そこまでなら分からなくもないんですが、問題はそのあとです。いくら後藤さんを気に入って、信頼したといっても、知り合ってわずかな時間しか経《た》っていない人間に、殺人事件という究極の犯罪の秘密を打ち明けて、隠蔽《いんぺい》協力を頼むなんてことがあり得るかなと……。普通は、自分ひとりで何とかしようと思うし、どうしてもひとりで出来なければ、もっと親しい人、長年つきあってる本当の友人などに相談するんじゃないでしょうか」

「ちがうんです。やつを知らないから、そういうんです。〝先生〟には本当の友だちなんていないんです。困ったときに安心して相談できる人間なんて、周りにひとりもいなかったんですよ。孤独で哀《かな》しいやつなんです。

あの供述調書は、嘘で塗り固められています。『周りの連中から尊敬され、慕われて、〝先生〟と呼ばれていた』というようなことをほざいていますよね。ふざけるな、といいたいですよ。実際のところは、尊敬されているからじゃなくて、嘘をつくことが得意技で、相手をダマして金儲《もう》けをするから、それを皆が、『先生、先生』ともちあげて、煽《あお》っていただけなんです。

それに、若い人間が自分を頼って事務所に集まっていた、というようなことも喋《しゃべ》っていたけど、あれは本人が淋《さび》しがり屋だから、金の力で、生活に困っている若いやつらを集めて、侍らせていただけなんです。まぁ、自分もそうしたひとりですけどね。やつは、自分をボディガード役として手元に置いておきたかった。さっき覚せい剤の話が出ましたけど、〝先生〟は自分をつなぎとめておくために、しょっちゅう知り合いのヤクザ関係からシャブを調達してくれていたんですよ。自分が常習者だったことを知っていましたからね。

実は、あの百万円をもってきてくれた日も、金だけを置いていったんじゃないんです。うまく隠していましたけど、実際は自分のご機嫌をとるためにシャブも用意してくれていて、『これも使ってくれ』と置いていったんですよ。そもそも、本当に親しくなければ、あの状況で自分に百万円を提供する人なんていないでしょう」

ひとしきり話すと、後藤は息をついた。

だが、私もそれで納得はしなかった。

「その百万円なんですけど、〝先生〟は後藤さんが舎弟に拳銃《けんじゅう》をつきつけたので、それを止《や》めさせるために差し出した、というような供述をしています。『目の前で人殺しなんて起こされたら、自分の人生が終わってしまう。自分の出方次第では、銃口はこちらに向けられたかもしれない。これ以上、良次君と付き合っていては自分がどうなるか分からないと思った。だから逃走資金に使われることは分かってはいたが、縁を切りたい一心で金を渡した』、とも話しています。

やむにやまれぬ行動であり、犯人隠避に問われるのを承知で、なんとかその場を切り抜けようとした、自分から進んで提供したんじゃない、と言ってるんですね。それはそれで、具体的で説得力があるんですよ。あれなら警察も検察も信じたんじゃないですかね。あの調書を読めば、〝先生〟は事件の共犯となった沢田を自首させようともしており、普通の良識をもった、いい人なのではないかという印象で受けとめられてしまいます」

後藤はこちらが話し終わらないうちに、それをさえぎるようにして言葉をかぶせた。その評価だけは我慢ならないと言いたいように。

「まさに、そこ。そこが問題なんです。百万円を差し出した理由については、一見、なるほどと思わせるでしょう。だから、嘘のプロなんです。でも、よく考えてください。どうして、やつは自分に会いに来なければいけなかったんですか。そんなに親しい人間じゃなければ、危険を冒してまで会いに来る必要なんてないじゃないですか。自分が人殺しを犯し、指名手配されていると分かれば、普通、関係を絶つほうに動くでしょう。それをわざわざ向こうから会いに来たんですから。それは〝先生〟の方に自分に会わないといけない理由があったからなんです」

それは、まったくそのとおりなのである。

後藤はつづけた。

「本当に殺人事件を起こしたのか本人に接触して確認したかったとか、呼び出されたので、会いに行かないと自分も恨まれ、何をされるか分からないと思ったとか、面倒を見ていた沢田も事件に巻き込まれたので自首させたかったとか、いろいろ言ってますが、そんなの理由にならないでしょう。沢田はあの時点で〝先生〟のところに返していたのだから、自首させたければ、勝手にさせればいいだけのことでしょう。〝先生〟は自分を必死に探し回った。そして、警察の捜査の網をかいくぐってまで、殺人事件を起こした自分に接触してきた。そして、百万円の逃亡資金と覚せい剤を二十グラムくれた。

いいですか、それは自分がお願いしたから、してくれたんじゃない。すべて〝先生〟が積極的におこなったことなんです。つまり、〝先生〟にそうせざるを得ない事情があるからですよ。

〝先生〟は思ったんですよ。『一緒に殺人事件を起こした後藤が勝手にほかの事件を犯してしまった。やつが捕まるのは時間の問題だ。逮捕されたら、俺と一緒にやった事件まで喋って、犯罪がバレてしまうかもしれない。それはなんとしてでも阻止しないといけないから、なんとか警察に捕まるより前に後藤に接触して口封じをしなければならない。そのためには金も用意してやらなければいけないだろう』と。

あの場所（筆者注・後藤たちが潜伏していた大洗の民宿）には、自分の舎弟で、余罪の保険金殺人の共犯である、小野塚や鎌田もいた。当時、事件の実行から三週間ほど経っていましたが、まだ保険金は入っておらず、仕事は完了していなかった。いいでしょう、はっきり言いますよ。この分け前の取り分が二千万円でしたが、〝先生〟は必死になって、こう懇願してきたんです。

『君らが捕まっても、俺と一緒にやった殺人を警察に話さず、生涯、黙っていると約束してくれるなら、それとは別に、良次くんには三千万円、小野塚くんと鎌田くんにも一千万円ずつ渡す。必ず金は準備する。だから、後生だから、事件は秘密にしておいてくれ。お金は九月のアタマまでには作る。現金で用意して渡すようにする。それまで、この金で逃亡してくれ』

そういって差し出したのが、あの百万円だったんですよ。〝先生〟はこの契約を結ぶために、危険を承知で自分に会いにきたんです。来ざるを得なかったんです。それで、自分たちは承諾した。金の約束を実行するなら事件を封印する、と。警察も、検察も、ダマされたんですよ。〝先生〟が必死になって考えた嘘の話を信じこまされ、いいようにあざむかれたんです」

なるほど。確かに、そう言われて調書を読みかえすと、〝先生〟が主張する後藤との関係と、実際に彼が取った行動の矛盾が浮かびあがってくる。この瞬間、〝先生〟に傾きかけていた信用度をはかる秤《はかり》は、ふたたび均衡を保ち、その竿《さお》は後藤の重みの方に傾きはじめた。〝先生〟が後藤に接触し、百万円を渡した理由について、〝先生〟の言い分より、後藤の説明の方がはるかに説得力があるように感じられたのである。

約束の金はどうなったのか。

「結局、八月三十日に自分や小野塚、鎌田らは埼玉県内で捕まり、宇都宮に護送、収監されてしまったのです。だから、『保険金殺人』の報酬は受け取っていません。その後、保険金がおりたのかどうかも知らないんです。〝先生〟が提案した三千万円や一千万円ずつの口止め料も支払われていない。拘置所にいても、差し入れてくれたら、現金は受け取れるんですが。

だから、自分は〝約束の金はどうなったんだ。話がちがうじゃないか〟と最初のころ、面会や手紙で文句を言ったんです。だけど、〝先生〟は面会に来たとき、『今、ちょっと苦しくてな。すまない、もうちょっと待ってくれ。必ず約束は守るから』と引き延ばした。そして、そのうち連絡を絶ち、待てど暮らせど、なしのつぶてになってしまったんですよ。

要は、約束は反故《ほご》にされたまま、果たされていないんです。自分が激怒する理由が分かったでしょう。自分たちの間には、裏で本当にいろんなことがあったんです」

・余罪殺人事件がすべて真実なら、〝先生〟は極刑を免れない。命がかかっているというのに、どうして後藤の口封じを怠ったのか？
・覚せい剤中毒による後遺症で、幻想を喋っているのではないか？
・ふたりの関係は濃密だったか、希薄だったのか？　後者なら、殺人事件の隠蔽について〝先生〟が後藤に相談する可能性は皆無ではないか？

取材の入り口のところで浮かび上がったさまざまな疑念に対して、後藤は一応の説得力をもって対応し、ときには怒り、ときには嘆きながら、懸命に説明をおこなった。それによって、なかには完全に氷解した疑問もあった。

信用してもいいのではないか——。私は、本格的に取材に動きはじめる決意を固めていた。

その後も、私は後藤への取材を重ねた。わずか十数分の面会時間だけでは不十分なので、取材の中心は、手紙のやりとりとなった。後々のトラブルを避けるため、当初は保険の意味あいで高橋被告にクッションになってもらい、彼を通じて質問と回答のやりとりをおこなっていた。

最初に、私がまとめて数十項目にわたる質問を書面で送り、それに対する回答を返信してもらった。そうして、概要しかわからなかった事件の全容をより正確に摑み、ジグソー・パズルの枠の大きさがどれほどのものになるのかを把握する。

さらに、後藤の回答にあった矛盾や不正確な部分を、質問を送って問いただし、彼の記憶を呼び起こす。こうすることでディテールを得、パズルのピースを埋めていった。

こちらの質問の量の多さもさることながら、それらに答えるために、後藤も相当の量のペンと便箋《びんせん》を消費することになった。のちに後藤は笑って言った。

「これだけ真剣に、これだけ多くの手紙を書いたのは生まれて初めてのことです。そして、これが最後になるでしょう。ペンだこまでできて、その痛みを初めて味わっていますよ」

第四章　驚《きょう》愕《がく》の証言

手紙や面会による後藤への取材で浮かびあがった事件の全貌《ぜんぼう》──それは、慄然《りつぜん》とすべき驚愕の内容だった。

まず、後藤が文書で告発してきた三件（「まえがき」に記したケース一～三）について振り返っていきたい。ここに記す事件の概要は、あくまでも後藤の記憶によるものである。取材に基づく事実の検証はあらためて後に述べる。

【ケース一…大塚某殺害事件】

〈「人を殺してしまった。どうすればいいんだ。死体が出れば、警察が動いてすぐ自分が疑われる」

パニック状態の〝先生〟から電話がかかってきたのは、平成十一年十一月某日、午後二時半頃のことでした。

彼は、六十歳くらいの「大塚」という知り合いに金を貸していて、その借金返済が滞っていました。大塚が「返さない」と開きなおったことから口論になり、カッとなって、自分のネクタイで首を絞めて殺害してしまったと言うんです。

話をしているうちに、〝先生〟も徐々に落ち着きを取り戻しました。そして、旧来の知人で、同じく大塚氏に金を貸していた商売仲間の山田正一に電話し、事件を打ち明けて、遺体を燃やし、処分する場所について相談したんです。その結果、茨城県内にある山田の会社の敷地で焼却することが決まりました。

その後、自分は、車で待ち合わせ場所の水戸市内の千波湖《せんばこ》近くにあるボウリング場の駐車場に行き、〝先生〟と合流しました。〝先生〟も自家用車で来ており、そのまま偕楽園《かいらくえん》の近くにある市営駐車場に移動しました。自分はここで初めて〝先生〟の車の助手席に乗せられていた、大塚氏の死体を目にしました。あたりが暗くなり、人気《ひとけ》がなくなるのを待ち、その場で、遺体を〝先生〟の車から、自分の乗用車に乗せ換えました。そして、国道六号線を通って、県内の山田の会社まで運搬したんです。

その敷地には、大きなゴミ焼却場がありました。自分が、遺体を廃材の捨てられている焼却場まで運びました。山田がそこに灯油をまきました。最後に、〝先生〟が丸めた新聞紙に火をつけ、それを大塚氏の遺体に放ったんです。こうして遺体は、廃材とともに焼却されました。

自分はこのとき、〝先生〟と知り合って、まだ数ヶ月しかたっていませんでした。本来なら、そんな人間に殺人という重大な秘密を打ち明け、相談するようなことは考えられないでしょう。

しかし、〝先生〟はこの時、パニック状態に陥っていて、冷静な判断ができなかったのです。それに、知り合って間もないといっても、自分を〝先生〟に紹介したのが彼の信頼している人間だったこともあり、自分に対してもそれなりに信用してくれていたのです。

実際、このとき、すでに自分は〝先生〟からマンションを借りるための資金や内妻に車を買い与えるための代金など、生活のために四百八十万円を借りていたくらいです。信用していない人間に、何百万円も貸す人はいないでしょう。

一番大きかったのは、自分が殺人経験者で、逮捕までされながら、不起訴処分で逃げ切ったことでしょう。それを〝先生〟は知っていたので、必死の思いで、自分にすがりつき、助けを求めてきたのです。

それに、協力すれば、四百八十万円の借金はチャラにするうえに、新たに二百万円の報酬を提供するといわれました。この魅力的な提案に、抗し切れなかったのです。

実際、事件から二日ほどたって、水戸市内の事務所で、〝先生〟から二百万円を受け取りました。

この件が警察に発覚しなかったため、〝先生〟は対処さえ誤らなければ、重大事件を起こしても大丈夫だと、自信を深めたようでした。その後、金のためなら人の命をなんとも思わないような狂気の計画を次々と打ち出し、自分も金ほしさに、これに積極的に加担して、地獄に転げ落ちていったんです〉

【ケース二…殺人・不動産略奪転売事件】


〈大塚氏殺害事件から一ヶ月もたたないうちに、〝先生〟からこんな話をもちかけられました。

「知人の不動産ブローカーに岡田毅という男がいる。こいつが、大宮市（現・さいたま市）に、まとまった土地を持っているじいさんと知り合った。

このじいさん、不動産の資産があるのに、友人どころか、親、兄弟や家族もいないらしい。しかも、自宅から失踪《しっそう》し、その土地を放ったらかしにして、二十年以上、行方をくらましていた。はっきりしないが、なんでも、昔、その家から変死体が発見された。じいさんがその死と関係があるようで、発見直後に姿を消したそうだ。帰ってこられなくて、逃げつづけているらしい。そんな人間だから、なにかあっても、警察には駆け込めないよ。このじいさんに本当に消えてもらって、土地を奪い、転売すれば、一億円にはなる。手伝ってくれないか」

じいさんは八十歳近くで、体力もない。それに家族がいないばかりか、自宅から二十年以上も失踪していて、近所づきあいや親戚《しんせき》づきあいもまったくないから、殺しても警察には発覚しないはずだ。自分はそう考え、金目当てに、そのヤマの仲間になることを承諾しました。

決行日は、平成十一年十一月中旬です。〝先生〟、不動産ブローカー・岡田毅のふたりと待ち合わせをしたのは、一件目の事件で被害者を自分の車に乗せかえた、市営駐車場です。午後四時半頃行くと、ふたりがそれぞれの車で来ていました。問題のじいさんは、岡田の車の助手席に座っていました。

自分たち三人は、駐車場で計画を確認しあい、岡田がじいさんを呼びました。じいさんが近づいてくると、最初に自分が彼の顔面をぶん殴りました。その一発でほとんど終わりでした。それから〝先生〟と岡田も加わって、殴る蹴《け》るの暴行を加えましたが、最初の一撃で、じいさんはほとんど気絶しそうな塩梅《あんばい》だったんです。

それから自分が、〝先生〟が用意したロープで手足を縛り上げ、口にタオルをあて、猿ぐつわをかませました。そして、自分の車のトランクに閉じ込めて拉致《らち》し、車を発進させたのです。

自分たちは、水戸インターから常磐自動車道に乗り、北茨城インターで降りました。そこから西に車を十五〜二十分も走らせると、山間部に入りました。自分たちは山あいに広がる空き地に車を乗り入れ、停車しました。茨城の北の端の山間部は、十一月の夜ともなると、すでに真冬なみの冷気が漂い、寒さが身にしみました。

そこは、雑草が腰の高さまで茂った、数千平方メートルもある広大な原野でした。〝先生〟が管理・所有する土地です。時間は六時をすぎ、すでにあたりは真っ暗になっていました。遠くに二軒、人家の灯りが見えるだけで、まったく人の気配はありませんでした。

自分たちは、ここと決めた場所に、車のヘッドライトをあてました。そして、スコップ二丁を使い、交代で穴を掘りはじめたのです。掘っているうちに寒さも忘れ、服の下にじっとりと汗をかいているのに気づきました。そして一時間もすると、一メートル五十センチ四方、深さも一メートル五十センチほどの、大きな穴ができていました。

それから自分は、車のトランクからじいさんを引きずり出しました。じいさんの目は恐怖に怯《おび》えているのか、観念しているのか、どちらともわかりませんでした。自分はじいさんを穴の底に放り投げました。そして抵抗できず、声も出せないじいさんの体に、土をかけつづけたのです。

この仕事を終えた後、自分はこのじいさんの自宅のある大宮市に出向き、不動産が実際どのくらいの広さなのか、相続などの権利関係がどうなっているのかを登記所で調べました。また、現地にも行き、本当にじいさんが二十年以上も失踪していたのか、家族や親戚もおらず、近所づきあいがないのか、聞き込みもしました。

一方、岡田は、じいさんと同じ年恰好《かっこう》のダミーの男性を連れ、水戸市役所に赴きました。というのも、じいさんは大宮市で生活の実体のない状態が長年つづいていたので、すでに市役所から住民票を職権消除されていたんです。

住民票がないと、実印も作れず、印鑑証明もとれない。それだと不動産取引が行えず、物件を動かせられないんです。そこで、じいさんの住民票を水戸市で復活させようとしたんです。

本人証明をするものがなかったと思いますが、二人で、「今後この人はここにきちんと住みますから、お願いします」と言い張り、住民票を復活させることに成功したんです。同時に保険証を取得し、実印の印鑑登録も済ませました。

ちなみに、このとき登録したじいさんの住所は、自分が住んでいる同じマンションの別の部屋にしました。かつて稲川会大前田一家にいた自分の旧友が、「知り合いが管理している物件がある」というので、この旧友を通じて、住民票を置くために、部屋の名義を借りたのです。

もとよりじいさんは、この部屋には一度も住んでいません。このときはすでに、自分たちの手で土の下でしたから。

その後、自分と〝先生〟、岡田、そして計画の全貌を知らず、裏で殺害行為があったことも知らない旧友、この旧友の知人の司法書士事務所の人間の五人で、大宮の土地を管轄《かんかつ》する登記所に出向きました。そこで、じいさんの土地を売買と称して、〝先生〟に所有権を移したのです。

それから日をおかず、〝先生〟らが、売却先と決めていた不動産業者に土地を売りました。このとき、〝先生〟と自分、岡田で再度、登記所に行き、土地の所有権を業者に移転させています。

一億円には届きませんでしたが、約七千万円にはなりました。平成十一年十一月下旬と翌年一月、二度に分けてお金が入りました。これを、皆で山分けしたのです。じいさんを連れてきた功労者の岡田に二千百万円、自分に千二百万円、旧友に五百万円、そしてマンションの部屋の名義を貸してくれた管理人に報酬として二百万円、という具合に分配したのです。残りの三千万円は〝先生〟のものとなりました。そこから〝先生〟が譲渡税を払ったのかどうか、税務署への対応については聞いていません〉

【ケース三…保険金殺人事件】

〈大塚氏殺害事件で死体遺棄を手伝った山田正一の商売仲間に、カーテンや絨毯《じゅうたん》を扱う装飾業者がいました。年齢は六十代後半です。苗字《みょうじ》の頭文字しか記憶にないのですが、みんな「カーテン屋、カーテン屋」と呼んでいました。

この〝カーテン屋〟の店が経営困難になり、倒産寸前となった。あちこちから借金漬けになっており、山田正一も四千万円ほど貸していたそうです。

ちなみに、山田と〝カーテン屋〟は昔、取引関係があり、つきあうようになったそうです。山田が住宅関連の会社を作ったとき、〝カーテン屋〟にそのノウハウがあったので、社長にすえたという話を〝先生〟から聞きました。

〝カーテン屋〟は、店を傾かせた上に、酒好きで糖尿病がひどく、入退院をくり返していました。そんななかで、自宅には借金取りが多数押し寄せ、夫人や娘夫婦など、家族は精神的にも肉体的にも追い詰められていたそうです。体の悪いダンナの面倒を見るのにも、ほとほと嫌気がさしてしまったと聞きました。

会社がまもなく倒産し、自宅は差し押さえられ、人手に渡るのも時間の問題でした。山田にしても、金が取り戻せなくなることは明白だった。

そこで、山田と〝カーテン屋〟の家族らが相談しました。〝カーテン屋〟が八千万円の生命保険に入っていることから、計画的に殺害し、保険金を得ることで家族も合意したのです。

山田は〝先生〟に計画実行を依頼しました。

家族が承知していて、話を合わせてくれるので、そこから警察に通報されたり、発覚する恐れはないこと。とはいえ、直接的な方法で殺害するわけにはいかないので、うまく病死か自殺に見せかけられるよう、時間をかけてじっくり死に至らしめること、が話し合われました。

悪知恵の働く〝先生〟は、飲みすぎで糖尿病を患《わずら》い、体を壊した〝カーテン屋〟に対し、毎日、大量の酒を飲ませつづけて、徐々に体を弱らせ、最終的にアルコールの過剰摂取で糖尿病を再発、悪化させ、死亡させようと目論《もくろ》んだのです。あるいは、急性アルコール中毒で死んでも良い、と考えていました。

〝先生〟はこの協力を自分に相談し、手伝えば、自分と舎弟らに二千万円の報酬を出すと約束しました。自分は、その男の家族が同意し、協力するなら、アルコール中毒死か自殺に見せかけられ、警察に犯行が発覚しないと思い、引き受けたのです。

〝カーテン屋〟を水戸市内の〝先生〟の一軒屋の事務所に寝泊りさせ、〝先生〟と自分、舎弟の小野塚、鎌田の四人で、毎日、彼にアルコールを飲ませつづけました。

一度、〝カーテン屋〟の女房や娘夫婦らもこの事務所に来たことがあって、自分も会っています。その際、自分は、彼女らから「いろいろご面倒をおかけしますが、よろしくお願いします」と、暗に殺してくれとお願いまでされているんです。このとき、家族が了承しているということは間違いないんだと確信しました。また、〝カーテン屋〟自身も、自分に残された道はそれしかないと納得している風でもありました。

その後も、自分たちは、彼に酒を飲ませつづけました。その際、〝先生〟は、

「この借金まみれの居候《いそうろう》が」

「死ね」

「自殺しろ」

と、口汚くののしっていました。無理やり酒を飲ませはじめてから事を遂行するまで、半月ほどの日数がかかりました。

最後のとどめを刺す実行日は平成十二年八月三日。この頃には、〝カーテン屋〟も相当、体が弱っていました。飲みすぎのせいで具合が悪く、この日の朝、血を吐いたほどです。

場所は、〝先生〟の自宅。彼が娘のために買ってあげたピアノがある一階のリビングです。そこで、その夜、自分たち四人は〝カーテン屋〟に焼酎《しょうちゅう》などを飲ませつづけていました。

その際、〝カーテン屋〟が「やっぱり死にたくない。家に帰りたい。助けてください」とふざけたことを言いだしたので、自分や小野塚は彼の身体《からだ》にスタンガンをバチバチとおしあて、ヤキをいれました。百ボルトの電気コードの先端を切り、頭におしつけて電流を流し、いたぶったりもした。

〝カーテン屋〟は、痙攣《けいれん》を起こしたようにぶるぶる震えだしたり、とびあがったりしていました。ソファーに座って、焼酎を飲みながらテレビを見ていた〝先生〟も、その様子を面白がって、参加してきました。

再び、〝カーテン屋〟の身体を押さえつけ、無理やり胃の腑《ふ》にアルコールを流しつづけました。こんな〝狂宴〟がくりひろげられる中、ついに〝先生〟がとどめの凶器を手にしました。サイドボードにあった、まだ栓をあけていないウォッカのビンを取りだしたのです。そのラベルには、アルコール度数九八度の表記がありました。

そして最後は、鎌田が〝カーテン屋〟の体を押さえ込み、〝先生〟が有無を言わせず、ウォッカをビンごと口の中に突っ込み、一気に飲み干させたのです。

まさに狂気のなせる業でした。

この間、家の中には〝先生〟の奥さん、長男、長女がいましたが、二階にあがっていて、狂態は目にしておらず、何が行われていたかは全く知りません。

そのうちに、〝カーテン屋〟は息も絶え絶えになり、意識がなくなって、床に倒れこみました。

こうして〝死の酒宴〟は終わりました。

「やっぱり、ここで死なれては困る」と言い出した〝先生〟が、〝カーテン屋〟を、水戸市の事務所に運ぶことに決めました。

〝カーテン屋〟を自分の日産エルグランドに乗せ、二台の車に分乗して、自分たちは常磐自動車道を水戸に向かいました。その途上、午前三時三十分頃、車中で〝カーテン屋〟の息が完全に途絶え、死亡しました。

水戸インターで常磐道を降りて、事務所に午前四時ころ到着。〝先生〟の命令で、小野塚と鎌田は、〝カーテン屋〟の遺体を風呂場《ふろば》に運び込み、服を脱がして冷水に漬けました。〝先生〟によると、これで死亡推定時間を遅らせることができるというのです。

その間、自分は気分が悪くなり、玄関でお香をたいていました。

〝先生〟の指示で、遺体を笠間《かさま》市方面に運ぶことになりました。遺体に服を着せ、四人でエルグランドに運びました。自分は事務所近くの駐車場に止めていた〝カーテン屋〟の車をとりに行って、運転しました。そして二台で、国道五〇号線を西に走り、笠間市に向かったのです。

早朝、水戸市から笠間市に入り、五〇号線をしばらく走ったところで右折しました。十分ほど走って、山の中に入り、さらにアスファルトの舗装された道から土のわき道にそれて、少し行ったあたりで車を停めました。

そして、〝カーテン屋〟の遺体を道の上に寝かせて遺棄し、その場に彼の車も残したのです。遺体が発見されたときに、すぐ身元が確認されるように、わざと車のダッシュボードに彼の免許証を入れておきました。

その山林の場所は、笠間警察署管内でした。数日後、遺体が発見されましたが、犯行はバレず、計画どおり自殺か病死扱いで処理されました。

保険金は、自分と舎弟たちには入っていません。保険金が下りたかどうかも未確認

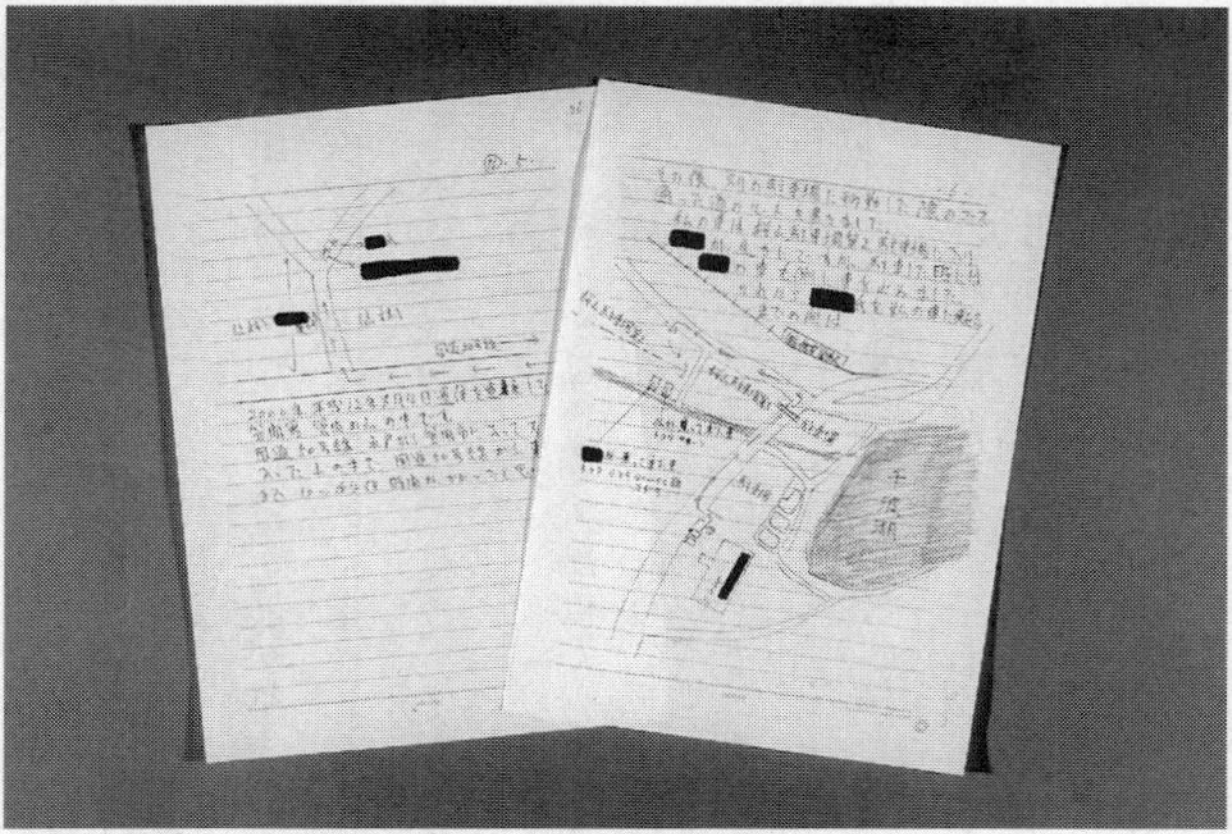

死体を遺棄した場所の図解など、説明も具体的になっていった

です。なぜなら、三人とも、この直後に宇都宮で強盗致死事件を起こし、逮捕されてしまったからです。

しかし、間違いなく八千万円のお金が入っているでしょう。とすると、山田正一が債権分の四千万円を取り、残りの四千万円を全額、〝先生〟が懐《ふところ》にいれているはずなんです。あるいはもっと多かったかもしれない。というのも、〝カーテン屋〟を殺す直前、〝先生〟から「保険の加入口数を追加して、保険金を増やす」というようなことを聞いた覚えがあるからです〉

後藤が告発した余罪事件。それは驚くほど具体的で、細部に亘ってディテールに富んでおり、単なる作り話とは思えなかった。

ただ、ネックになるのは、証言を検証するにも、余罪事件のいずれの被害者も、そのフルネームさえ分からないという点だ。これについては、後藤も、「申し訳ありません」と、アタマをかくばかりだった。

まず一件目については、彼が被害者の大塚氏について、これ以上の情報をまったく持ちあわせていないため、そうした人物が殺害されたかどうか裏づけをとることは難しい。そもそも「大塚」というのは〝先生〟がそう呼んでいただけで、本名かどうかも定かではないのである。

ことが殺人という重大事件だけに、扱いについては、慎重の上にも慎重を期さねばならない。一件目は、検証のしようがなかった。

しかし、次に後藤が証言した「殺人・不動産略奪転売事件」はちがう。

被害者の〝じいさん〟＝「倉×」さんについて、フルネームが分からないのは同じだが、旧・大宮市の自宅があった場所さえ特定できれば、活路が開かれる。そこで、彼の姓名が割り出せれば、それをもとに、後藤の証言に信憑性《しんぴょうせい》があるかどうか、裏づけ取材が可能になるかもしれない。

距離的にもこちらの拠点から近く、取材で動きやすいのは、この二件目のケースだ。最初の取材のターゲットは、この事件に絞ろうと考えた。

第五章　〝じいさん〟の素性

　まずは、被害者である〝じいさん〟の名前だった。後藤がかろうじて記憶していたのは、苗字《みょうじ》の頭に「倉」という字がついていたことだけだ。

〝じいさん〟の不動産があった大宮の土地についても、はっきり場所を示すことができなかった。後藤はこうくり返した。

「とにかく車で行けば、分かるんですけど。でも、なにしろ塀の中の身ですから。ちょうど東北自動車道の岩槻《いわつき》インターチェンジと、JRの大宮駅の中間あたりの場所なんです」

　むろん、これだけでは範囲が広すぎて話にならない。後藤にできるだけ記憶を呼び起こしてもらい、場所の特定につながるヒントが出てくるのを待つしかない。

　後藤も実際に訪ねたことのある場所だけに、なかなか記憶を喚起できない自分自身に歯がゆい思いをしているようだった。

「自分はそこに行ってるんですよ。倉×さんの自宅が現状どうなっているか、土地がどれくらいの大きさかなどを調べるためにね。確か、近くに牛丼屋《ぎゅうどんや》や旅行代理店があったはずです。

その旅行代理店の経営者が、倉×家から土地の一部を借りて、駐車場がわりに使っていたんです。しかも、将来、売ってもらう約束もしてもらっていたとか抜かしやがったんで、『嘘《うそ》つくな』と言ってやったんです。本当かどうか分からない賃借権をタテに、土地を安く手に入れようとしているんだろうと思ってね。でも、『借りているのは事実で、倉×さんがいなくなった後も、借地代を法務局に供託しつづけている』と主張していました。

自分は近所の聞き込みもしたし、近くにいた親戚《しんせき》も一軒、割り出して、話を聞きにいきました。ほかにも売れる土地があるだろうと疑っていたんで、確認をしようと思ったんですよ」

「その親戚の家がどこだったかは覚えていませんか。名前は同じ倉×さんでしたか」

「そうだったと思います。家は分からないですね。そこも車で行ってみろといわれたら、行けるとは思いますが。倉×さんの家から、そんなに離れてはいなかったはずです」

「なにか近くになかったですか。目印になるようなものが」

「そうですね……。そういえば、公園があったのかなぁ。その家のすぐ近くに、天然記念物のような大きな樹《き》があったんですよ。とても大きな樹です。でも、なんの種類の樹か訊《き》かれても、自分には分かりません」

後藤は、〝先生〟や、不動産ブローカー・岡田毅にいわれ、倉×家の土地を調べるため、先兵として現地に入ったというのだ。そして、隣近所や親戚から土地の現状について聞き回った。

「そのとき、名前を名乗って、調査していますか。名刺を置いてきていますかね」

「そうだ、本名ではありませんが、偽名を名乗り、名刺を配っています。〝先生〟が実際に経営していた会社の社員ということにして、偽名の名刺を置いてきたんです。

それより、牛丼屋とか旅行代理店でなんとか分かりませんかね」

旧・大宮市内に、牛丼屋はくさるほどあるだろう。旅行代理店も有名な会社の支店ではなく、個人が自宅でやっているようなもので、名前を思い出せないという。

NTTの電話帳で、旧・大宮市に該当する地区に、苗字の頭に「倉」のつく人がどれだけいるか調べてみた。案の定、それは膨大な数にのぼった。ひとつひとつ電話をかけて潰《つぶ》す手もあるが、あまりに効率が悪すぎる。しかも、多くの人が電話帳への番号の記載を拒絶しているご時世である。そもそも、親戚がほとんどいないというのだから、この取材方法は時間がかかる割には徒労に終わる可能性が高く、採用しなかった。

とにかく、後藤に自宅があった場所につながるものを、なんでもいいから思い出してもらうしかない。その情報をもとに、古い住宅地図から「倉×」家を探し当てよう。私は、何度も同じ内容を後藤にぶつけ、せっついた。

彼は、「いやぁ、難しいですよ。行けばね、分かるんですがね」とくり返していた。しかし、面会や手紙でのやりとりを重ねるうちに、徐々にではあるが、彼の記憶も甦《よみがえ》ってきた。

「岩槻インターから大宮駅方面に向かう、わりと大きな道路があります。これを行くと、確か産業道路と交わる交差点がありました。えぇ、産業道路だったと思います。その左の角にハンバーガーショップがあるんですよ。左折し、少し進むと右手に大型電機ショップや牛丼屋がありました。その裏手、西側のあたりに、倉×さんの自宅がありました」

ここまで思い出してくれれば、充分だ。あとは後藤が現地に赴いたという平成十一年当時の大宮市の住宅地図とニラメッコである。私は国立国会図書館に詰め切りになって、ひたすら住宅地図と〝格闘〟した。

ほどなくして、後藤が話すところの状況と酷似した場所が見つかった。しかし、その界隈《かいわい》を中心に範囲を広げて調べても、頭に「倉」のつく人の家は見当たらなかった。

平成十一年当時、まだ、倉×さんの土地、屋敷はあった、と後藤は言っている。大きな土地の奥に、ポツンと平屋建てのみすぼらしい家屋が存在したと証言していたのだ。

ではなぜ、「倉×」さんの家は地図上にないのか。何年分か古い住宅地図をさかのぼったが、同じ界隈にやはり、彼の家は見つけられなかった。

ここじゃないのかな？　後藤の証言とこれ以上、酷似した場所は見当たらないのだが……。ただ、そこからかなり離れたところには、アタマに「倉」のつく名前の家が一軒だけあった。住宅地図上の家屋を示す枠の中には「倉林」とあった。

これだろうか？　しかし、後藤の話とは合わない……。

とりあえず、私は地図のコピーを持って、東京拘置所にいる後藤に接見することにした。ここがちがえば、また一からふりだしだ。「倉林」という名前も彼にぶつけてみて、反応を見よう。牛丼屋からは距離があるが、後藤が車で行ったので、勘違いしているだけかもしれない。これが当たりなら良いのだが……。

ふたたび、東京拘置所新獄舎南棟六階。面会室でガラスの仕切り板をはさんで、私は彼に単刀直入に尋ねた。

「後藤さん、この名前に覚えはないですか。『倉林さん』……。『倉×さん』の名前ですけど、『倉林さん』じゃなかったですか」

これで後藤の反応を見る。当たっていてほしい。厄介なのは、「あぁ、なんとなく聞き覚えがある。それだったような気がする」とハッキリもしないのに、話を合わされてしまうことだ。

しかし、後藤の反応はそのどちらでもなかった。

「いや、ちがいます。そんな名前じゃありません。絶対、『倉林』とはちがった」

彼は、明確に否定したのである。

そこで、私は、彼が証言した場所と酷似した地域の住宅地図のコピーを取り出した。そしてそれを、ガラスの仕切り板ごしに彼に示した。

すると、みるみる後藤の顔色が変わった。まるで、のどをつまらせるようにし、明らかに興奮した口調で、言葉をようやく吐き出した。

「ここです。ここ。自分が行った場所はここにまちがいないです。その辺りにじいさんの平屋建ての家があったんです」

いつもより高いトーンの大きい声。アドレナリンが体中をかけめぐったような反応だ。こんな後藤は初めて見た。この様子から、作り話をして演技をしているようには見えなかった。後藤は仕切り板の向こうから私に指示し、地図上のある一帯に丸印をつけさせ、そこの土地を調べてほしいと頼んできた。

一歩前進したが、むろん何も証明されたわけではない。まずはその界隈で、後藤が言うような売買の推移を経た土地があるかどうかだ。

数日後、私はさいたま地方法務局・大宮支局（登記所）にいた。そのあたりの土地の不動産登記簿謄本《とうほん》をしらみつぶしに調べることにしたのである。しかし、思うようにはいかなかった。何十筆という登記簿謄本を調べたが、なかなか探しているものにはいきあたらなかったのだ。

待望の土地は発見できず、私は、この作業に疲れと苛立《いらだ》ちを覚え始めた。

そんなとき、ある謄本の甲区（所有権関係を記した欄）の文字に指がとまり、目が釘付《くぎづ》けとなった。今度は、こっちの体にアドレナリンが分泌《ぶんぴ》した。

あったのである。「倉」のつく名の人間から〝先生〟に所有権が移り、それがすぐに不動産業者に転売されている土地が。

後藤への取材をはじめてから、初めて体験する興奮だった。

その不動産の概要は、次のとおりだ。

・さいたま市（旧・大宮市）見沼区内　八三三平方メートル　地目・宅地

・　同　　　　四〇〇平方メートル　地目・畑

この登記簿謄本から、後藤が被害者とした人物の名は、「倉浪篤二《くらなみあつじ》」であることが判明した（本書ではあえて、被害者とされる人物について、その実名をフルネームで明かすことにした。それによって、被害者に関するより詳細な情報が集まる可能性があるからである）。

謄本によると、宅地は、倉浪さんの伯父とおぼしき人物が大正十五年に購入し、居を構えている。また、隣接する畑は、昭和二二年に取得したものだった。

この広い土地の上に、木造平屋で延べ床面積約六八平方メートルの小さな家屋があった。その、伯父とみられる男性の家に、倉浪篤二さんと、母親、兄の三人が同居していた。

この男性が昭和二八年に死去した後も、相続税が払えなかったためか、土地の権利は誰にも引き継がれない状態がつづいていた。

ところが、である。平成十一年十一月、突如として、登記簿に変化が生じた。

これらの土地が、倉浪篤二さんの母親（伯父から見れば妹）に昭和二八年に相続されていたと記載され、それを経て、昭和四二年の母親の死後、息子の倉浪篤二さんに相続されていたという所有権移転の登記がなされていたのである。

そして、この登記からわずか十三日後、今度は売買が行われたとして、〝先生〞に所有権が移っていたのだ。しかも、それから一ヶ月もたたない年の瀬に、土地は不動産業者に転売された。

あわせて一千平方メートルを優に超える土地の取り引きである。

「一億円にはならなかったが、七千万円ほどにはなった」という後藤の証言は、あながち大げさではなかった。しかも、謄本に記された〝じいさん〞の住所は、さいたま市のその土地ではなく、後藤の話したとおり、水戸市の後藤が住んでいたのと同じマンションの一室になっていた。

この謄本を見つけ、すぐにさいたま市見沼区の現地に赴いたが、そこには、かつて倉浪家が生活していた痕跡《こんせき》は何も残っていなかった。すでにその土地は宅地開発されて、業者から一般に分譲されており、八棟の住宅が建っていた。

果たして、倉浪さんはこの土地で生活し、やがて蒸発したのだろうか。彼のことや、残された土地、家屋を心配するような親戚は本当にいなかったのか。私は聞き込みを開始した。

古くから隣に住んでいる主婦は言った。

「私はここに嫁いできて、もう三、四十年になります。倉浪さんのお宅は近所づきあいがほとんどなかったですね。最初はお母さんのおじさんだか、お兄さんがいたんですよ。その方が亡《な》くなってからは、ずっとお母さんと子供ふたりの三人家族でした。お父さんは最初からいなかったんですよ。お母さんが亡くなったときは、斎場ではなく、自宅で葬儀を行い、隣近所が手伝いましたが、親戚や友人、知人はほとんど来なかったですね。

息子二人は、地元の尋常小学校を出たことまでは知っていますが、その後、ずっと家にいて、なんの仕事をしているのか、よく分かりませんでした。弟さん（倉浪篤二さんのこと）は、ある時期、パン工場に工員として働きに行っていました。

ふたりともあくせく働くのではなく、引きこもっている感じでしたね。まったく贅《ぜい》沢《たく》もせず、着るものもいつも同じような格好。パンや牛乳だけで過ごすような、つましい生活でしたよ。余計なことは一切せず、先祖から受け継いだ土地をじっと守っているという生活だった。

兄弟とも、お金にはまったく興味がなかったようです。バブルの頃は、不動産業者がこのあたりにも土地の物色に訪れ、うちやお隣にもしつこく来た。土地の価格が高騰《こうとう》していたから、労せず一攫千金《いっかくせんきん》を狙《ねら》おうと思うなら、親から受け継いだ土地を切り売りしてお金にしたでしょう。でも、ふたりともまったくそんなタイプではなく、売買に応じなかったですよ」

その後、兄弟はどうしたのか。

「ある時期から、弟さんがどこかに行ってしまっていなくなったんです。その後はお兄さんが一人で暮らしていました。弟が家を出たのは二、三十年くらい前ですかね。お兄さんは晩年、かなり年をとってから、近くの小学校で、夜間警備などを行う用務員として採用されました。あるとき、無断欠勤して学校に来なかった。一週間くらい経《た》っても来ないので、心配した学校関係者が、自宅を訪ねると、お兄さんが部屋の中でフトンに入ったまま孤独死しているのを発見したんですよ。それも、もう二十年近く前ですね。弟さんは行方知れずだったため、死後日数がたってからの発見になったんです。

彼にはお兄さんの死を伝える術《すべ》もなく、このときも、葬儀は隣近所が中心になって行いました。やはり親戚はほとんど来なかったと思いますよ。弟さんがどこに行ってしまったか、今もって分かりません」

私はこの主婦に、六年ほど前に、倉浪さんが残していった土地について、あれこれ聞き回った人間がいなかったか尋ねてみた。

「そういえば、いました、いました。なんか人相の悪いの。不動産業者だといっていたと思うけど、パンチパーマのような頭で、黒いサングラスをして、見るからに普通の人ではなかった。その筋の人にしか見えなかったです。『倉浪家の土地はこの隣にあるので全部か』『長期間、誰もいないのをいいことに、親戚の手に渡っちゃったり、近所の人が勝手に使ったりしていないか』など、しつこく尋ねてきました。私は『一切、分かりません』と答えました」

「名前は名乗っていませんでしたか」

「いやぁ、覚えてませんね」

「名刺を置いていったと思うんですけど、残っていたら、見せてほしいんです」

「もらったかもしれないけど、とっていませんよ。不動産業者なんていっぱい来るから、すぐに全部、捨てちゃうんです」

ここで、私は後藤の顔写真をカバンからとり出し、彼女に見せた。

「そう、こんな顔だった。いかつい、四角い顔で、こんな雰囲気です。ヒゲもはやしていて、すごく怖い感じ。この人でまちがいないと思いますよ。見るからにヤクザという感じだったから」

「この男は、ほかに何か言っていましたか」

「弟さんのことを知っているようで、名前を出していました。『篤二さんは、もうここに戻る気はない。相当、体の具合が悪く、足もひきずって歩いているような状態だ。今、茨城にいて、病院施設を併設しているような老人介護の立派なマンションに入居することになっているから、ここの土地をすべて売ろうとしている。自分は篤二さんらに依頼され、ここの調査や処分の準備を進めている』というようなことを話していましたよ。へぇー、そうなんだ、と思いました」

後藤が、この地で調査を行ったと言っていた話は本当だった。しかも、倉浪篤二さんに土地売買を委任された代理人を装《よそお》っていたのだ。これは、後藤の口からは出ていなかった話である。

私は、この主婦に倉浪さんの親戚が近くにいないか、あるいは遠方でもよいから誰か親戚を知らないか尋ねた。しかし、彼女を含め、近隣の住民で倉浪さんの親戚を知る人はいなかった。

近くで旅行代理店を経営していた家の主婦にも尋ねた。

「なに？　以前あった倉浪さんの土地のこと？　もうそんなのとっくにないですよ。

とっくに分譲されて、家が建っちゃったの。それを今さら何なの？」

「その売買をめぐって、倉浪さんがもしかすると、事件に巻き込まれている可能性があるんですよ。弟さんの方ですけどね。彼が今どこにいるか知りたいんですけど、ご存知ないですよね」

「知りませんねぇ。ふたり兄弟だったらしいですけど、ずいぶん昔にお兄さんが亡くなられてから、そこはずっと空き家だったから」

「警察が、倉浪さんのことで話を聴きに来たということはこれまでにないですか」

「そんなのないわよ」

「こちらは倉浪さんから昔、土地の一部を駐車場として借りていらしたんですよね。その件で、六年ほど前に、ヤクザ風の不動産業者に難クセをつけられていませんか。賃貸借の契約書を見せろとか、この土地は俺が売買を任されているんだとか言われたと思うんですけど」

「いや、覚えていませんね。覚えていても、そちらには関係ない話ですし」

「その男の顔写真を見てもらえませんか。倉浪さんは、その男のグループに土地を勝手に売買されてしまった可能性もあるんです」

「うーん、でもその売買もずいぶん昔の話ですからね。なにかあったら、警察が捜査するでしょう。この間、なにもないですよ」

彼女は仕事が忙しいこともあり、写真を見るのを拒んだ。

「じゃあ、ひとつだけ教えてください。昔、倉浪さんの家から死体が出たという話があるんです。聞いたことはありませんか。いわゆる変死体ですね。その前後から、倉浪篤二さんは失踪《しっそう》し、姿を消したと。だから一部の人たちは、〝その人間の死と倉浪さんに関係があって、警察から逃げるために行方をくらましたんだ。そのため、自宅に帰ってこられないし、知っている人たちの前に姿を現すこともできないんだ〟と考えているんですよ」

そう尋ねると、主婦は笑いはじめた。

「そんなことないですよ。たしかに十何年前に倉浪家の裏の竹ヤブから死体が出ました。でも、それは篤二さんがいなくなった後のことです。死体が出てから失踪したのではありませんよ。

だから、当初、警察はその死体が行方不明の篤二さんではないかと思ったくらいなんです。でも、調べた結果、血液型などが合わなかったそうです。その死体は、近くの病院の入院患者で、病院から抜け出し、フラフラと倉浪家の庭に入り込んで、行き倒れてしまったらしいんです」

これで、倉浪篤二さんが自宅で発見された変死体になにがしかの関係があるという事実はなく、それは〝先生〟らの勘違いであることがはっきりした。

私はその後、さいたま市内にいる親戚《しんせき》を見つけ、話を聞くことができた。この人物は後藤が六年前に会った人物ではなかったが、こんな話をしてくれた。

「うちは私の母があの倉浪家から出たそうで、遠い親戚です。近くに他に親類がいないわけではないのですが、親戚づきあいはまるでないようですね。

私が篤二さんに会ったのは、自分の親父《おやじ》が亡くなった葬儀のときですから、三十年以上も前になります。彼はパン職人の修業をして、独立したそうで、そのときは自宅でパンの卸をしていると聞きましたね。ええ、篤二さんが蒸発したというのは本当です。

というのも、お兄さんが亡くなったとき、死亡届を出す親戚がいなくて、役所から私のところに電話がきたんですよ。遠い親戚の私に連絡してきたくらいだから、本当に親しい人がおらず、役所も困ったんでしょうね。死亡届を出してほしいというので、そうしました。葬儀のときも弟はおらず、参列者は『こんなときにどこに行っちゃったんだろうね』と言っていました」

この親戚は、倉浪家の不動産がどうなったかはまるで承知していなかった。

「そういえば、弟さんがいなくなり、お兄さんも亡くなられた後、どうなっちゃったんですかね。本来は役所を窓口にして、国庫に納められるんでしょうけど。篤二さんはこれだけ長く失踪しているから、きっと住民票も削除されてしまっているでしょうね。

あの家の近くにも親戚はいるそうですが、つきあいがなくて、よく分からないんです。お兄さんの葬儀でちらっと見かけたくらいでね。どこに住んでいるかも知らないんですよ。でも、自分たちの大きな家があるそうですから、あの不動産をどうにかしようとは思わないですよ。弟さんについて、警察に相談したり、家出人捜索願を出した親戚もいなかったんじゃないでしょうか」

こうした取材結果をまとめると、次の事実が浮かび上がった。
・大宮に古くからある「倉浪家」に、兄弟二人が住んでいた。弟は家を出て行方知れずになり、兄は死亡した。兄の死後、家は空き家の状態。近所づきあいや親戚づきあいがまるでなく、失踪状態の弟を探す者もいなかったようだ。一家の不動産に関与しようとする者も皆無であった。

・弟は旧・大宮市から住民票を職権消除されていた。ところが、その住民票が、十～二十年後、唐突に水戸市で復活し、印鑑登録も行われた。住所は、後藤の証言どおりのマンションであった。
・何十年も住人不在のまま放置されていた不動産が〝先生〟という個人を介し、ごく短期間のうちに業者に売買されていた不自然な事実が、不動産登記簿から浮き彫りになった。

以上の点をふまえると、「倉浪篤二さん殺害・不動産略奪転売事件」についての後藤の証言は、信憑性《しんぴょうせい》が高いと評価できる。少なくとも、客観的な事実は、ことごとく合致している。

たしかに、倉浪さんのような人物であれば、かりにさらって殺害し、不動産を転売しても、誰も騒ぐどころか、気づきもしなかっただろう。

ところが、さらに取材を進めていったところ、一点だけ誤りがあることが分かった。旧・大宮市内に別の親戚がいることが判明し、話を聞くと、倉浪篤二さんに関し、家出人捜索願を出していたことが分かったのである。そして、この人こそが、後藤が接触した「家の近くに天然記念物のような大きな樹《き》のある親戚」だった。

「うちもそんなに近しい親戚ではないんですけどね。昔、うちの家から、あそこに嫁いだ人がいたんです。うちの父の代まではそれなりの行き来はあったようで、お兄さんが亡くなられたときには、葬儀でうちの父が喪主をしたかどうかは知りませんが、走り回っていました。パン職人で、自宅で卸をやっていた篤二さんが、パンの行商にうちに来たのを覚えています。私がまだ小学生の頃ですから、四十年以上前ですかね。どんな人だったかは全然、印象に残っていません」

「あの倉浪さんの家がその後、どうなったか知っていらっしゃいますか」

「いやぁ、まったく知らないんですよ。近いとは言っても、私は行ったことがありませんから。篤二さんもお兄さんもいなくなってから、あの家は放ったらかしの状態になっちゃいましたからね。でも、もう分譲されて、今は家が何軒か建ってるんでしょう。通りがかりに見た人から、そんな話を聞きましたよ。篤二さんがどこかにいて、売る手続きをとったんでしょうかね」

「そうなんです。篤二さんから買ったとする人間が不動産業者に売り、分譲されたんです。その売買のことはまったくご存知なかったですか」

「うん、まったく知らなかったね。それこそ、いつの間にかという感じですよ。気づいたら、そうなっていたと……。私らも畑の仕事とかで忙しいから」

「それでは、親戚や親族で、あの不動産を売って処分しようとかいう人はいなかったんですね。あるいは、市役所や国に納める手続きをしようというような話にもならなかったんですか」

「親戚の中で、あの家をどうにかしようという人はいなかったですよ。処分にからんで儲《もう》けようなんて人はね。役所に納めようとか、そういう話もまったくなかったですね。皆、自分の家のことで手一杯じゃないですか。たしかに、税金とかどうされていたんでしょうね」

なるほど、親戚たちがこんな人たちばかりであれば、残された不動産をめぐり、もめごとが起こることもない。誰にも気づかれないうちに、他人が侵奪したり、処分に関与することも可能だっただろう。悪意をもった第三者にとって、本当にこんなに都合の良い人物がいるものなんだ、と私は驚いた。

「でも、篤二さんは今どこでどうされているんでしょうね。親父も心配していたけど、私も会えるものなら会ってみたい気がしますけどね」

そう言うと、この親族は重要な話をはじめた。

「篤二さんのことを、うちの父が心配しましてね。なにしろお兄さんが亡くなってから、家は放ったらかしの状態ですから。それで、埼玉県警に相談に行き、家出人捜索願を出したんですよ。

でも、結局、見つからなかった。というか、警察にも無理なんですよね。父は、何回か話にいっていましたが、最後は警察でも、『申し訳ないんですが、失踪した倉浪さんが今、生活している場所で何かもめごとに巻き込まれるとか、事件のようなことが起こらないと、我々が彼のことを関知するのは実際には不可能なんですよ。それが現実なんです』と言われたんです。

だけど、父はそれで納得するわけにはいかないから、その後も風の便りで、どこそこにいるんじゃないかと聞けば、警察に相談に行っていましたよ。

どこからか知りませんが、千葉だか茨城にいるとかいう話も流れてきましたね。それで、父は埼玉県警だけではなく、千葉県警にも足を運んで相談したそうです。家出人捜索願を出してきたような話を聞いた覚えがあります」

倉浪篤二さんの身を案じて、奔走していた親戚もいたのである。しかし、いくら警察に捜索願を出しても、それは実効力をともなわないものであった。ここでも、ことは悪意を秘めた連中に都合よく展開したわけだ。

また、その後の取材で、警察に対する不信感をさらに抱かせられるようなことが分かった。

実は、親戚だけではなく、倉浪さんの近所の住民に、あの家が売買された際、不審に思い、警察に相談した主婦がいたのである。

その人は、倉浪篤二さんが蒸発して、家も土地も手つかずの状態になっていたにもかかわらず、急に不動産屋がやってきて、土地を処分するというので、篤二さんの身に何かあったのではないかと心配したそうである。

後藤とおぼしき業者が、土地の周囲に杭《くい》を打っていたので尋ねたところ、「ここの土地は自分たちのものだ。倉浪さんは今、茨城にいる。土地を売ることを任されたので、俺たちが買って、売ろうとしているんだ」と言われたという。業者の人相が悪かったせいもあり、妙に胸騒ぎがして、警察に相談したのだろう。この主婦の勘は鋭いものだったというしかない。

ところが、である。悪意だらけの倉浪さんの周囲で、親戚以外ではじめて明確に存在したこの〝善意〟に対し、埼玉県警の担当者は、「どこかで元気にしているから、土地を売ろうとしたんでしょう。そんなに倉浪さんのことが心配なら、あなたが茨城にでもどこにでもいって、捜してあげればいいでしょう」と言い放ち、あからさまに煙たがったというのだ。

実際に、警察にもできることと、できないことがあるだろう。だが、この言い草が事実だったとすれば、なにをかいわんやである。これが、警察の実態の、ある一面なのだろう。

「倉浪さん事件」に関する後藤証言の蓋然性《がいぜんせい》の高さは確認できた。一定の信憑性があるものと評価していいだろう。

この結果を東京拘置所の後藤に伝えると、非常に満足そうで、喜びを満面にあらわしていた。

残る問題は、後藤や〝先生〟たちが、倉浪さんを拉致《らち》し、生き埋めにしたという場所の特定だ。

これを早急につめないといけない。しかし、後藤は厳しい表情を浮かべた。

これについて後藤は、「常磐自動車道を北茨城インターチェンジで降り、西の方向に十五〜二十分ほど走った山間部の更地に埋めた。〝先生〟が所有する、千坪ほどもある広い土地だった」と言っていた。

しかし、それ以上の情報は何度、訊《き》いても出てこなかった。後藤は、倉浪さんの自宅のあった場所には十五回ほど赴いていたので、さすがに状況を覚えていたが、生き埋めにした場所については、記憶を呼び起こすのはムリだと難色をしめしたのである。

「また住宅地図のコピーをもってきますので、だいたいどのあたりだったか教えてください。何十枚にもわけてコピーをとれば、そのうちのどこかに該当する場所があるでしょう」

「いやぁ、大宮とちがって、そこには倉浪さんを埋めにいった時の一回しか行ってないんですよ。しかも、着いたときには、もう夜で暗かった。だから、ヒントになるようなものはなにも見ていないし、覚えていません。思い出せといわれても……。住宅地図を見ても、絶対、無理です」

「山の中なんですよね」

「そうです。北茨城インターを降りた後、市街地と反対の西の方に走っていって、最初はところどころ人家はあったんですけどね。埋めたのは山間部で、人もいないような場所です。その土地から、遠くに建物がふたつくらい見えました。人家の灯りがふたつほど見えた。覚えているのはそれくらいです。

土地の中まで車で乗り上げられましたが、膝《ひざ》の高さまで雑草が生えているような荒地でした。〝先生〟関連の土地だったことはまちがいありません。〝先生〟がそう言っていたし、土地の入り口に、『連絡がある場合は、下記まで』と〝先生〟の電話番号を書いた看板が立てられていましたから。個人名だか、〝先生〟の会社名だかは忘れ

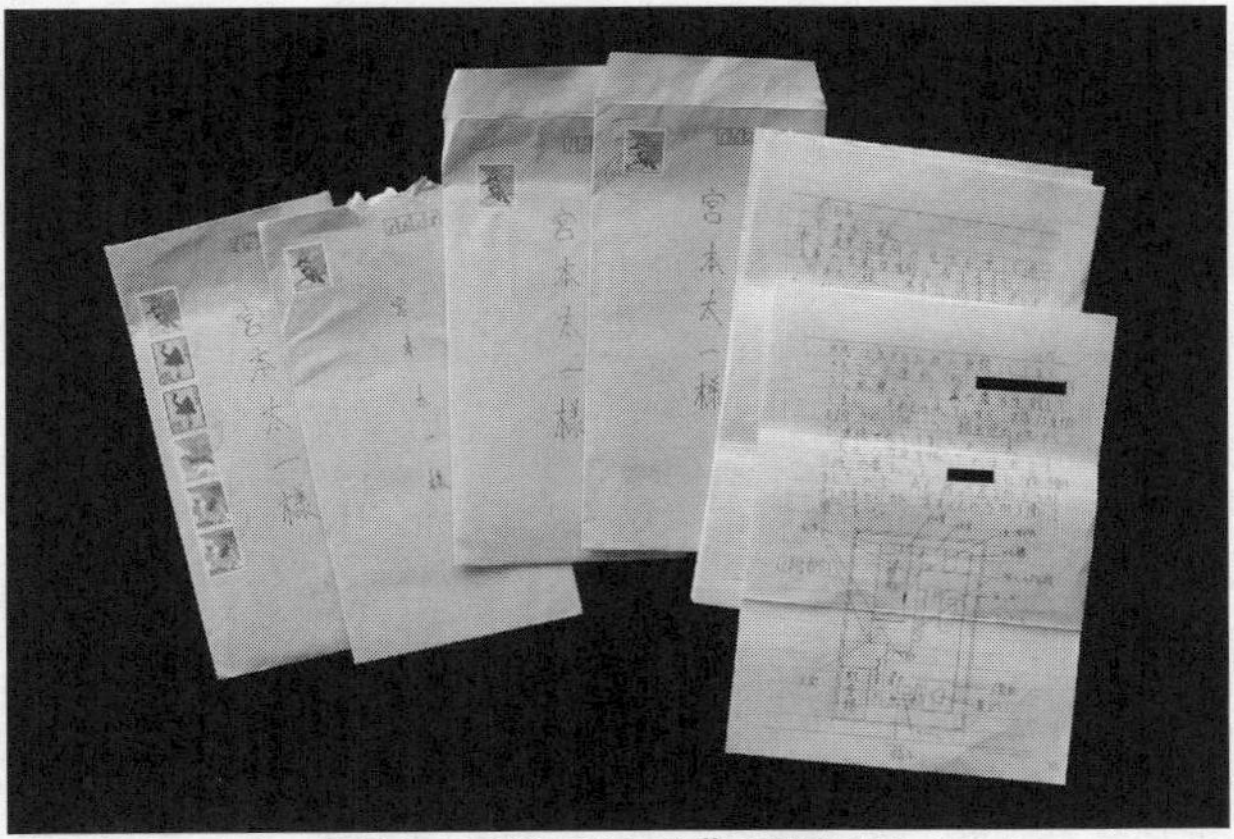

接見だけでなく、何通もの手紙が私と後藤の間を行きかった

ましたけど」

　後藤は、すでに倉浪さんを埋めた場所として自分で地図を書いてよこしていたが、それは、近くに建物をふたつ書いただけの土地と道路の絵であり、田舎の山間部であれば、どこにでもあるようなありふれたものだった。それから具体的な場所を読み取るのは不可能だ。

「詳細な住宅地図は値段が張りますので、また国会図書館に行って、コピーをしてきます。その準備に時間がかかりますので、とりあえず先に、市販の茨城県の地図帳を入れます。それを見て、なにか気づいた点があったら、すぐに教えてください」

　後藤は「どうせ無理なんだけどなぁ」という顔で、あまり乗り気ではなさそうだったが、承諾した。私はダメモトで、持ってきた『茨城県都市地図』（昭文社）を差し入れた。しかし、その後、すぐ後藤から反応があった。次の面会の際、地図帳を広げながら、

「もしかしたら、このあたりだったかもしれない」

と、北茨城市のある山林のあたりを指し示したのだ。やはり、地図などなにか刺激となるものがあれば、記憶が喚起されるところがあるようだ。

私は思い切って、この段階で一度、北茨城に行ってみようと思った。それまでに、倉浪さんが拉致されたとされる茨城県水戸市の千波湖近くにある市営駐車場の場所確認や、倉浪さんの住民票が移され、後藤も居住していたマンションの住民や、後藤の知人などへの取材で、水戸には何度か入っていた。

季節は初夏を迎えていた。日立市までJRの特急「スーパーひたち」を利用し、日立駅からレンタカーを借りて、北茨城の現地に入った。後藤たちと同じように、常磐自動車道を北茨城インターチェンジで降り、車を西に走らせた。そうして、後藤が指し示した地点のあたり一帯を探し回ったのである。

しかし、残念ながら、後藤の記憶に合致するような土地は見当たらなかった。予想どおり、それらしき更地はたくさんあるのだ。そのたびに車を降りて確認するのだが、

〝先生〟の連絡先が書かれた看板が設けられている土地はなかった。六年前の話だから、看板は撤去され、もうないのかもしれない。そうなると、いくら目視で探しても、該当の土地を発見するのは不可能だ。

近くにいる人たちにも話を聞いてみた。人家が極端に少ない場所である。〝先生〟の名前や会社名をあげ、その業者が管理している更地がないか聞きまわったが、誰もが、「そんな名前の人の土地を周辺で見たことはない」「そんな会社名、聞いたことがない」という反応だった。

汗まみれになって山の中を駆け回ったが、探しものには巡りあえず、疲れきった体で、私は東京に戻った。

しかし、都市地図だけでも、多少なりとも記憶が喚起されたのならば、住宅地図であれば、もっと具体的なヒントを思い出し、もっと正確に場所を示せるかもしれない。

そこで、改めて私は国立国会図書館に出かけ、平成十一年当時の北茨城の西部の住宅地図を数十枚コピーした。後藤は、これを全体で見ないと、イメージが湧《わ》きにくいだろう。

そう思って、これらのコピーを一枚、一枚つなぎ合わせることにした。なかには縮尺のちがうページもあり、必要に応じて拡大コピーをとった。こうして私は、不器用な手先で悪戦苦闘しながら、地図のコピーを張り合わせていった。やがて、北茨城インターチェンジから西方にある磯原町大塚、磯原町木皿、下平、足田内、中郷町石岡に至る、南北約十キロ、東西約五キロに及ぶ、一帯の地図が完成された。それは、タタミ四～五畳ほどの大きさになっていた。

私は、それを後藤に差し入れた。受付の窓口では、拘置所の職員が「なんだ、これは」と怪訝《けげん》な顔をしていたが、地図のコピーの上に書いた説明書きを消すか、黒く塗りつぶすよう言われただけだった。地図は加工したり、字を書きくわえていなければ受け付けてもらえるが、メモ書きがあると、犯罪の打ち合わせや合図の可能性があるので、受け容《い》れられないのだという。幾重にも折りたたまれた地図は、房舎の中に入った。

そうしたところ、やはりすぐに後藤から反応があった。彼が都市地図を見て、最初にこだわった場所の近くにある右翼団体の事務所を示して、後藤はこう言ったのだ。

「倉浪さんを埋めて帰る際に、すぐ近くに右翼団体の建物があって、その横を通り過ぎたんです。そのとき〝先生〟が『この右翼が使っているところも俺が管理している土地なんだ』と言っていたのを思い出したんですよ。住宅地図を見るまで、すっかり忘れていた。すいません、そんな重要なことを思い出せなくて」

面会室で後藤は、住宅地図をもとに、新たに自分で描いた簡略な地図を示した。

「これを郵送しますから、受け取ってください」

住宅地図に書き込みを行なうと、宅下げしてもらえなくなるので、後藤は新たに自分で地図を描くしかなかったのである。そして、その地図と私が差し入れた住宅地図の中にある場所を交互に指し示しながら、

「たぶん、これがその右翼団体の建物です。それらしい名前が書いてあるでしょう。その土地から通り一つ隔てて北側にある大きな空き地が、倉浪さんを埋めた場所でまず間違いない」と、断言したのである。

そこは、私が北茨城に出かけたとき、すぐ横を車で通ったところ。ここではないかと怪しんだ場所のひとつだった。

これを受け、私は改めて、現地に赴いた。まず当該地の不動産登記簿をチェックしようと考え、管轄《かんかつ》である日立市の水戸地方法務局・日立支局（登記所）に足を運んだ。調べた結果、その場所に〝先生〟が自分の会社名義で、現在も不動産を所有していることが分かった。
・北茨城市磯原町内　一万六六九〇平方メートル　平成二年取得
・同所　一一〇五平方メートル　平成三年取得

地目はいずれも山林。一ヘクタールを優に超えるどころか、二ヘクタールに迫る広大な土地だった。名義は、〝先生〟の会社になっている。ここが、〝先生〟や後藤が、倉浪さんを生き埋めにしたとする場所である可能性が濃厚である。

三〜四メートルの小高い丘。そこにぼうぼうと生い茂る雑草は、高いもので五〜六メートルほどはある。私はその前で呆然《ぼうぜん》と立ち尽くしていた。容赦なく照りつける太陽の日差しで汗が滝のように流れ、スーツはびしょびしょになっている。

車のラジオからは、甲子園の高校野球の実況中継が流れていた。大型左腕としてプロが注目する、大阪桐蔭《とういん》高校の辻内崇伸《つじうちたかのぶ》投手（現・巨人）の快投を伝えるアナウンサーの興奮した声が、車外にも漏れ聞こえてきた。

その土地は山間部に広がる、小さな丘と斜面から成る、広大な原野だった。〝先生〟の連絡先が書かれた看板を探すどころか、あまりの雑草の多さに、足を踏み入れることさえ難しい。

本当にここだろうか。草は膝の高さどころではない。だいいちこれでは、後藤が言ったように、車で乗り上げるとか、穴を掘るなんて作業は難しいだろう。どうみても無理があるように感じられた。私の頭の中に、再び疑念が生じた。

ただ、周囲を歩いてよく見てみると、車が入っていく入り口のような場所があった。実際、車が通って中に入っていったことをあらわす、古いタイヤ痕《こん》も見て取れた。今は夏なので、これだけひどい状態だが、後藤たちがきた冬場であれば、もう少し状況がちがうかもしれない。

私は、平成十年から近くに住んでいるという人たちに話を聞いた。後藤が、「遠くに灯りが見えた」という二軒の家である。

そのうちの一軒の主の話。

「その土地は、うちの裏手だし、少し離れているので、よく覚えていないけど、自分たちが来た頃から、草がぼうぼうだったと思う。いずれ、そこも宅地造成されて住宅がいくつも建つようなことを言われていたので、私らはここに来たんですが、そんな気配がない。ここは山林で、水道も来ていないような場所なんです。東京の業者の謳《うた》い文句にダマされて買ってしまったけど、裏手が住宅地になるようなことは、今後もないでしょう」

住民は業者に恨み骨髄といった態《てい》だったが、東京の業者とは連絡もとれなくなり、諦《あきら》めるしかなかったという。水道は来ておらず、井戸水をポンプでくみあげ、家に引いている。もうすっかり慣れた様子だったが、いまだ真新しい、今風の瀟洒《しょうしゃ》な作りの家とのギャップが痛々しかった。

「ただ……」と、住民は言った。つづく証言に、私は思わず引き込まれた。

「去年（平成十六年）の秋頃、一度、ミニユンボが、裏の土地の一角に止まっていたんですよ。散歩しているときに気づきました。

それで、いよいよもしかすると造成が始まるのかな、と期待していたんです。分譲されて、家が何軒も建てば、行政も動いて、水道くらい引いてくれるかもしれないでしょう。

普通、ユンボの車体には企業名が書かれているのに、何も書かれていなくて、変なユンボだった。車体の名前や電話番号などの連絡先を、ペンキか何かで塗って、消しているようでした。いつ動かしたのか分からないが、見ていないときに何かの作業はしたみたいですよ。入り口を作ろうとしていたのか、十メートルくらい先まで人が入れるように草がかきわけられ、道ができていました。まずは、ミニユンボで生い茂った草をなぎ倒し、通路を造って、そこから大きな機械を入れて工事をはじめるのかな、と思ったんです。

だけど、結局、小さな道を作っただけで、本格的な工事は行われず、十日ほどしてミニユンボは消えてしまった。そしてまたすぐに、草ぼうぼうの状態に戻ったんです。

何をしたかったのか、目的がまったく分からない。普通、工事は日中やるものなのに、どうも暗くなって、人が通りがからないときにやってるようだったし。

でも、Aさん（〝先生〟の名）という人は知らないし、自分たちの不動産購入の関連では一切、出てきていません。その会社名も聞いたことがない。お宅が問題にしている裏手の土地に、Aさんだかの看板があったかも、見たことがないので分かりません。だけど、反対側の土地に、右翼団体がプレハブ小屋と看板を建て、街宣車を四、五台置いて、若い連中が出入りしていたのは事実です。何年か前にやってきて、基礎を作り、二階建ての建物を建て始めた。役所に届けず勝手に作っていたので、市の行政指導で撤去させられ、今年の初め頃だったか、いなくなりました。その右翼がいた土地にしても、Aさん関連の土地だとは知りませんでした」

そして、期待を裏切られたときの感情を思い出したように、もう一度つぶやくように言った。

「それにしても、本当にあのユンボは何だったんだろうな……」

昨年秋といえば、後藤が舎弟扱いしていた「藤田幸夫」が自殺し、激怒した後藤が〝先生〟を手紙で詰問《きつもん》し、余罪事件の暴露をほのめかし始めた頃だ。ふたりの対立が明確になろうとした時期である。

　この証言は、ふたたび芽生えはじめていた疑念を打ち消すものになるように思えた。ミニユンボの目的はなんだったのか。何年も放置され、手つかずの状態だった山の中の原野に、去年の秋、たった一度だけ、重機を使った人の手が入ったのである。

　偶然にしては、タイミングが良すぎる。ミニユンボを動かした人間にとっては、必然だったのではないか。推察ではあるが、容易につぎのストーリーが浮かんでくる。

〈控訴審判決で死刑判決が出たばかりの後藤が、藤田の自殺もあって、思ったより早く騒ぎはじめた。上告はしたものの、死刑確定の流れが固まった。そうなると、後藤がいつ余罪殺人事件を暴露するか分からない。もはや永久に口を封じておくのは困難だろう。しかし、無駄な大金は使いたくない。これまで話を先延ばしにしてきたが、これは、本格的に証拠隠滅を済ませておかねばなるまい。後藤が余罪事件を告白するという最悪の事態に備えて〉

　〝先生〟は人目を避けながら、ミニユンボを使い、倉浪さんの遺体もしくは遺骨を掘りかえした。そして、後藤が見当もつかないような、まったく別の場所に埋めなおした。これで、遺体のありかを知るものはいなくなった。倉浪さんの遺体という最大の物証を、暗い地中深くに隠匿《いんとく》し、永遠に完全に事件を闇《やみ》に封印した——。

私は地元で得られた情報を後藤に伝えた。

「やはりもう動いていましたか。それは、絶対、遺体を動かしたんですよ。たしか、〝先生〟は重機を使いこなせたはずだし、もしかしたら、また別の人間を使ったかもしれない」

後藤は悔しそうだった。焦《あせ》りの色がありありだった。

「私もその公算が大だと思います。かりにあそこの荒地が倉浪さんを生き埋めにした場所だったとしても、もうそこには遺体はないでしょう。後藤さんの要求をつっぱねる覚悟なんですから、何も手を打たないはずがありません。逆に言えば、『倉浪さんの遺体を動かして、証拠隠滅が完了した。かりに警察が捜査に動いても大丈夫だ』という自信があるからこそ、〝先生〟は後藤さんを無視しつづけていられるんでしょう」

「チクショー……。でも、いくらあいつが不動産ブローカーといっても、遺体を都合よく隠せる場所なんて、そうそうありません。あそこの土地は広大です。もしかしたら、動かしたといっても、同じ土地の別の場所に埋め変えただけかもしれない。記事にするとき、警察に通報してくれますよね。その際、必ず警察にその可能性も伝えてください」

遺体を焼却したり、人を殺したという犯人が、今、塀の中で隔靴掻痒《かっかそうよう》の状態でありながら、懸命に自身の犯罪を証明しようと、こちらに協力している。なんとも不思議な感覚だった。

「わかりました。いずれにしろ、これで『倉浪さん事件』に関しては、私なりに、ある程度、事件の真実性が見えてきましたから、後藤さんのことを信頼しています。そろそろ、つぎの事件の取材に軸足を動かします」

そういって、私は取材のため、またしばらく面会に来られないことを了承してもらった。そして、つぎの事件、「カーテン屋の保険金殺人」に向って、今度は茨城県土浦市をめざした。

第六章　〝カーテン屋〟を知る女

明るみに出ていない殺人事件を次々と明かし始めた後藤。「倉浪《くらなみ》さん事件」につづき、彼が告発した保険金殺人事件を語る前に、後藤とはどんな人間なのか、いま一度、彼の足跡を辿《たど》っていきたい。

後藤は、昭和三三年七月二四日、栃木県宇都宮市簗瀬《やなせ》町で、三人兄弟の次男として生をうけた。

最終学歴は、地元の中学校卒業。しばらくは家業のペット屋を手伝っていたが、十六歳のときに、宇都宮市内に事務所を構えていた稲川会系暴力団の幹部とつきあいができた。そして、成り行きでヤクザの世界に足を踏み入れ、その組に入った。

昭和五六年三月、組が解散となったことから、翌年一月に、群馬県前橋市内に本部を構えていた「稲川会上州田中一家小田組」(後の大前田一家)の組員になった。

六二年七月、茨城県水戸市内に同組の水戸支部を設立し、支部長になったという。

その後、平成二年四月二日、群馬県館林《たてばやし》市の場外車券売り場で殺人事件を起こしたとされる。これは前述のとおり、事件の一年後に殺人罪で逮捕されたが、不起訴処分で釈放された。

平成四年五月まで支部長を務めていたが、やがて前橋に戻り、総長の直参となる。そして平成六年、「後良組」を構え、組長として活動をはじめた。しかし、同年十一月、今度は群馬県警前橋警察署に暴力行為、銃刀法、火取法、覚せい剤取締法違反で逮捕され、懲役四年の実刑判決を受けて服役。

平成十年九月に福島刑務所を仮釈放で出所し、郷里の宇都宮に戻って、「後良組」あらため「後藤組」を名乗るが、組を再興するのは難しかった。

この頃、後藤は知人の紹介である女性と知り合い、つきあうようになる。やがて、組を解散して宇都宮を引き払い、彼女の実家があり、旧友で大前田一家の元組員もいる水戸市に移ったのだ。

当初は、愛人と水戸のラブホテルを転々としていたが、旧友のツテで、あるマンションに入居させてもらった。また、堅気《かたぎ》の状態になっていたので、不動産を扱う仕事に取り組みたいと考え、この旧友に相談し、不動産ビジネスに詳しい〝先生〟を紹介してもらったのは前記のとおりだ。以降、〝先生〟とともに、一連の死体遺棄、殺人事件に手を染めるようになったという。

なお、後藤のこれまでの犯歴は「前科四犯・前歴五回」。いかに、彼が犯罪を積み重ねたか、また凶悪な性格がどのように醸成されてきたかを理解するうえで一助になるかもしれないので、まとめておきたい。

①昭和四七年十月ころ、十四歳。窃盗《せっとう》、暴力行為で、宇都宮東警察署に逮捕される。処分は、初等少年院送致。千葉県内の少年院に一年ほど入院する。
②昭和五一年二月ころ、十七歳。山形県内で、窃盗、器物損壊で山形県警に逮捕される。処分は、中等少年院送致。
③昭和五二年九月ころ、十九歳。器物損壊で宇都宮中央警察署に逮捕される。処分は、特別少年院送致。小田原少年院と久里浜《くりはま》特別少年院に入院する。
④昭和五三年ころ、二十歳。神奈川県警浦賀警察署に、公務執行妨害、傷害で逮捕される。久里浜特別少年院で職員とトラブルを起こし、乱暴を働いたため。懲役一年四ヶ月の処分を受け、水戸少年刑務所に服役する。
⑤昭和五四年六月ころ、二十歳。茨城県警麻生警察署に器物損壊、住居侵入で逮捕される。懲役一年二ヶ月の処分を受け、水戸少年刑務所に服役する。

⑥昭和五六年二月ころ、二二歳。宇都宮東警察署に窃盗、器物損壊、住居侵入で逮捕される。懲役十ヶ月の処分を受け、水戸少年刑務所に服役する。
⑦昭和五七年四月ころ、二三歳。宇都宮東警察署に恐喝で逮捕される。処分は、起訴猶予《ゆうよ》。
⑧平成三年三月ころ、三三歳。この前年、群馬県館林市の場外車券売り場で、宇都宮市内に事務所を構える住吉会親和会栃木一家諏訪《すわ》組、諏訪渡・組長を射殺。約一年後、警察に出頭し、群馬県警に逮捕される。処分保留で釈放され、不起訴処分となる。決定的な証拠がない中で、検察は刑事訴追を断念した（殺人罪で逮捕しながら、不起訴となるのは極めて稀《まれ》で、異例のケースである）。
⑨平成六年十一月ころ、三六歳。群馬県警前橋警察署に暴力行為、覚せい剤取締法、銃刀法、火取法違反で逮捕される。懲役四年の処分を受け、福島刑務所に服役する。

根本的に、善悪の判断や倫理規範に欠けた、筋金入りの犯罪者であることがうかがえる。

そして、もう一方の主役、現在、五十代後半の〝先生〟は、どんな人品骨柄をもつ人物なのか。

生まれたのは茨城県北部の町。太平洋の荒波がうちつける磯に近く、子供のころはよく泳ぎにでかけたという。

戦後の復興期、この地も大手メーカーによる大量生産の恩恵をうけ、町全体に活力がみなぎっていた。機械のように人々は寸暇を惜しんで働き、そして飲んだ。工場はフル稼働《かどう》し、盛り場のネオンの灯は遅くまで灯っていた。そんな高度経済成長に沸くエネルギッシュな雰囲気の中で、彼は幼少期を過ごした。

地元の中学を出て、水戸市内の高校に進学。卒業後、彼は人口が世界で初めて一千万人を超え、オリンピックに狂喜乱舞した熱気の余韻がまだ残る大都市に夢を求め、首都・東京をめざした。そして手始めに、新宿区にある印刷会社に就職し、印刷工として働いた。

その後、銀座の広告会社に転職、営業の仕事に従事したという。しかし、この街では夢が描けなくなったのだろうか。しばらくして、帰郷。地元の電線加工会社で、工員となり、その後、住宅設備の会社に転職し、営業マンとして働いた。

こうして職を転々としたが、やがて一大転機がおとずれる。昭和五七年、独立し、会社を設立。前記の会社で覚えた仕事のノウハウを活《い》かし、住宅設備機器の卸業を始めたのだ。一国一城の主となり、この頃が〝先生〟が一番仕事に燃えていた時期かもしれない。

しかし、紆余《うよ》曲折はつづく。平成五年三月、七億円余りの負債を抱え、同社は倒産したのだ。逼迫《ひっぱく》した経営状況から倒産にいたるプロセス。このとき、彼の中でなにかが弾《はじ》けたのだろうか。

その後は、人を泣かせても意に介さない、整理屋という裏稼業に邁進《まいしん》した。不動産や金融のブローカーとして飛びまわり、物件や顧客の紹介などを行う情報ブローカーとしても活動、現在に至る。

学生時代、会社設立から倒産までの社長時代、そして不動産ブローカーをしている現在と、〝先生〟に対する評価は、いずれも辛辣《しんらつ》な声で染まった。

「中学時代から不良を気取っていたけど、中途半端《はんぱ》なやつで、自分より弱いやつだけをいじめているという感じの男でした」（元同級生）

「あいつが立ち上げた会社は、住宅の配管パイプなどを中心に扱っていたが、商売のやり方があくどかった。どこよりも安いというのが宣伝文句で、実際、見積もり段階では格安なんだけど、いざ支払いになると請求書の値段が跳ね上がっている。気の弱い業者ならそのまま払っちまうんだろうが、強く文句を言うと、『悪い、悪い。従業

員がまちがえたんだ』と修正する。そんなやり方をしてりゃ、信用をなくすよ」（茨城県内の住宅関連会社社長）

そして、倒産の際には、こんな出来事があった。

「平成四〜五年ころ、A（〝先生〟）に、信用組合が五、六千万円の融資をおこなった。その保証人になった電機設備会社の社長は、本当に気の毒だった。Aと取り引きがあったことから、保証人の候補にあげられ、信用組合の人間が日参したんだ。当然、社長は断りつづけていたさ。

でも、支店長に酒席の接待を受け、『保証人をとらないうちに、Aさんに融資してしまった。これがバレたら、自分はクビになる。どうか助けると思って、保証人になってください。不動産の担保はとってありますので、なにかあっても絶対、迷惑をかけませんから』と泣きつかれ、とうとうサインしちゃったんだ。

そうしたら、数週間で、Aの会社は倒産さ。保証人になった社長が信用組合に文句をいっても、担保の不動産は処分できない不良物件で、支店長も知らぬ存ぜぬで逃げとおした。悲惨な目にあってましたよ。

また、Aは、問屋から、代金後払いで大量のパイプを卸してもらい、すべて売りさばいた。その直後に倒産したから、卸した問屋は回収できず、泣き寝入りすることに

なったんだ。金額は億単位。平気でそういうことをする人間なんだ。あれは完全な計画倒産だよ」（地元の不動産業者）

会社を潰《つぶ》したあと、〝先生〟は、ブローカーやヤミ（無免許）の金融屋稼業につき進む。

「Aはヤクザ者が好きでね。山口組だろうが、稲川会だろうが、組織は問わず、茨城県内のあらゆる組の親分や幹部連中とつきあっていました。そういったヤクザ連中の自宅のリフォームなども一手に受注していましたよ」（〝先生〟を知る暴力団関係者）

「不動産ブローカーといえばそうだけど、どちらかというと、〝占有屋〟として知られていたね。複数の借金の担保にとられ、どうにもならなくなった塩漬け物件のビルに、人を住まわせたり、あるいは看板をたてるなどして、競売などの処分を妨害するんだ。そうして賃借の権利があると主張して、立ち退き料をせしめる稼業です。落札した競売物件に、Aが介入してきたため、彼の自宅に交渉に出向いたところ、『てめえ、どこに来てんだ。バカヤロー！　殺すぞ、コノヤロー』とすごまれた業者もいます」（地元の不動産業者）

こうした裏稼業をしているためか、逆に、暴力団関係者に狙《ねら》われることもあったようだ。

「親しかった水戸市内の山口組系暴力団組長に対しヘタをうち（失敗をして怒りをかう）、追い込みをかけられていたらしい。自宅の居間のガラス窓に大きな石を投げ込まれ、叩《たた》き割られたこともありましたね。原因はよく分からないけど、自宅近くの駐車場に停めていた車にツルハシを突きたてられたこともある。あのときは、さすがに警察に保護願を出したようです。別のヤクザ者をボディガードとして雇っていることもありました」（〝先生〟の知人）

〝切った、張った〟の世界に、どっぷり浸《つ》かっていたようだ。ちなみに、〝先生〟の自宅は表向き三階建てだが、後藤が最初に証言したとおり、現金の保管場所ともいうべき地下の部屋があるらしい。しかも、隠し部屋はそれだけではないようだ。

「一階と二階の間に、中二階ともいうべき隠し部屋があったんです。入り口は荷物で隠してあった。平成四年に改築した際、新たに作ったんですよ。よほど後ろめたいことがあったり、悪事を犯そうと思わなければ、そんな部屋は作らないでしょう。ヤクザ者に長期間、追い込みをかけられた際に隠れたり、国税から現金を隠すための部屋として活用していたんじゃねぇの」（同業者）

また、後藤によると、〝先生〟はひどいアル中でサディストだともいう。

「〝先生〟は四六時中、飲んでいます。まぁ、あれだけ大罪を犯していれば、飲んでいなきゃ、やってられないのかもしれない。
普段は穏やかで、田舎の朴訥《ぼくとつ》なおじさんに見えますが、酔っ払うと本性が表れます。いきなり豹変《ひょうへん》し、言葉遣いも荒っぽく、やることが残虐《ざんぎゃく》になる。何とも形容しがたい愉悦の表情で、飼っている鳩《はと》やニワトリを蹴り上げたり、首を絞めて、殺したりするのをこの目で見ました」

悪

〈宇都宮→前橋→水戸→前橋→宇都宮→水戸〉
〈茨城県北部の町→水戸→東京→茨城県北部の町→水戸〉

何度も塀の中（刑務所）に落ちたアウトローと、法律スレスレで塀の上を歩きつづける裏稼業のブローカー。

凶

街から街を彷徨《ほうこう》するふたつの灰色の魂は、たがいにジグザグの軌跡を描きながら、やがて運命の街、水戸で出会ってしまう。その交わりは数奇な邂逅《かいこう》——。劇毒物の誕生であり、被害者にすれば悲劇の萌芽《ほうが》の瞬間でもあった。

話を三件目の、「カーテン屋保険金殺人」に戻そう。

この事件も倉浪さん同様、被害者の名前の特定からはじめなければいけなかった。後藤がはっきり示せたのは、またしても苗字《みょうじ》の頭につく一文字だけだった。

この人物について知っているのは、〝先生〟、後藤、後藤と一緒に捕まった舎弟の小野塚と鎌田、〝先生〟の事務所に居候《いそうろう》していた沢田一孝、自殺した藤田幸夫、被害者の仕事仲間で、一件目の「大塚某殺人事件」でも共犯者にあげられていた山田正一くらいである。むろん、まだ〝先生〟や山田に話を聞きに行くわけにはいかない。

では、どうやって、この人物の名前を調べるか。また、どうやって、後藤証言に信《しん》憑性《ぴょうせい》があるかを見極めるか。「倉浪さん事件」で信用できたからこちらも、というわけにはいかない。

まず、国会図書館や水戸市内の大きな図書館で、全国紙の地方版や地元紙を見ていき、平成十二年の夏に、後藤の話に該当するような変死事案や自殺事案が新聞記事になっていないかを調べてみた。それで、被害者の氏名がわかれば、一番無難である。

しかし、目を皿のようにして新聞を調べても、この時期の前後に、その種の事案は出ていなかった。そのうち、後藤が、「訃報《ふほう》記事が地元の新聞に出て、読んだ気がする。葬儀場所も告知されていたと思う」と言い出したので、全国紙の地方版や、地元紙のお悔やみの欄もくまなく探した。しかし、これも徒労に終わった。やはりどこにも、それと思われる訃報の報せ《しら》は出ていなかったのである。

つぎに、茨城県警・笠間《かさま》警察署や同県警本部の広報に電話し、「平成十二年八月上旬頃、笠間警察署管内で変死体が発見され、自殺として処理された件がなかったか」と尋ねてみた。

だが、残念ながら、笠間警察署では「自殺事案は広報していないし、そもそも、そのころの資料も残っていない」といい、県警本部の広報課も「調べましたが、わかりません。変死でも事件でもなく、自殺や病死と判断されたら、亡《な》くなられた方や家族のプライバシーに配慮し、よほどの事情がないかぎり発表することはありません」という回答だった。

残された可能性は、山田正一の会社の登記関係である。後藤は「山田が住宅関連の会社、B社を作ったとき、〝カーテン屋〟にノウハウがあったので社長にすえた、という話を〝先生〟から聞いた」と証言していた。

そこで、山田の会社が複数存在する茨城県南部の街を訪ねた。そこには、住宅関連会社のB社、C社のほかに、後藤も知らなかったD社という不動産メンテナンス会社の看板も出ていた。

私は、それらの法人登記簿の役員欄を閲覧することにした。後藤の証言どおりであれば、苗字の頭に彼がいった漢字がつく人物が、役員に就任していた時期があるはずである。

しかし、後藤が証言したBという会社については、役員欄に該当者がいないばかりか、閉鎖役員欄を設立時までさかのぼっても、それらしい名前が見当たらなかった。つまり、そんな人物が、社長や取締役に就任したことは一度もなかったのだ。ここで、後藤の証言はゆらいだ。

これは、C社についても同様だった。

ところが、後藤の知らなかったD社の謄本《とうほん》は状況がちがった。そこには現在も取締役として、苗字の頭に、後藤がいう字がついた人物の名前が出ていたのである。法人登記の内容は、あくまで当事者の申請によるものだから、代表者が死亡しても、変更の登記が行われずに、そのままの状態になっているケースが結構ある。

もしかしたら、この人物だろうか……。

また、登記をよく見ると、B社と同じ社名の有限会社が過去に存在し、株式会社に組織変更する際に閉鎖されていたことがわかった。つまり、B社には以前、有限会社として同じ社名の前身があったのである。

私はその閉鎖された有限会社の閉鎖登記簿の閲覧を申請した。そうしたところ、さきのD社で取締役を務めている人物の名がここにも出てきたのである。

〈やはり、この人物が被害者の可能性が高い〉——。

私はそう見立てた。しかし、その確信もすぐにくじかれることになった。調べてみると、その人物は存命していたのだ。しかも、今現在も、山田正一の会社で働いているのである。

また振り出しに戻ったか。だが、念のため私は、役員欄に記されていたその人物の自宅住所地に足を運び、周辺を調べてみることにした。

起点となるのは、茨城県の南の玄関口であるJRの土浦駅。駅からバスで二十分ほど走り、郊外の町に着いた。晴れた日には、鹿島灘《かしまなだ》からの恵みで豊かな水量をたたえた霞ヶ浦《かすみうら》が、眼下に望める。のどかな丘陵地帯に集落が広がっていた。

それまでの閉塞《へいそく》状況が嘘《うそ》のように打破られ、視界が明るくひらけた。それこそ、眼下の水辺に映えるまばゆい光がこちらに降りそそいできたかのように。

目的の人物の自宅のすぐ近くには、インテリアショップがあった。聞けば、その人物の父親が経営していた店だという。しかし、数年前に経営難からショップは倒産。その家や店には借金取りが押し寄せた。その経営者は自宅を出て、身を隠していたが、ほどなくして死亡した。

まさに、後藤が証言したとおりの家族であり、状況である。被害者の〝カーテン屋〟は、この経営者以外にあり得なかった。

地元では、〝カーテン屋〟は酒好きがたたって、持病の糖尿病を悪化させ、病死したと受け止められていた。が、近所で事情をよく知る人物はこう語った。

「店の経営が傾いて、借金まみれになっちゃってね。ダンナさんは家にいられず、逃げていた。そうしたら、五年ほど前の夏頃、突然、訃報がもたらされたんですよ。実際は、笠間の山の方で、借金を苦に自殺した、ということでした。警察が、遺体の運ばれた病院から家族に連絡をよこし、身元確認を依頼したそうです。それで家族もご亭主の死が分かった、とも聞きました」

さらに取材をつづけていくと、同様の話をする人が複数いた。地元の一部では、〝カーテン屋〟は、自殺したと認識されていたわけだ。

〝カーテン屋〟が行き倒れ状態で発見されたのは、平成十二年八月十五日、笠間市から西茨城郡七会村（現・城里町）に抜けたあたりの山道だった。すでに死亡しており、警察の検視の結果、自殺か病死と判断された。

当然、残された家族は路頭に迷い、自宅も借金のかたに取られるものと思われた。が、興味深いことに、自宅は人手に渡らず、家族は依然としてそこに生活していたのだ。

不動産登記を調べてみると、予想どおり、夫の死後、妻に相続された自宅などが競売にかけられていた。しかし、そこで救世主として登場したのが、件《くだん》の山田正一である。競売の入札に参加し、〝カーテン屋〟の自宅を落札していたのだ。

JRの土浦駅から車でも二十分近くかかる田舎町、築二十年近い物件である。居住目的での落札なら理解できるが、不動産ビジネスとしては考えにくい投資である。

私は類推した。一家は自宅を失いそうになったので、犯罪の秘密を共有している山田正一に泣きついた。山田としても、彼らが路頭に迷うと、恨みを抱かれ、事件を口外される危険を感じた。そのため、積極的に入札に参加して、落札。そのまま一家を住まわせ続けて、未然に犯罪の隠蔽《いんぺい》を図った——。

この推理に無理があるだろうか。

しかし、証言者が欲しい……。

当事者らに悟られぬよう、周りから状況を確認していく。核心に近づき、また遠ざかりながらも、状況証拠を積み重ね、徐々にターゲットに迫ろうとしている日々——。正直言って、自分で自分が歯がゆかった。もっと直接的に、重大な話をしてくれる証人はいないものか。

後藤を熟知している人間。〝先生〟のこともよく知る人物。そしてなによりも、〝カーテン屋〟を身近に見、彼らの関係性をつかんでいる者。むろん、娑婆《しゃば》にいて、対話が可能な人物でなければならない。

犯行グループとされる人間や、それに与《くみ》する人間を除外することはいうまでもない。なんでも後藤に話を合わせるような身内もダメだ。あくまで客観的に、公平・公正にジャッジメントができる〝ディープ・スロート〟の証言でなければ、信用するに足らない。

果たして、そのような登場人物はいないものか。私はこれまでの取材の一部始終を、もう一度思い返し、頭の中でそういう人間を探してみた。

このヒトくらいかな……。私は、ある女を思い浮かべていた。

「良ちゃんのことで、なにが知りたいの？　もう私は会ってないし、今のことは全然、知らないんです。良ちゃんが宇都宮の事件で捕まってから、一度も面会には行ってません。いえ、すごい好きでしたよ。あんなによくしてくれた男は初めてだし。今まで何人も男とつきあって、その中にはヤクザもいたけど、良ちゃんが一番ですよ。不自由しないようお金を入れてくれて、うちの母や娘の面倒も見てくれたから。それに私、ああいうタイプ、好きなんです」

女は電話の向こうで笑った。さっぱりしていて、知っている話をあけすけに教えてくれそうな雰囲気が伝わってきた。後藤の元内縁の妻である。

彼女は、後藤の逮捕後に関係を絶った理由について、こう話した。

「最初は面会に行って差し入れもつづけようと思ったんですよ。でも、良ちゃんには他にもオンナがいて、彼女が面会とか差し入れをしてたんです。それで、アタマに来て。それなら、そのオンナに全部、面倒見てもらえばいいじゃん、と思ったの。事件のときに一緒に暮らしていたのが私だから、警察の捜査やらなんやらですごい迷惑をうけたんですよ。大変だったの。それなのに、そのことで良ちゃんから一言の詫《わ》びもなかったしね。

これでも最初は、風俗にでも勤めて、良ちゃんに弁護士をつけてあげて、一生支えようと思ったんですよ。でも、そのオンナがいたんで、そんな気分もふっとんじゃった。良ちゃんの友だちたちからも、『もう後藤はダメだから、そんなことしないほうがいい。これ以上、やつに関わらないほうがいい』と、反対もされたしね。皆、冷たかったですよ」

後藤とは完全に切れているようだ。恨みの念も多少あるようだから、後藤に有利になるよう話を合わせることもないだろう。彼女は、考え得るなかで、一番適切な証言者かもしれない。

「で、いまさら私に何を聞きたいの。今のことは何も知らないですよ。もしかしたら、良ちゃんがほかにも事件を起こしてるとか。何かしでかしてるんでしょ。いやだぁ、本当にまだあるの？」

こちらがなにも言わないうちから、彼女はそう言った。実に勘が鋭いと言うしかない。私は、

「もしかしたらですが、後藤さんが、別の表に出ていない事件を起こしている可能性があるんです。そういう主旨の話を、拘置所の仲間にしたそうなんです。だからこの話を検証しようと、今、彼を知る関係者にお会いしているのです。なんでもいいですから、彼に関する情報が欲しいので、一度、会っていただけませんか」

とお願いした。具体的な内容を伝えていないので、怪訝《けげん》に思われ、面談も躊躇《ちゅうちょ》されるのではないかと危惧《きぐ》した。しかし、それは杞憂《きゆう》に終わった。彼女は、

「いいですよ」

と即答してくれた。その答えの響きには、きっぷのよさが感じられる。そして彼女は、

「ところで、他の事件というのはどこで起こしたものなんですか」

と、逆取材をかけてきた。

「まだ、事件性があるのかどうか、海のものとも山のものとも分からないのです。でも、もしそれらが事件になるとすれば、埼玉が関係場所のひとつになります」

「エェッー、良ちゃん、埼玉でも人、殺してんの⁉」

「いや、まだハッキリしたわけではないんです。でも、あなたの中では、後藤さんで事件といえば、必然的に〝殺人〟ということになるんですか」

「だって、あの良ちゃんのことだからね。気性が荒いもん。怒りだしたら、大変だよ」

「後藤さんが、他に殺人事件を犯していたとしても、全く驚かれる風ではないんですね」

「全然。だって、もっとやっていると思いますもん。ああいう人ですからね。私は全然、そういうの気にしないの。怖くもないし。ダテにこれまで、ヤクザ者とかその手の男と何人も付きあってきていないから」

元内妻は、本当にあっけらかんとした性格だった。それ以上、こちらに根掘り葉掘り聞いてくることもなかった。私は、彼女と会うアポイントメントを入れた。

水戸駅までは、上野から特急「スーパーひたち」で約一時間である。まだ夏の盛りで、駅前のデパートの巨大な宣伝ポスターの中では、露出度の高い水着を着た女の子がこちらを見て微笑《ほほえ》んでいた。この世の悲劇とはまったく無関係であるかのような、実に屈託のない笑顔だった。

元内妻とは、駅から徒歩数分のホテルのロビーで落ち合った。

「良ちゃん、元気なんですか。東京拘置所にいるの？　行けば、面会できるんですか。そういうのも知らなかった。でも、他のオンナが通って、服の差し入れとかもしているようですから、その人に面倒をみてもらえばいいじゃんと思ってるの。こっちもあの事件以降、いろいろ大変な目にあって、生活の建て直しにも苦労したし、忙しかったから」

彼女はそう言った。夏物のブラウスのそでから、腕に彫られた刺青《タトゥー》がのぞいている。彼女はまったく気にせず、隠そうともしないが、私の方が周りの目が気になった。

電話で話したときに受けた印象のとおり、彼女は、さっぱりした性格で、男っぽいところや芯《しん》の強さをあわせもった女性のように感じられた。

本人にとってはありがたくない表現だろうが、場末のスナックなどにいたら、客たちの人気の的になるだろう。色白で痩身《そうしん》。細面で、ふたえの目がキッと目じりのところで上がっており、爆発したときには、うちに秘めた激しいものが一気に噴き出してくることを予想させた。鼻すじも通って、ほどよく上を向いており、口は小さい。三十代半ばだが、年よりもずっと若く見える。極道の妻や、ヤクザの姐《ねえ》さんには美人が多いというが、彼女もありていに言えば、コワモテの後藤にはもったいないくらいの〝いいオンナ〟だった。

私は、彼女に会うことを、後藤には告げずにここにやってきた。彼女にはどうしても会わなければならないが、後藤が「やめてくれ」と拒絶したら、会いにくくなる。元内妻が話題にあがったときの彼のそぶりから、私はその気配を感じていた。もし、彼女が私と話をすれば、それは後藤にとって自分の話を裏付ける、ありがたい証言になるかもしれない。なかなか慎重な姿勢を崩さない私の態度をみれば、自分のほうから、「元内妻に会ってみてください」と言いそうなものだ。しかし、そういうことは一度もなかった。

この事件の取材を始めたばかりのころ、「元内妻なら〝カーテン屋〟の実名を覚えているのではないか。今の彼女の居場所や携帯の番号が分からないか」と尋ねたことがある。しかし、後藤は、

「いや、事件以降、まったく面会にも来ないし、会ってません。どこにいるのかさえ、皆目、わかりませんね。手紙のやりとりもなく、縁が完全に切れているんです。私は、携帯電話も、警察に取り上げられて持っていないし、メモ帳なんかも残ってませんから、番号はわからないですよ。それに、当時の携帯がわかっても、番号も変わってるでしょうし」

後藤はかつて、〝カーテン屋〟の名義で携帯電話を購入したこともあった。その電話番号がわかれば、そこから名前が判明するのではないか。こう期待した後藤は、拘置所から、必死になって宇都宮の事件を担当した栃木県警の刑事に手紙を書き、その携帯電話の所在や名義人の氏名を聞こうとした。しかし、刑事は返信はよこしたが、内容はあたりさわりのないつれないもので、結果は伴わなかった。

そういった懸命の努力を見せた一方で、こと元内妻に関しては、後藤は最初から「無理です」「わからないです」をくり返し、連絡先を割り出すのにも、非常に消極的だったのだ。

彼女に会われると、困ることでもあるのか。瓦解《がかい》するおそれのある嘘でもあるのだろうか。それならば、余計、彼女に会って、ひとつひとつ話を確認しなければならない。

そんな心配をする一方で、私は、単に極道の世界に生きた男として、自分のことで過去の女に迷惑をかけたくない、それは不細工なことだ、という心情が後藤の中で働いているのかもしれないとも考えた。それに、後藤が元内妻に会ってほしくないと思っているという疑念も、はっきりそう明言されたわけではなく、こちらの思い過ごしかもしれない。

いずれにしても、彼女は、会わねばならない取材対象者だった。

元内妻の携帯電話の番号は、別の取材を進めるために、後藤からもらっていた情報を追っていく過程で、ひょんなことから判明した。それからすぐ、後藤には断りをいれずに、彼女に連絡した次第である。そしていま、目の前に彼女がいる。私は、取材を始めた。

後藤と元内縁の妻は宇都宮で交際をつづけていた。しかし、半年ほど付きあっていたあるとき、車の違法駐車をめぐり、ふたりは女性の交通巡視員と揉《も》め事を起こした。

「そんなに長く停めていないのに、駐車違反だというので、わたしたちはその婦人警官（筆者注・正しくは交通巡視員）に文句をいってやったんですよ。そのうち、良ちゃんが怒り出して、相手を脅しはじめ、違反キップを無理やり奪いとり、破って捨てちやったんです」

　ふたりはそのまま車にのりこんで、その場から逃走したという。

　いやはや、まるでハチャメチャなB級映画のようだが、これで、後藤に公務執行妨害の逮捕状が出された。それを察知した後藤は、まともなシノギもなかったため、これを機に組をたたんで宇都宮を出ることを決意した。彼女とふたり手に手をとりあって、水戸に流れてきたのだという。二人は、後藤が宇都宮事件で逮捕されるまでの約八ヶ月間、水戸のマンションで暮らした。

「どうして、後藤さんとおつきあいしてもいいと思ったんですか？　彼は元ヤクザの組長です。おそろしいと思いませんでしたか。それに失礼な言い方かもしれませんが、あなたはとてもお綺麗《きれい》な方ですが、後藤さんの方はああいうコワモテの顔で……」

「ううん、怖くなんてないですよ。私、ああいうタイプ、好きなの。ああいう顔もタイプだし。怪獣みたいな男、大好きなの」

「怪獣みたいなタイプ」とは、言いえて妙だ。

「電話でも仰《おっしゃ》っていましたけど、後藤さんが、他に殺人を犯していても、驚かれないんですね」

「うん、全然。だって、本人が前に、『拳銃《けんじゅう》で人を殺したことがある』って言ってましたもん。私も、そうなんだろうと受け流していました。別になんとも思わなかった」

後藤との出会いや同棲《どうせい》にいたる馴《な》れそめを聞き、現在の彼女の生活などについて雑談した後、基本的な疑問を彼女にもぶつけてみた。後藤と〝先生〟との関係についてである。

「Aさん（〝先生〟の実名）のことは、あなたもご存知ですよね。後藤さんだけじゃなく、あなたも彼と会ったり、話したことはなかったですか。交流などはなかったんでしょうか」

「Aさん？　A先生のことですか。もちろん、よく知っていますよ。良ちゃんが仕事を一緒にやっていて、〝先生〟の事務所に通ってたんで、私もついていったことが何回かありますし」

「後藤さんは〝先生〟と短期間で急速に親しくなり、仕事でもプライベートでもいつも連れ立っていたようなことを仰っています。かたや、〝先生〟は、『元暴力団員の紹介で知り合い、不動産の仕事を教えてやって欲しいと頼まれたけど、実際には教える気もなかったし、そんなに親しくもなかった』と言っています。実際にはどちらの言い分が正しいんでしょうか」

「エェッー、A先生はそんなこと言ってるの⁉　そりゃ、良ちゃんの方が正しいですよ。

知り合って間もないようでしたけど、ふたりはメチャクチャ親しかったですよ。良ちゃんは毎日のようにA先生の事務所に通い、〝先生〟と呼んで慕っていたし、A先生も、〝良次くん〟とか〝良ちゃん〟と呼んで、喜んで連れまわしていましたよ。仕事を教えてもらいながら、実際に一緒に稼がせてもらっていたから、良ちゃんが年上のA先生をたてている感じでしたね。私が見ていても、異常なくらい仲が良かったわよ」

〝先生〟が供述調書で言っているような、うわべだけの関係ではなかったというのだ。

「水戸にきてからも、最初は私たち、お金がないからプラプラしていたの。住むところもなくて、ラブホテルとか転々としてね。そのうち、良ちゃんの元兄弟分の紹介で市内にマンションを借りて、そこで同棲するようになったんですけど。

それから良ちゃんが毎日のように朝、A先生の事務所に通うようになり、お金に困らなくなったんです。ハッキリは分からないけど、先生の不動産の仕事を手伝っているようでしたね。その給料じゃないかしら。私もいちいち聞かなかったけど、良ちゃんは私に毎月、五十万円の生活費をきちんと渡してくれました。しかも、それとは別に、『将来のことを考えたら、貯金しておかないとマズいだろう。銀行に入れてとっておけ』と、貯金分として三十万円もくれていたんですよ。あと、私のお母さんのためにと、何十万円か出してくれることもありました。

だから、毎月八十万円くらい、多いときでは百万円近く渡してもらっていましたよ。良いままでいろんな男とつきあってきましたけど、良ちゃんくらい楽させてくれて、良くしてくれた男はいないんじゃないかな。お金の面では一番いい思いをさせてくれました」

〝先生〟を知己に得てから、後藤が急に羽ぶりがよくなったのは事実のようだ。〝先生〟がなんと否定しても、一緒に不動産の仕事をさせて、分け前を与えていたのはまちがいあるまい。

「後藤さんは〝先生〟以外のところで、仕事をして稼いでいた可能性はありませんか。ほかに目立った収入源はなかったですかね」

「うーん……、ないと思いますね。とにかく毎日のようにA先生の事務所に行ってましたから。ほかに仕事をしている感じはなかったですよ」

「じゃあ、〝先生〟は知り合って間もないというのに、本当に後藤さんのことを可愛《かわい》がっていたんですね。そうじゃなければ、そんなにおいしい思いはさせないでしょう」

「A先生が可愛がってくれたのは、良ちゃんだけじゃないんですよ。先生は、私なんかのためにも、『良ちゃんの大事な人だから』と、いろいろよくしてくれたんです。『これからは司法書士の時代だよ。その資格さえ取れば、不動産も扱えるから。勉強のためのお金だったら、俺と良ちゃんがついているから、心配することはないよ』と、将来のアドバイスもしてくれました。

平成十一年の大晦日《おおみそか》には、A先生と良ちゃん、良ちゃんの元兄弟分、私の四人で水戸市内の八幡《はちまん》神社に初詣《はつもうで》にも行きました。その際、A先生は、私と私の娘にも、それぞれお年玉をくれました。私には五万円くらいでしたかね。それ以外にも、私が、欲しい服があると言うと、『ちょっと待ってな。今、やってる仕事の金が入ったら買ってやるよ』と言って、三万とか五万とか、よくお小遣いをくれたんです。何も言わないのに、くれたこともある。仕事で儲《もう》かったときに、お小遣いをやろうという感じでしたね。

そういえば、A先生は、私の子供が小学校に入学したとき、ランドセルや机まで買ってくれました。良ちゃんではなく、愛人である私のためでもなく、私の子供のために、そこまでしてくれたんですよ。普通、よほどじゃなければ、そこまでしないでしよう。それだけ、良ちゃんのことを大事に扱っていたということですよね。ランドセルは六年間使うんだから、革のいいのを買うように、と十五万か二十万円くらいくれたんです」

〝先生〟は後藤のみならず、愛人、また愛人の娘のためにも金を惜しまず、気配りを見せていたのである。やはり、検察官面前調書にあった〝先生〟の供述は、後藤と自分との関係がさほど深くなかったと見せるための嘘《うそ》とみていいだろう。

むろん、元内妻が一芝居うち、後藤と絶縁状態であるように見せておきながら、実は裏で後藤とつるんで〝先生〟を陥れようとしている可能性が、まったくないとはいえない。

しかし、それならば後藤は、元内妻の連絡先の割り出しに積極的に協力したはずだ。くり返すが、この取材は後藤の手を借りず、独自に切り拓《ひら》いたものである。それに、彼女は後藤の証言を全面的に支持するわけでもなく、ところどころで否定もしていた。

たとえば、「後藤さんは〝先生〟から覚せい剤を調達してもらったことがあるとも言ってましたが、どうでしょうか」と尋ねると、「A先生が覚せい剤を調達？　それはないでしょう。だって、そんなことしなくても、良ちゃんはクスリのプロだから、自分で調達できるルートがあったもの」と言下に否定したのだ。

そして、なによりも、彼女の証言は実に具体的でディテールに富んでおり、とうてい嘘とは思えなかった。

以前、後藤は〝先生〟の自宅で一億七千万円もの現金をテーブルに積み、それを愛《め》でながらワインを飲んだと言っていた。仕事上の見せ金にするために、その現ナマを写真にも撮ったという。それを彼女が知っているかどうか尋ねた。

「その話は知らないけど、A先生が億のお金をもっていたのは事実ですよ。だって、私、見せてもらったことがあるんです。『一億の金、見たことある？　見たい？』って訊《き》かれたので、『ない。見せて、見せて』と答えると、一億円の現金が積まれた写真を見せてくれたんですよ。『ヘェー、すごい』とビックリしました」

後藤が言ったとおり、すくなくとも〝先生〟が仕事上の見せ金として、億の金の写真を、日ごろから持ち歩いていたのは事実のようだ。

彼女と後藤の同棲生活が崩れさったのは、後藤が事件を起こしたためだった。最初の事件は、平成十二年七月、ムショ仲間の斎藤正二を殺害した「水戸事件」である。

「良ちゃんが斎藤正二を殺した後、斎藤の携帯電話の発着信履歴から、すぐに彼が警察の捜査線上に浮かんだの。それで、私と住むマンションに帰って来られなくなったんです。それからずっと、A先生の事務所で寝泊りしていたんですよ」

約三週間後、後藤は男女四人を死傷させた「宇都宮事件」を起こした。後藤が指名手配になってから、彼女は茨城県警の保護下に入った。斎藤正二の関係など、後藤と対立する組が命を狙《ねら》いにくる可能性があったため、彼女の方から警察にコンタクトをとり、保護を願い出たのである。

「『宇都宮事件』を捜査する栃木県警と『水戸事件』を追う茨城県警が、良ちゃんの身柄取りをめぐって争っていたんですよ。茨城県警は、私を利用しようという計算があったんでしょう。水戸警察署近くの施設に寝泊りさせてもらい、朝から夕方まで水戸署で過ごしていました」

彼女には、茨城県警に顔見知りの刑事がいた。中山（仮名）という、茨城県警本部のマル暴担当（組織犯罪対策課）の班長だった人物だという。

「このときも、中山さんが私の担当として来てくれました。そうして私を助ける一方、私に良ちゃんへ電話をさせていたんです。栃木県警にパクられる前に、なんとか茨城県警に出頭させようということでしょう。

だから私は、逃亡中の良ちゃんと携帯電話で何度も話しました。でも、良ちゃんは『今はまだ出頭できない。大きなビジネスをやっていて、九月にまとまった大金が入る。それが終わるまで待ってくれ。それが終われば、誓って、栃木県警ではなく、水戸事件の容疑者として茨城県警の中山さんのところに出頭するから、そう伝えてくれ』とくり返していたんです。

中山さんも手柄を取りたかったでしょうが、その目論見《もくろみ》は外れました。結局、良ちゃんは八月三十日に埼玉で栃木県警に捕まり、宇都宮中央警察署に護送されました」

水戸と宇都宮で凶悪な重大事件を起こした後藤をめぐり、水面下で栃木県警と茨城県警がバトルをくり広げていたわけである。

それにしても、この時期、後藤の心理状況は異常なものだったにちがいない。

余罪事件がすべて事実とすれば、彼は平成十一年十一月頃、大塚某の死体遺棄を手伝い、さらに同月中に倉浪篤二《あつじ》さんを生き埋めにして、翌年には〝カーテン屋〟をアルコール漬けにして殺害。そのかたわら、〝先生〟の知らないところで、暴力団関係者を殺し、さらには四人を監禁したうえ、ひとりを死に至らしめたのである。

まるで、ヴァーチャルなゲームの世界で敵を抹殺するかのように。

ともに水戸事件と宇都宮事件を実行し、無期懲役を言い渡され服役中の舎弟、小野塚博敏の供述調書をみれば、この当時の後藤の内的心理をうかがい知ることができる。

小野塚は、もとは後藤の組員ではなく、同じ大前田一家内の別の組に所属していた。

しかし、普段から組の若頭への不満があったらしい。そのうち、顔見知りだった後藤の男気に〝惚《ほ》れ〟て、「兄貴」と慕い、行動をともにするようになったという。

小野塚は宇都宮事件の法廷でも、「こんな事になってしまったけど、それでも尚《なお》、私は後藤さんについていきます」と証言し、傍聴席の遺族の感情を逆撫《さかな》でしたほど、後藤に心酔していた。そのキッカケとなったのが、平成十二年七月頃に起こった、小野塚と千葉の中古車販売業者とのトラブルである。

小野塚は、会社の元同僚で、その後、宇都宮事件の共犯として逮捕される鎌田仁から「借金のカタに入れていた車を業者に勝手に処分されてしまった」という相談を受けた。小野塚は、逆にこれをネタに業者を脅して金をとろうとしたが、まったく相手にされなかった。自分の組の若頭の応援も得られず、後藤に相談。するとすぐに、後藤が千葉までかけつけてくれたのである。

小野塚は、組も違うのに、総長の直参である格上の後藤がここまで親身になってくれたことに感激した。そしてこれが、鎌田ともども、後藤の舎弟として破滅への道を向かう悲劇の始まりともなった。その後、彼らは宇都宮事件ばかりか、後藤が証言した三つ目の余罪事件、「カーテン屋保険金殺人」まで一緒に突き進んだとされている。

後藤らは「極道としてのメンツをつぶされた。ケジメをとる」と、千葉に〝遠征〟をくりかえし、この業者の関係先に張り込んで、拉致《らち》しようと目論んだ。しかし、遠路、時間をかけ千葉に行っても、なかなか相手が見つからない。後藤の苛立《いらだ》ちは募っていった。「いっそのこと、あいつを殺してしまおう」と計画を変更するが、結局、目的をとげられなかった。

作戦が徒労に終わったことで、疲労感やイライラが頂点に達した後藤。彼は、いきなり「そもそもおまえのところのカシラ（筆者注・若頭のこと）がすべて悪い。自分のところの若い衆が困っているのに、助けにも来ず、金もうけの話ばかりしやがって。あんな筋違いなやつがいたら、大前田のためにもならない」と論理を飛躍させ、小野塚の組の若頭を批判しはじめた。

そして、信じがたいことに、ターゲットを唐突に変更し、身内であるはずのこの若頭をさらって、抹殺しようと言い出すのである。実際に、彼らは栃木から岩手まで、この若頭を執拗《しつよう》にマークし、つけ狙っていたのだ。〝カーテン屋〟に酒を飲ませて殺害する計画を推進する一方で、片手間に身内の暴力団幹部を葬《ほうむ》り去ろうとしていたわけである。

しかし、暴力団組織のナンバー2が、おいそれと無防備な状態で一人になるはずもない。後藤らは拉致するタイミングを見はかり、張り込みをつづけたが、若頭は常にボディガードらに守られており、ついにその機会は訪れなかったという。それにしても、かりにこの身内の暗殺に成功したとして、その後、どういう事態になるのか、考えなかったのだろうか。

たてつづけに計画に失敗したこの頃の後藤は、青白い顔で異様な目つきをし、言葉づかいも乱暴なものに変わっていたそうだ。誰かれとなく傷つけんばかりの勢いで、舎弟らも、一緒にいておそろしかったという。

壊れゆく最低限の倫理。破綻《はたん》してゆく自己防御本能。増幅していく怒りや恨みと、あまりに危険で不条理な殺意。人間はここまで破壊的、破滅的になってゆくものなのか。

もはやこの時期、後藤には、邪魔者や目障《めざわ》りな者は、情け容赦なく傷つけ、目の前から排除し、殺して喰らうという、まるで凶暴な野獣のような本能しか残っていなかったようである。

告白した余罪殺人事件の内容のとおり、平然と複数の人を殺害していたとしても、何の違和感も感じられない。

話を戻そう。後藤の元内縁の妻は、極めて重要な証言をおこなった。

「今は大きなビジネスをやっており、まだ出頭するわけにはいかない。九月にまとまった大金が入る」――電話で彼女に語ったという、後藤の言葉である。

これは、いったい何を意味するのか。警察に追われながらも、確実に大金が入ってくると後藤が言い張った、そのビジネスとはいかなるものだったのか。

そこで浮かび上がってくるのは、保険金を狙った「カーテン屋殺し」である。彼女は〝カーテン屋〟のことを知っているのか。

「あなたは、〝先生〟の事務所に一時期いた、名前の頭に○の字がつく人物のことを知りませんか」

この質問をするのが、彼女に会う、一番の目的でもあった。彼女は即座に反応した。

「ええ、〝じじい〟のことでしょう。もちろん知ってますよ。A先生の事務所には、私もしょっちゅう遊びに行っていたの。平成十二年の六月か七月頃、『○田』だか『○原』だったか、頭に、○という字がつく名前の〝じじい〟が転がり込んできたんですよ。六十～七十歳代だった。

A先生が『事情があって面倒を見ることになったけど、ただ飯を食わして居候《いそうろう》させるわけにもいかないので、雑用、雑役夫として使ってくれ』と、私や、事務所に居候している沢田、藤田らに言っていたんです。

良ちゃんは、『こいつは家出人なんだ。カーテンとか絨毯《じゅうたん》とかインテリアを扱うカーテン屋なんだけど、商売に失敗して、借金取りが押し寄せるから、家に居られず、ここで預かってやっているんだ』と話していました。

大勢で食事して洗い物が多いときには、〝じじい〟をこき使ってやった。文句を言ってきたので、良ちゃんにチクると、『居候のぶんざいで何を言ってるんだ』と、シメられていましたね。

この〝じじい〟は一ヶ月くらい事務所にいたんじゃないかな。二ヶ月はいなかった。気がついたら急にいなくなったの。あぁ、これでしょう。良ちゃんが他にやった殺しというのは？」

エッ⁉ と思わず、心の中で驚いた。彼女は知っているのか？ 話の展開が速すぎる。私は、彼女を元の地点に引きよせ、話を整理しようと努めた。

詳細を訊いていくと、彼女はこう言った。

「平成十二年のお盆のころだったと思うけど、A先生の事務所に行くと、〝じじい〟が住まわせてもらっていた部屋で、良ちゃんが線香を焚《た》いていたんですよ。厳密に言うと、焚き終わった後で、線香の匂《にお》いが部屋に残っていたの。良ちゃんはお香は好きだけど、それまで線香を焚いたことなんてなかったので、なんで焚いたのか訊いたら、『お盆だから』としか答えないんです。変に思って、『去年のお盆なんて焚かなかったじゃない。誰か死んだの？』とさらに聞きました。あたりを見回したら、〝じじい〟が居ないことに気づいたので、『そういえば、召使いが一人いないね』と尋ねたけど、『いや、お盆だから線香を焚いただけだ』としか言わないんですよ。良ちゃんらしくない受け答えで、何かをごまかそうとしているのはまちがいなかったけど、その話題をつづけたくなさそうだったので、それ以上、訊かなかったの。私は内心、〝良ちゃん、また誰か殺したんだな。あのじじいが殺されたのかな〟と思ったけど、ヤクザのことはよく分かっているし、私もこういう性格だから、驚かなかったんですよ」

彼女は、うすうす感づいていたというのだ。後藤が〝カーテン屋〟を殺害した疑惑に。

ただ、それが「九月中に大金が入る大きなビジネス」と直結していなかっただけだ。また、この証言から、後藤が当時、内妻にも、〝先生〟と共にやったという「カーテン屋殺し」をひた隠しにしようとしていた事実がわかった。

さらに彼女が続けた言葉に、私は驚愕《きょうがく》した。と同時に、疑惑は確信へと変容したのである。

「茨城の警察も知っていたでしょう。だって、保護してもらっていたとき、私は中山さんから〝じじい〟の話を聞かされたよ。良ちゃんが、水戸で斎藤正二を殺したことは明らかだったけど、中山さんは私に、『後藤はもう一人殺《や》ってるでしょう?』って訊いてきたの。

私が怪訝《けげん》な顔をしていると、中山さんは『ほら、あの事務所に出入りしていたおじちゃんがいただろう。あれが一人、いなくなったんじゃないか?』とつづけたんです。

私は、線香の一件で、良ちゃんが〝じじい〟を殺したのかなと思っていたから、思わず、『やっぱり、あの〝じじい〟殺されてたの』と尋ね返したんですよ。すると中山さんは、『いや、それが自殺なんだ』と、自分の首をしめるような仕草で答えたんです。

だけど、納得していない様子で、『それがおかしいんだよ。でも、家族が、病気を苦にして自殺したんだ、と言うんでね』と話していました。良ちゃんが殺したと疑っているようだったけど、家族が自殺と言い張る以上、どうにもできない、というニュアンスでしたね。記憶が定かではないけど、確か、『失踪《しっそう》届も亭主が家を出てすぐには出していない。遺体が見つかって、警察から連絡を受けてから、慌《あわ》てて捜索願を出したようだ』というようなことも言っていたと思います。

じじいの自殺は、どこの新聞にも出ていなかったから、死んだことを確定的に知ったのは、この時がはじめてでした。

そして、私が、良ちゃんがお線香を焚いていておかしいと思ったことを言うと、中山さんは真剣な表情になって、『その線香は斎藤正二のために焚いたものか、それとも、じいさんのための線香だったのか』と訊いてきました。私は、『そりゃ、良ちゃん自身じゃないと分からないよ。心の中までは分からないもの』と答えるしかありませんでした」

なんと、茨城県警は〝カーテン屋〟の死の状況に不審な点があり、事件性があるのではないかと疑っていたというのだ。そればかりか、彼が〝先生〟の事務所に出入りしていたことも把握しており、後藤の手で殺害されたのではないかと怪しんでいたのである。この証言によると、水面下で多少の捜査をしていたのだろう。

私は彼女に、後藤が殺人事件の余罪を告白しており、そのひとつがまさに、この〝カーテン屋〟の件であることを、このとき初めて打ち明けた。ただ、この時点でもなお、彼女に予断を持たさぬよう、私は〝先生〟の主導、関与の疑いについては、明確には伝えなかった。

「やっぱりね。それはまちがいないと思うよ。ウソじゃないと思う。良ちゃんが言っていた『大きな仕事』が、そのときは何かは分からなかったけど、今から考えると、〝じじい〟を殺して保険金を得ることで、その金が入るのが、九月半ばだったのかもしれないね」

彼女によれば、茨城県警の中山氏はすでに退官しているという。

私はつづいて、後藤が残した関係書類や遺留品について尋ねた。当然、中身について関心を寄せざるをえないが、これまた当然というべきか、〝先生〟が立ちはだかった。

「良ちゃんが逃亡する際、私に残していったダンボール二箱分の荷物があったんですよ。何が入っているのかは、見ていないから分からなかったけど、彼は、『もし何かあったら、中を開けて見ていいから。好きに使ってくれればいい』と言っていました。

それが、良ちゃんの逃亡中、A先生から連絡があり、『良次くんが置いていった荷物や資料はないか。あったら、警察にガサ（筆者注・家宅捜索）をかけられる前に、処分しないとまずい。資料や書類、荷物があれば、おれのところに持ってきてくれ』といわれたんです。すごく切迫している様子でしたね。それで、私はもしかしたら、水戸事件や宇都宮事件にA先生もからんでいるのかな、それで自分の身を案じているのかな、と思ったくらいです。

そのころ、私は警察に保護してもらう前だったけど、すでに監視状態には置かれていたから、バレないように気を遣いましたよ。友人に遊びに来させて、まず友人の家にダンボール二箱を移し、そこからA先生の事務所に運んで、彼に渡したんです。後から中身について、A先生に聞いたら、『書類や預金通帳が入っていて、全部、燃やして処分した』と言っていました」

証拠隠滅……。後藤が警察に捕まり、内妻のいたマンションが捜索差し押さえを受ける前に、〝先生〟は、見事に後藤の荷物を確保し、証拠隠滅を完了したわけだ。北茨城の原野に突如として現れ、そしてすぐに消えた不審なミニユンボのことが頭に浮かんだ。

なぜ、警察は事前にマンションに強制捜査をかけ、後藤の荷物を洗いざらい押さえておかなかったのか。元内妻をコントロール下におけると踏んで油断したのだろうか。この点はどう考えても、不思議でならない。あるいは、元内妻は私に対して話さなかっただけで、実際には後藤の荷物を別の場所に隠していたのだろうか。

彼女によれば、その後も〝先生〟は、後藤の事件で自分に累《るい》がおよばないか不安に苛《さいな》まれ、しきりとコンタクトをとってきたという。

「良ちゃんが逮捕されて二ヶ月後くらいかな、A先生から一、二度、呼び出されて会いましたよ。水戸のファストフード店だったと思う。

『俺も良次くんの関係で、連日連夜、栃木の警察に呼び出され大変なんだ。今日も宇都宮に行ってきたし、明日も行かないといけない。なんだか俺まで犯人扱いされているんだよ。○○ちゃんは大丈夫か。警察の方は何か言ってきていない？』などと訊《き》かれました。

私は栃木県警からはなぜか一度も呼び出しを受けておらず、A先生はそれが不思議でならないようで、とても気にしていましたね。私が何か重大な秘密を握っていて、それで警察と取り引きして、無事にすんでいるんだ、と疑っているようでした。警察にとって、おいしいネタとは何なのか。私が何を握っているのか。それが気になってしょうがないようで、しきりに探りをいれ、聞き出そうとしてくるんですよ。だから、やはりA先生は良ちゃんが捕まった事件に関係があり、警察にバレるのを恐れているのかな、と思いました。

『これまでに、良次くんから何か重要な話を聞いていない？』、『他に預かっているものはないか？』、『彼は資料とかを残していなかったか？』と、何度もしつこく訊いてきたんですよ。変ですよね。

私も最初は、『何も聞いていない』、『資料もない』と答えていました。だけど、あんまりしつこく同じことを尋ねてくるので、何か良ちゃんと重大な秘密を共有しているか、弱みを握られているんだろうな、と思いました。

それで、私もちょっと考えなおして、実際には知らないけど、『そりゃ、私にも保険はありますよ。ずっと一緒にいたから、良ちゃんとのことで、いろいろ知っていることはある。いざというときに使う保険がね』と言ってやったんです。

そうしたら、A先生、顔色が変わっちゃって、『いろいろって何？ どういう秘密？ それをお互いに言い合おうよ』と懇願してきたんです。その様子たるや、大変なものでしたよ。あんまりしつこいし、ちょっとかわいそうかと思って、『いろいろ知ってるけど、A先生には関係ないことでしょ』と言ったら、それ以上はしつこく訊いてこなくなった。自分と関係ない、と言われて、ちょっとホッとしたのかもしれないね。それに、これ以上問いただしても、私が答えないのがわかって、ムダだとも思ったんでしょう。

この話し合いのとき、『マンションの部屋にあった良ちゃんのダンボール箱にお金はなかった？ あれば、それは私がもらうものだよ。良ちゃんから好きに使っていい、と言われていたんだから、返して』と言うと、『あれは全部、処分した。金目のものはなかったよ。預金通帳があったけど、たいした残高はなかったから、一緒に燃やして処分しちゃった』と言うんです。『通帳があったなら、少なくていいから返してよ。良ちゃんとふたりで作った貯金なんだから』と言い返すと、『本当に、いくらもなかったんだ。ほとんどゼロといってもいいくらいだった』と言い訳していました。余計なことを思い出しやがって、という顔をしていましたね。

別れ際《ぎわ》に、A先生は『良次くんが捕まって、いろいろ大変だろう。これからお金に困るんじゃないか。これ少ないけど、取っといてよ』と、二十万円をくれました。私は、口止め料だと受け止め、そのお金を受け取りました。最後に、『何か困ったことがあったら、いつでも連絡してきてよ』と言われ、別れました。A先生とは、それが最後で、以来、まったく会っていません」

〝先生〟は執拗なほど、彼女に探りをいれていた。

彼が取り調べの際、検察に話したように、後藤との関係が本当に希薄なものであれば、こんなに後藤と元内妻の内輪のやりとりを気にする必要もあるまい。人生の中でごく短期間、関わりをもっただけの相手だ。しかも凶悪な犯罪者であり、すでに社会から隔離された、どうでもいい人物ではないか。

しかし、〝先生〟にとってはそうではなかった。必死になって、後藤の周辺を嗅《か》ぎまわり、自分との関係を示すものの回収に狂奔したのだ。

ただごとではあるまい。彼が気に病み、必死になって回収して、焼却処分してしまった荷物の中身は一体、何だったのか。まだ隠されているかもしれない遺物がないか疑い、死に物狂いで探し回ったのはなぜなのか。

そして、これほどまで彼を悩ませ、「後藤が内縁の妻に明かしたかもしれない」と恐怖におびえさせた〝重大な秘密〟とは……。これが単に、犯人隠避や蔵匿《ぞうとく》容疑などではなく、彼のその後の人生を大きく左右するような、極めて重大な事柄であることは明白ではないか。

元内縁の妻の証言は、極めて重要だった。私は、複数回、彼女に接触して取材をおこなった。後藤と寝食をともにし、その性格を熟知し、一方で〝先生〟とも交流があった元内妻。両者を知りながら、どちらの立場に与《くみ》するでもない、この客観的な証言者のおかげで、後藤が主張する「カーテン屋保険金殺人」についても、相応の蓋然性《がいぜんせい》が認められたのである。

そして、もうひとつ私を興奮させる朗報がもたらされた。別の筋の取材源から、この事件の重要な要素、欠くことのできない柱の一つを裏支えする事実が確認できたのだ。

関係者は証言した。

「〝カーテン屋〟が、会社を受取人にする生命保険に入っていたのは事実だ。保険会社はE社。途中で、受取人が妻に変更されています。死亡の直前、妻がまた受取人を会社に戻そうとしたが、間に合わなかった。しかし、〝カーテン屋〟の死を受け、妻を受取人にして、まちがいなく保険金がおりている。しかも、その契約金額は、当初は八千万円だった。すべて後藤の証言どおりです。死の直前、さらに保険金が増額されており、最終的には一億円近くになっていました」

通常、他人が加入している生命保険について、その会社名や保険内容、保険金の額を知ることなど不可能だ。平成十年に発生した「和歌山毒カレー事件」では、報道機関など、外部に保険会社の人間を通じて個人情報が漏れたとして、情報保全が厳重になった経緯がある。以降、保険情報は厳格に管理され、保険会社の人間でさえ、データに接することが困難になったほどだ。ましてや、それを外に漏らすことなど、到底、考えられない。

そのような状況で、通常なら後藤が〝カーテン屋〟の生命保険の契約金額を知る由《よし》ればならない。これは、〝カーテン屋〟の家族か、親密な関係者から伝えられなければ、知り得ない情報だ。

元内妻の証言と、信頼すべき筋よりもたらされた保険情報――。

会社を倒産させ、借金取りから逃げる日々の男。酒好きで糖尿病を患《わずら》い、入退院をくり返していた。いつ自殺しても、病死してもおかしくあるまい。しかも、さいわいなことに、過去に加入した八千万円もの生命保険が今も生きている。凶器を酒にして、じっくり殺れば、死体発見時に不審に思われ、万が一、司法解剖されても、体内から毒物は検出されない。

「完全犯罪じゃないか……」

これを演出できる人間――そのイメージを、私は後藤という男から、ついぞ感じとったことはない。これを創出しうるのは、〝先生〟の悪意に満ちた知性《インテリジエンス》か。

しかも、後藤は〝先生〟の指示で、〝カーテン屋〟の遺体を水風呂《ぶろ》に漬けたのだという。彼は、このいかにもアングラ世界の悪知恵の意味を承知していなかったが、〝先生〟によれば、この面倒な作業によって、遺体の死亡推定時刻がごまかせるらしい。

警察関係者が解説する。

「遺体の死亡推定時刻を計算する目安として、死後硬直の開始時間や、直腸の温度の下がり方、死斑《しはん》の出具合などがあげられます。遺体を長時間、冷水に漬けて冷やしておくと、死後硬直が遅れますし、死斑も出にくくなる。また夏場のことですから、これによって遺体の腐敗も遅らせられるでしょうね。いずれにせよ、死後硬直の開始時間を遅らせられれば、死亡推定時刻を実際の死亡時間より後ろにずらせるんです。

つまり、かりに〝カーテン屋〟と一緒にいて、酒を飲んでいたことを誰かに証言されたとしても、死亡したのは別れた後だ、と言い逃れできるわけですよ。こんな知識を持っているなんて、その〝先生〟は相当なタマですね」

「カーテン屋保険金殺人」は、完全犯罪の様相を帯びてきた。事実、茨城県警は、この事件を立件のターゲットに据えながら、悪戦苦闘を強いられつづけている。

私の中で、疑惑は推認のレベルを超え、揺るがぬ確信の段階へとランクアップした。

第七章　そして、矢は放たれた

すでに記してきたように、「倉浪篤二《くらなみあつじ》さん殺害・不動産略奪転売事件」と「カーテン屋保険金殺人」の疑惑について、後藤の証言には極めて高い真実性が認められた。

次にこの時点までにわかった金の流れも説明しておこう。

後藤は、〝カーテン屋〟の事件では報酬にありつけなかったが、それまでに〝先生〟から千九百八十万円の報酬を得ていたことになる。

まず、一件目の「大塚某」の死体遺棄の手伝いで、二百万円と四百八十万円の借金の棒引き。「倉浪さん事件」で千二百万円の報酬。さらに〝カーテン屋〟の事件の後に起こした「宇都宮事件」の逃亡中に、百万円の逃走資金を提供された。しめて、計千九百八十万円。ちなみに、逮捕、勾留された後に〝先生〟から差し入れられた現金は、十三万円だけだ。

一方、〝先生〟自身は、こうした案件でいくら稼ぎ出したことになるのか。

後藤によれば、分かっているのは、倉浪さんの事件で三千万円。〝カーテン屋〟の件では、保険金がおりたときには、後藤は捕まっていたので正確な金額は分からないが、山田正一の債権分をのぞいた報酬を独り占めできたはずなので、数千万円は手に入れたのだろう。後藤が言う。

「それ以外にも、〝先生〟のまわりでは、常に多額の現金が動いていました。自分にもよく分からない金です。前に話しましたが、彼は、自宅の地下に一億七千万円もの現金を隠していましたからね。それを前にして、彼は、『良次くん。いい不動産の物件があれば、この金を好きに使っていいからね。投資に使ってくれ』と言ったんです。

実際、自分はその言葉に甘えて、不動産に金を注ぎこませてもらったんですよ。その金額は八千万円にものぼります。それくらい、自分たちの関係は深かったんです。たしかに〝先生〟にはずいぶんおいしい思いをさせてもらったんですよ。感謝していました。だから、やつからすれば、あれだけ面倒を見てやったのに、という思いはあるでしょう。

でも、それとこれは別です。やつの一番の失敗は、約束をやぶって、自分が舎弟のように可愛《かわい》がっていた藤田幸夫の面倒を見ず、自殺に追い込んでしまったことです。

彼が死んだのは、平成十六年十月だそうです。自分が舎弟からそれを知らされたのが、十一月半ば。その直後に『約束がちがうじゃないか』と、〝先生〟に怒りの手紙を出したんです。

そして、そちらの取材で、同じ年の秋頃に北茨城の土地にミニユンボが入り、なにか作業がおこなわれたことがわかりました。倉浪さんの遺体を掘り返して、証拠隠滅をおこなったのでしょう。自分が怒りの手紙を送ったので、慌《あわ》てて手を打ったのですよ。

藤田の件だけは絶対、許せない。これで、最終的に自分の怒りが爆発したんです。必ずや〝先生〟にリベンジし、藤田の弔い合戦をしたいんです」

後藤が激怒し、最終的に〝先生〟への報復を決意するキッカケとなった藤田幸夫の自殺。

後藤は藤田と、水戸にある〝先生〟の一軒屋の事務所で出会った。当時、借金で住む家を失っていた藤田は、同じような境遇の沢田一孝とともに、その事務所に居候《いそうろう》していた。そこに〝先生〟と親しくなった後藤が顔を出すようになったわけだ。

藤田も沢田も、渡世の世界に足を踏みいれたことはなかったが、後藤は彼らを気に入り、いわゆるパシリとして雑用に使っていた。その点については、宇都宮事件の参考人として聴取された藤田も供述調書の中で語っている。ふたりとも本意ではなかったが、後藤は彼らを舎弟のように扱い、いつしかそう思い込むようになっていた。しかも、藤田は生活能力に乏しい男だった。だからこそ、後藤は〝先生〟に「きちんと面倒を見てやってくださいよ」と何度もいったのである。

その藤田が、自殺に追い込まれた。後藤が激憤にかられるのも当然である。しかも、藤田が〝先生〟のところに転がり込まざるを得なくなった、それまでの背景を知っているだけに、怒りはひとしおだった。この経緯も説明しておかねばなるまい。

藤田幸夫は、茨城県南部の某市出身。実家は造園業を営んでいた。

長男として生まれた彼は、父について植木職人の仕事を学んだ。藤田家の自宅の敷地は五千平方メートル以上もあり、ほかにも、市内数ヶ所に一ヘクタールもの土地を所有していた。資産家として、近隣では知らぬものはいなかった。

しかし、一家の大黒柱である父が亡《な》くなると、とたんに造園業の経営は行きづまった。母親と長男である彼が受け継いだが、仕事はめっきり減って収入がなくなった。土地を担保に借り入れをおこなったが、それもいつしか、会社の運転資金から生活資金にまわされるようになっていた。

母親は酒好きだった。不動産を担保に金を借りる味を覚えてしまい、「土地がたくさんあんだから大丈夫だ」と借金を重ねた。町中の金融屋に金を借り、それは飲み代などに消えていった。

母親が通っていたスナックの経営者は言う。

「あの未亡人は仕事もせず、毎晩のようにフラフラと飲み歩いていたね。財産を全部なくしちまうのは目に見えていた。うちの店にも長男を連れて、よく来てた。酒飲んで、カラオケで歌いまくってね。金もないのに、平気で『ツケにしといて』って。あるとき、ツケがたまってたんで『もう、うちはダメだよ。いいかげんにしたらどうだい。いつまでもこんなことくり返してたら、大変なことになっから』って注意したら、怒っちゃってさ。『バカにすんじゃねぇ。私は、昔はこのあたりでは知らないものがいないくらい、大金持ちだったんだ。ツケなんて、いっぺんに払ってやる』って逆切れしてからんでくるんだから、まいっちゃうよ」

そして、破滅へ向かい、窮状におちいった藤田家の前に現れたのが、〝先生〟だった。幸夫が知人のツテを頼って、紹介してもらったという。

〝先生〟は「俺が借金をキレイになくしてやる。不動産も手放さないで、なんとかしてやる」と言って、未亡人を喜ばせた。そうして巧みに母子の信用を勝ちとった〝先生〟は、結局、彼女らをダマし、自宅や土地をすべて処分してしまった。そして藤田家の仲介者として、手数料を稼いだのである。

そもそも藤田は、自分たちの土地を売るつもりはなかったという。

彼らの資産には、地元の元市議会議員や詐欺師《さぎし》など、有象無象がむらがっていた。そんな中で〝先生〟のグループは、母親から言葉巧みに藤田の運転免許証を借りうけた。それをもとに、例の「不動産ブローカー・岡田毅」が偽造免許をつくらせ、藤田家の土地の売買に必要な書類を準備して、手筈《てはず》を整えていったのだという。

また、土地の一部を購入したのは、あの「会社社長・山田正一」だった。

後藤によれば、この藤田家の財産は、〝先生〟や岡田毅、山田正一と、告発した三つの余罪事件の登場人物がオール・キャストで活躍し、きれいさっぱり整理されて、金にかえられたということになる。ちなみに、藤田幸夫や母親には一銭の金も入らなかった。

しかし、藤田の母親は、〝先生〟の詐欺まがいの介入に、気づきもしなかった。幸夫は、「なにかおかしい」と、地元の警察に相談に赴いたが、まともに相手にされなかったという。〝先生〟にしてみれば、彼らをカタにはめるのは、赤子の手をひねるようなものだっただろう。

そして〝先生〟がすごいのは、アフター・ケアを怠らないことだ。藤田家の資産整理の仕事では、彼の得意技がものをいっている。

まず、山田正一や後藤などに、未亡人が住むための安アパートを探させ、自分の会社名義で賃貸契約を結んで、そこに住まわせた。また、藤田には「俺の会社で面倒をみる」と、水戸の事務所に起居させ、こき使っていたのである。

こうして、彼らに最低限の生活の保障をあたえ、「詐欺じゃないか」「ダマされた」などと文句をいわせない。このやり方は、後に記す疑惑まみれの数々のケースでも、頻繁に使われていた。

ちなみに、後藤によれば、〝先生〟は、安アパートにいる母親に酒の差し入れをつづけ、アルコール漬けの状態にしていた。彼女の生命保険を狙《ねら》っていた節があるが、結局、彼女が健康なままでいたので、途中から家賃の支払いをやめてしまったという。後日、大家が賃貸借の契約名義人である「○○商事」代表の〝先生〟に滞納分の家賃を求めたが、無視されつづけた。そのため、最終的には藤田の弟が母親をひきとり、施設に入れたという。

後藤は、舎弟のように可愛がっていた藤田の苦労も、その原因の一端は〝先生〟や自分たちにあると考えていた。だからこそ、「くれぐれも藤田幸夫のことを頼みますよ」と、〝先生〟に因果をふくめたのである。しかし、藤田は――。

前述のように、「倉浪さん事件」と「カーテン屋保険金殺人」の疑惑については、真実と信ずるべき相当の取材結果が得られた。

この時点で私は、所属する『新潮45』の編集長と担当役員に、それまでの取材の全結果をレポートにまとめて報告し、今後の方針について相談した。その結果、出てきた判断は、

「これからどう取材を尽くしても、強制調査権をもたない一メディアが、今以上の確証を得ることは不可能だ。すでに充分、後藤証言を真実と信じるに相当する材料、結果が得られているため、報道機関の立場としては、〝先生〟への取材を敢行する段階に至っている。

そこで〝先生〟が合理的な反論をおこなうなどし、後藤証言やこれまでの取材を覆《くつがえ》す状況にならなければ、彼の実名は伏せ、個人が特定されない形で、記事として発信する。

あとはそれを受けて、警察当局がどう判断するか。警察に重い腰をあげるよう促す努力は最大限おこなうが、最終的に捜査に動くかどうかは、当局に決断を委《ゆだ》ねるしかない」

というものだった。

私はまた〝小菅《こすげ》〟に赴き、後藤に、元内妻と会って話をしたことを伝えた。この事後報告に、後藤は最初、「よく連絡先がわかったな」という風に少し驚き、当惑したような表情を浮かべたが、その後はなにも言わなかった。

「彼女は、後藤さんが『これまでの男の中で一番よくしてくれた。いい生活をさせてくれたし、母親や娘の面倒まで見てくれて、楽させてくれた』と言っていましたよ」

と伝えても、少し恥ずかしそうに苦笑いするだけで、なにも答えなかった。

元内妻から聞いた話や、後藤が捕まった後の経緯、すなわち〝先生〟が後藤の残したダンボールを処分したり、その後も彼女に接触し、探りを入れようとしていたことも伝えた。

「荷物を処分していましたか。あれには、自分の実印や印鑑証明、預金通帳、自分が仕事で扱っていた土地の関係書類など、全財産を入れていたんですよ。それにリボルバー（回転式）の拳銃《けんじゆう》二丁も隠していました。やはり、全部、洗いざらい持っていきましたか」

と、後藤は悔しそうに言い、

「でも、彼女に探りを入れても何も聞き出せないですよ。ムダなことをしてますね。自分は女子供は仕事に巻き込みたくないんで、余罪事件についてはまったく何も話していませんから」

その後、私は編集部としての方針を伝えた。彼は当初、「記事が出る前に〝先生〟に取材をかけると、証拠隠滅を企てる。外国などに逃亡したり、ヘタをすれば、自殺を図るおそれもあるのではないか」と危惧《きぐ》し、抵抗を示した。

しかし、報道機関たるもの、疑惑について情報を発信する際、その疑惑の対象者に取材をおこなわないで記事を書くということはできない。しかも、市井《しせい》の人物、現在、なんの刑事訴追もうけていない人間を、殺人を犯した疑惑が濃厚だと追及するのである。〝先生〟本人に事前に取材をかけず、反論の機会を与えなければ、メディアとしての姿勢が問われることになるだろう。

私は、真摯《しんし》に後藤へ語りかけるしかなかった。

「後藤さん、いいですか。証拠隠滅を図るには、〝先生〟には、これまで充分すぎるほど時間があった。はっきり申し上げれば、本当に証拠隠滅をさせたくなければ、後藤さん自身が、いま裁かれている事件の一審や控訴審の段階で、余罪を告白すべきでした。もっと早い段階で、想定外の動きをし、〝先生〟の裏をかくべきでした。そうすれば、検察・警察当局にも、命がけで捨て身の告発をおこなっていることが伝わり、内容を強く信頼してもらえたはずです。

元の内妻に残したダンボールの荷物は処分されたし、ミニユンボの動きもあった。もう〝先生〟はできうるかぎりの証拠隠滅を終えています。そう考えるのが普通でしょう。だからこそ、後藤さんが配達証明を送ったり、舎弟を使って揺さぶっても、彼は無視を決め込めたんです。裏を返せば、後藤さんを無視する決意を固めた際、将来、マスコミに暴露されたり、警察に通報されても大丈夫なように、できうるかぎりの証拠隠滅を完遂したということでしょう。だから、いまさら証拠隠滅云々《うんぬん》といっても、意味がありません」

これには、後藤も納得した。残る問題は、逃亡や自殺の可能性である。後藤はこう心配した。

「やつは本当に逃げると思うんです。国内を転々としますよ。国外にだって、ルートがある。フィリピンや台湾などにも渡航していると言っていたし、海外を転々とされたら、アウトですよ。それに北朝鮮にだって、ルートがある。金を出して、匿《かくま》ってもらうかもしれないでしょう」

北朝鮮の話は荒唐無稽《こうとうむけい》にしても、もちろん逃亡の可能性がないわけではない。この点についても、こちらは懸命に言葉を尽くすしかなかった。

「本人に弁明の機会を与え、その内容いかんによって、最終的に記事を発信するかどうか判断することが、メディアとしての最低限のルールです」

私は、報道機関としての責務や最低限のルールを後藤に説き、説明を重ねた。

また、これについては、後藤の国選弁護人である大熊裕起氏にも相談した。大熊弁護士の意見は次のようなものだった。

「そちらが取材をかけたら、どうなるか？　Aさん（〝先生〟のこと）が逃亡するかどうか？　かりに後藤氏の告発が事実で、本当にAさんが殺人や死体遺棄を犯しているなら、そちらが取材をかけても、逃げたくも逃げられないでしょう。だって、逃げたら、おかしな話になる。

疑惑がなければ、『なにをバカな話をしているんだ』と反論したり、抗議すればいいだけです。逃げたりしたら、警察にも疑われますよ。それに、Aさんには家庭もあるんでしょう。逃げたら、残された家族はどうなりますか。かりに殺人をやっていても、逃げられるわけがありませんよ」

もっともな意見だった。これを聞き、私は肩にどっしりのしかかっていた重石が、少し軽くなった気がした。さらに私は、大熊弁護士が担当している被告らと接見するために東京拘置所へ行く日に合わせ、〝小菅〟に出かけた。弁護士には後藤の面会に「一般面会者」として一緒に入ってもらう。そして、大熊弁護士は、私にしたのと同じ話を後藤にしてくれた。要は、後藤の信頼する弁護士に援軍を頼んだわけだ。

私も言った。

「後藤さん、〝先生〟は家族を愛していますか？」

「もちろんです。やつは自分の家族はすごく大事にしているんです」

「子供もいましたよね」

「やつには長男と長女、まだ高校か大学に通っている次女の三人の子供がいます。とくに末っ子は、目の中に入れても痛くないほど可愛がっていました。長女は東京の学校に入れていて、確か寮住まいでしたが、帰省したときには、〝先生〟がわざわざ東京まで車で送っていったほどです」

「じゃあ、家族につらい思いはさせたくありませんよね。この余罪殺人事件が報道され、真実味があるとして騒ぎになったら、マスコミが自宅に殺到するかもしれない。そんなときに、家族を放ったらかしにして逃げたら、家族は、さぞかしつらい思いをするでしょう。生活だってあるし、一家そろって居なくなるわけにはいかない。それなのに、家族を残して自分だけで逃げるでしょうか。家族を愛していれば、そんなことはできないと思いますが」

後藤は半分納得しながらも、半分承服しがたいという複雑な色を浮かべながら、うんうんと、相槌《あいづち》をうっていた。そして、大熊弁護士の意見も聞いたうえで、最終的には、

「わかりました。でも、必ず事前に警察にも通報してください。それだけやってくればいいです」

と言った。そして、

「男があなたに取材や記事の発表の仕方は任せると一度、言ったんだから、最後まで任せます」

と、こちらの方針を諒《りょう》とした。

平成十七年十月上旬。私は、茨城県警察本部という名の、地下一階、地上十階建ての鉄骨鉄筋コンクリート造りの白い巨大な建物の前にいた。事前に面会のアポイントメントを入れてあり、受付をすませて、上にあがった。その部屋のプレートにはこう記されていた。

「刑事部・組織犯罪対策課」——暴力団など組織による犯罪全般を扱う部署である。

後藤は、茨城県警へ通報するにあたり、「この人を通してくれれば、スムーズにいくはず」と、知り合いの刑事を指定した。その刑事は土浦警察署にいたので、コンタクトをとった。

「かつて茨城県警に殺人で検挙された、後藤良次という被告を覚えていますか」

「ええ、よく覚えていますよ。元気にしてるんですか。私についてどう言ったかはわかりませんが、そんなに深い知り合いではありません。あくまで、捜査を通じてのことですし、私が直接、担当したものでもありませんから」

「しかし、後藤さんはあなたのことをすごく信頼しているようで、何度も名前が出ました。『茨城県警にアプローチするなら、あなたに』とこだわっています」

「そうなんですか。で、話は何なのですか」

「彼が訴追された殺人事件以外に、警察に把握されていない余罪があり、告発したいと言っています。すでに私が話を聞き、レポートにまとめてあるので、通報させていただきたいんですが」

「エッ、そうですか」

明らかに、声のトーンが変わった。

「といっても、私に話されても困ります。本部のしかるべき部署に通報していただかないと。私では対応できませんからね。私の方で、本部に連絡して、話を通しておきます」

反応はすぐにあった。電話をかけてきたのは、組織犯罪対策課の幹部だった。私は当初、殺人事件を請け負う捜査一課につないでくれるのかと思っていたが、後藤は元ヤクザ者である。茨城県警で後藤の情報が集約されているのはこの部署なのだ、とすぐに納得した。

私は、組織犯罪対策課のふたりの幹部に会った。ふたりとも、長年の刑事生活で人を疑うことが体にしみついているのだろう。しかも粗暴な人間たちを相手に、〝切った、張った〟の仕事をつづけてきたのだ。なんとも形容しがたい迫力が顔に刻まれていた。

「それで、後藤は何だと言ってるんですか」

ひとりが切り出した。私は彼らに、これまでの取材の結果をまとめた、A4判用紙で五十枚前後になるレポートを手渡した。ふたりとも真剣な表情でそのレポートに目を通していた。最初は、簡単に目を通すだけにしようと思っていたのだろうが、途中から厳しい顔つきに変わり、時間をかけて精読する態勢に入っていた。

「把握されていない余罪事件というのは、三つともすべて本県の事案ですか……」

捜査幹部のひとりはなにも言わず、ページを繰っていたが、もうひとりはこちらに顔をあげ、うめくように声を洩《も》らした。

茨城県警の名誉のために言っておくが、組織犯罪対策課の幹部の対応は、真剣そのものだった。彼らの反応が暗示するもの、それは、「この告発はホンモノだ」という直観だった。

しかし、素人目《しろうとめ》に見ても、立件が難しく感じられる案件ばかりだ。

「いずれも、すでにできうるかぎりの証拠隠滅が完璧《かんぺき》になされているんだろうなぁ」

同意を求めているのか、単なる独り言なのか、先と同じ幹部が資料に目を落としながら、感想をもらした。

「三件目の保険金目当てに酒で殺したという〝カーテン屋〟の件はどうですか。後藤の舎弟など、ほかに共犯がいますから、たたけば供述を得られるかもしれませんよ」

何を言ってるんだ、という思いをおさえながらだろう、その幹部は言った。

「これ、もともと酒好きなんでしょ。難しいよ。薬物とか毒物ならともかく、凶器がお酒だから。『飲めと言ってないのに、本人が好きで、自分から飲みつづけた』と言い張られたらどうしようもない」

なるほど、もっともな意見だった。

「じゃあ、二件目の倉浪さんの件ですかね。不動産の動きから客観的に怪しいと言えると思いますが」

「うん、そうですね。本来、これなんだろうけどなぁ……。でも、時間が経《た》ちすぎちゃっていますね。首謀者にしてみれば、充分すぎるほど。事実なら、普通、遺体をそのままにしておくということはないでしょう。レポートにある、このミニユンボの動きは、どう見ても遺体を掘り返したものでしょう。これを掘るのは大変だなぁ。いずれも、死体はないときたか……」

確かに、三件とも、できうるかぎりの証拠隠滅が図られているだろう。しかもいずれも、〝最大の物証〟といわれる遺体そのものが、すでにないのである。

かろうじて、倉浪さんの遺体（遺骨）は、北茨城の広大な原野のどこかに埋まっている可能性は残されている。しかし、である。足の踏み場もない、数メートルの高さに生い茂った雑草だらけの荒地は、二ヘクタール近くもある。証拠を探すには、あまりに広すぎる。

かりに勝負をかけ、途方もない時間をかけて土を掘り返しても、ミニユンボにより、そこには探すべき遺骨がないおそれも大きい。大がかりな捜索を始めれば、マスコミは大騒ぎになり、衆人環視の態勢下での穴掘りを余儀なくされる。これで、遺体が出なければ、捜査の痛手ははかりしれない。証拠が隠滅された可能性があるとはいえ、そんな事情は評価されず、後藤証言の信憑性《しんぴょうせい》は崩れざるを得ない。その瞬間、捜査は頓挫《とんざ》することになるだろう。

〝遺体なき殺人事件〟は、過去に立件例がないわけではない。警視庁が摘発した、東京・池袋の骨董屋《こっとうや》店主が殺害され、遺体が海に投棄された「無尽蔵殺人事件」（昭和五七年）や、オウム真理教による「目黒公証役場事務長・假谷《かりや》清志さん拉致《らち》殺害事件」（平成七年）など、いくつかの殺人事件では、捜査当局が有罪判決を勝ち得ている。しかし、立証が難しいなかで、成功した捜査は数えるほどだ。

「いずれも、死体はないときたか……」

捜査幹部がうめくように洩らしたその言葉が、私の頭の中でくり返しこだました。

「貴重な通報をありがとうございます」

この幹部は、そういって私を見送った。その言葉には、〈大変なことになったな〉という響きもあったが、同時に〈これは放置できない案件だ。なんとかしなければいけない〉という強い意思も十二分に込められていた。

「通報していただいた件は、すぐに上にもあげます」

情報を握りつぶすつもりはないということを示したかったのだろうか。そう言ったうえで、幹部は、苦渋に満ちた厳しい面持ちでこう述べた。

「早急に捜査に着手するかどうかの判断を下さなければなりません。これだけの案件ですから。しかし、先ほども申し上げたとおり、すでに充分な証拠隠滅が図られているでしょう。記事にするのを待ってほしいとお願いしても、そちらにもマスコミとしての立場があって、ムリなのでしょうね。いずれにしろ、捜査に着手するかどうかの判断にも時間がかかるし、捜査で立証するとなると、さらに相当の時間が必要となるでしょう……」

言い訳ではなく、それが実際の捜査というものなのだろう。この重い言葉は、後日、現実のものとなった。

私は、この長期間の取材の締めとして、警察への通知と同時に、〝先生〟への取材を敢行しなければならなかった。担当役員と相談した結果、『新潮45』で報道した後、間髪をいれず、『週刊新潮』でも記事として報じ、掩護《えんご》射撃をしてもらえることになっていた。

私と『新潮45』の編集者ひとりにくわえ、『週刊新潮』編集部から二名の記者が応援に入り、計四人で茨城県北部の〝先生〟の自宅に向かった。

隠し部屋まであるという“先生”の豪邸

その三階建ての邸宅は、界隈《かいわい》ではひときわ目立つ瀟洒《しょうしゃ》なものだった。平成四年に新たに建て直されたようだが、まだペンキの色も綺麗《きれい》に見えた。玄関は洋風の造りで、小さな庭先にもヨーロッパ風の陶器が置かれていた。

前述した〝先生〟の検察官面前調書によれば、彼は会社を一度、倒産させている。他の取材や資料からも、〝先生〟は事業に失敗し、億単位の負債を抱えていたことが証明されている。

ところが、自宅の土地や建物は人手に渡らず、〝先生〟一家は、ここにずっと住み続けている。不動産の登記簿謄本《とうほん》を見ても、差し押さえや裁判所の競売による売却、強制執行などの手続きを受けた形跡はなかった。実に不思議なことである。それだけ、金融のプロが見つけられず、裁判所も手の届かないところに、自宅を守るための相当な裏金を隠し持っていたのだろう。たとえば、後藤が言ったように、地下一階の隠し金庫などに。

〝先生〟は、不動産ブローカーという仕事柄か、家を空けることが多かった。これまで何度か周辺を探ったことがあったが、家にいるのは月の半分ほど。近くに借りた駐車場に白の高級車がなければ不在だった。取材に赴いたときも、初日は不在だった。二日目、〝先生〟が車で帰り、自宅にいることを確認した段階で取材を試みた。

約半年にわたる取材の集大成として、疑惑の〝本丸〟の前に立つ。後藤によって、首謀者、殺人鬼とされた人物が今、そこにいる。

私は緊張しながら、玄関にあるインターホンを押した。応対したのは妻だった。おそらく何も知らない可能性の高い妻に、疑惑の内容をそのまま伝えるわけにはいかなかった。

私たちが身分を伝え、〝先生〟と話をしたい旨《むね》を伝えると、夫人はいったんインターホンを切り、部屋の奥の方に移動した様子だった。〝先生〟に伝えにいったのだろう。しかし、しばらくして、インターホンに戻ってきた彼女は、こう言った。

「主人は留守にしています。わたしたちでは分かりませんので、お引き取り下さい」

「いや、奥さん、だんなさんが家にいることは分かっています。実際、奥に行かれて、要件を伝えに行かれたじゃないですか」

「いや、あれは奥に行って、主人に電話をかけていたんです。今、仕事で忙しいので、対応できないから、お引き取り願うように言われました」

「奥さん、これはとても大事なことなんです。おそらく、だんなさんは私たちが何のために来たかご存知だと思います」

「私にそう言われても困ります。とにかく、今は居ませんので」

「奥さん、『後藤良次』という人をご存知じゃないですか。このお宅にも来たことがあるはずですけど」

「いえ、後藤さんですか。はぁ、よく分かりません」

「後藤さんはある事件を犯して、今、東京拘置所にいますが、舎弟分をこちらに派遣してきたことがあるでしょう。奥様が対応されたと聞きましたが」

「いや、もうよく覚えておりません」

「もう一度、奥に行かれて、だんなさんに、その後藤さんの件で話をうかがいたくて来たのだと伝えてください。そうすれば、だんなさんにも事の重要性がおわかりになるはずですから」

夫人はもう一度、インターホンを切り、奥に引っ込んでいった。何分、経過しただろうか。しばらく経ってから、夫人は今度は家の扉をあけ、玄関口に出てきた。〝先生〟に、「居ないといって、追い返せ」と怒られたのだろう。従順そうなタイプの五十歳前後の女性は、不安と当惑の入り混じった表情をにじませていた。

「主人は本当に出かけていて、居ないんです。私ではわかりませんから、出直してください」

「いつ、出直せば、いいですか。いつなら、だんなさんはいらっしゃるのでしょう」

「それもわかりません。なんともいえません。とにかく、今は留守ですから、お帰りください」

「奥さん、奥にだんなさんがいるのは分かっています。車があるから、すぐわかるんですよ」

「いえ、その車はちがいます」

「奥さん、知ってるんですよ。これはだんなさんの車です。いつもこの車で出かけ、帰ってくるじゃないですか」

「いえ、それは、あの……」

動揺がありありだった。

「昨夜はだんなさんがいらっしゃらなかったのは知っています。しかし、今朝、車で戻ってきてるじゃないですか」

「いえ、あの、この車は……知り合いが今朝、持ってきてくれたんです。主人は戻ってきませんでしたが、車だけ知人が運転して運んでくれたんです」

慌《あわ》てふためいて、気の毒なくらい支離滅裂な抗弁になっていた。

「お願いします、奥さん。きちんとだんなさんに伝え、ここに出てきてもらってください。いいですか、これは、だんなさんの今後の人生を左右しかねない重大なことなんです。私どもは、じかにだんなさんに確認したくて来たのです。生半可な気持ちで来ているのではありません」

「……わかりました。すこし待ってください」

彼女はもう一度、家の中に入っていき、そして戻ってきた。しかし、〝先生〟は、よほど我々に会いたくなかったようだ。返答は同じことの繰り返しだった。

「すいません。今は不在ですし、いつ戻ってくるのかもわかりませんから、お引き取り下さい」

ここまで言って、この対応では致し方ない。

「仕方ありませんね。どうしても出てきてくださらないということであれば」

「はぁ……」

「それでは、だんなさんに、取材の主旨を伝える手紙を書きますので、お渡しください。さっきも言ったように、だんなさんの今後の人生を左右しかねない重大な案件ですから必ず渡してくださいますね。場合によっては、奥様にも影響を及ぼす恐れもあります。だからこそ、だんなさんにはこういう形で取材拒否されず、逃げずにきちんと対応してもらいたいのです」

長時間に及ぶ取材になることも予想していたが、そういう展開にはならず、〝先生〟は逃げを決め込んだ。致し方なく、私は手紙の形で〝先生〟に取材の中身を伝えることにした。そうして、彼からの連絡を待つよりほかなかった。

後藤良次から話を聞いた件といえば、それだけでこちらが何を聞きにきたか、充分わかるだろう。しかし、事の重大性を認識させるために、私は手紙に、被害者とされた三人の実名を明記した（大塚某が本名かどうかはいまだに不明である）。夫人を通じて渡した質問の内容は、概《おおむ》ね、次のとおりだ。なお、三人目の〝カーテン屋〟についても、手紙では実名を記したが、ここでは伏せる。

《当方は現在、殺人事件で死刑判決をうけ、最高裁に上告中の後藤良次被告（東京拘置所在監中）から、長期にわたり取材をおこない、証言を得ているものです。後藤被告は貴殿とともに、不動産関連の仕事を行っておりました。その過程で警察が把握していない重大な余罪事件を、貴殿とともに犯したと証言しております。

それによって、

・大塚氏

・倉浪篤二氏

・〇〇氏

この三名が、回復困難な甚大《じんだい》な被害を被《こうむ》っていると聞いております。

つきましては、この後藤被告の証言について、当事者である貴殿にお話をうかがい、事実関係を確認したいと思い、お訪ねした次第です。貴殿にとって、今後の人生を左右しかねないような重大事案でございますので、その点を考慮され、ぜひともご対応のほど、よろしくお願いします》

夫人や家族に見られても、中身がわからず、そのうえで本人に内容を伝え、重大なことだと理解させて、真剣に対応させるには、これくらいの主旨の質問が限界だった。名刺は四枚すでに渡してあるが、手紙にも連絡先を書き、それこそ私の携帯電話の番号まで明記し、返答を請《こ》うた。夫人に手紙を託し、〝先生〟に絶対、渡してもらいたい旨を伝え、わたしたちはその場を離れた。

その後はひたすら、〝先生〟からの連絡を待った。この取材内容の結果如何《いかん》では、いつでも記事掲載をストップでき、差し替えが可能なように、彼には充分な時間を与えていた。そうして緊急の事態に対応できるよう態勢を整えたうえで、待ちつづけたのである。しかし、結果から言うと、待てど暮らせど、〝先生〟からの返答はなかった。

「いったい何の話ですか。いきなり来られて、失礼ではないですか。マスコミの方が来られたので、家族は動揺しています。私の人生を左右しかねないとはどういう意味なんですか」

「あなたがたは、後藤くんの話を信じたんですか。バカバカしい。私はいわれのない作り話で、金をよこせと脅しをかけられ、迷惑しています。私が何人も殺したというんでしょう。しかも、それが警察に把握されず、完全犯罪になっていると。そんな荒唐無稽な話、あるわけないじゃないですか。彼は私が面会にも行かず、お金の差し入れもしないので、逆恨みしているんですよ。彼の行為は恐喝であり、許せません。私はその脅しに屈せず、無視しています。あなたがたも彼の嘘《うそ》に振り回されて、利用されないほうがいいんじゃないですか」

怒気のこもった口調か、あるいはあまりのバカバカしさに、あきれ返った物言いだろうか。

いずれにせよ、後藤の証言がいわれのない誹謗《ひぼう》、中傷、誣告《ぶこく》、虚偽の類《たぐい》なのであれば、こうした回答が返ってくるだろう。こんなことが記事にされたら、たまったものではないと、怒りをにじませ、当惑と嘆息まじりの声で。

しかし、〝先生〟はちがった。まったく何の反論や抗弁もおこなわず、無視を決め込んだのである。これは何を意味するのか。普通の反応ではあるまい。推して知るべし、というべきか。私の中の〝先生〟に対する疑念は、この、普通ではあり得ない反応で、さらに深められたのだった。

その後、私は〝小菅〟で後藤と会い、警察に対する最終方針を打ち合わせた。弁護士と相談したうえで、第一章で紹介した後藤が最初に書いた犯行を告発する書面を、茨城県警へ提出することにした。いくつかの間違いを削除・修正したうえで、上申書として作りなおすのだ。

大熊弁護士も「後藤さんの意向であれば、弁護人として最大限協力しましょう」と、すぐに同意し、上申書作成・提出の労をとってくれることになった。

大熊弁護士はもともと、平成十七年春ころ、後藤から余罪事件の告白を相談された際、最高裁への上告審に影響があるとして、被告の利益を守る立場から、後藤に再考をうながしていた。しかし、後藤の決意が固かったことから、「被告人の強い希望があるのなら、それを公《おおやけ》にしていくことに協力しよう」という方針を決めた経緯があった。

平成十七年十月十七日、後藤の依頼により、刑事弁護人である大熊裕起氏は、茨城県警察本部に三件の余罪殺人事件、死体遺棄事件をつづった上申書を提出した。同日のうちに、その上申書は茨城県警によって正式に受理された。

闇《やみ》に封印されたはずの三つの殺人、死体遺棄事件――。

死刑判決を受け、なお上告中の身の者が、時効にもなっておらず、極刑を決定的にするような事件を、あえて証言している。いわば、自爆覚悟の告発とでも言おうか。その告発によれば、三人の人命が、人知れず葬《ほうむ》られた可能性が高いのである。しかも、危険極まりない首謀者は、ふだんは子煩悩《こぼんのう》で仕事熱心な父親という仮面をつけ、のうのうと娑婆《しゃば》で生活しているというのだ。

こうした状況がある以上、警察は早急に事態の把握に努め、必要に応じて強制捜査権を行使し、捜査を尽くすべきだろう。そして、自殺か病死として処理してしまった件についても、判断ミスが明るみに出るのを恐れず、実態解明に全力をあげなければならない。そのうえで、後藤の自白に犯人しか知りえない秘密の暴露があるか、事件性があるかどうかを見極めるのが、捜査当局の責務である。

最後に、『新潮45』の記事が発信される直前、私はもう一度、後藤と会った。

面会室で、彼はこう言った。

「自分は今回、事件を告白する決意をした際、関係者に迷惑をかけたくないと考えました。だから、刑確定後の身元引受人などに指定していた神奈川の内縁の妻やその母親とも縁を切りました。

『新潮45』に記事が出て、自分の余罪殺人事件が明らかになれば、マスコミが大騒ぎするでしょうし、警察がきっと動いてくれることでしょう。そうなると、自分の身の回りも騒がしくなります。自分のような男と関わりをもったばかりに、内縁の妻やその母親にも取材がいくなど、迷惑をかけるかもしれない。だから、今のうちに、こちらから身元引受人の指定を解除し、内妻の面会も断るようにしました。

実は、そちらに奔走していただいている間にも、内妻は何度もここに足を運び、自分と会おうとし、差し入れもしてくれました。しかし、あえて、自分は、面会を拒絶してきたのです。彼女には本当に申し訳ないし、自分も身を切られるようなつらい思いをしましたが、断ち切るしかなかった。それくらい、自分の覚悟や決意は固かったのです。これ以上、内妻に迷惑をかけたくなく、自分のどうしようもない人生に巻き込みたくなかったのです」

「なんだかさびしい話ですね。面会くらいしてもいいんじゃないですか」

「いや、これでいいんです。いつまでも自分にかかずらっていると、彼女もかわいそうです」

「身元引受人の指定を解除したというのは、どういう意味があるんですか」

「今回の告白で可能性はなくなりますけど、仮定の話として聞いてください。かりに万が一、自分が最高裁で無期懲役に減刑されるような事態が起こったとしても、身元引受人がいなくなったことで、娑婆に出られる可能性は永遠になくなりました。百パーセントなくなったんです。なぜなら、身元引受人がいなければ、仮出所は認められないからです。

これで、自分は完全に社会と接点を絶ちました。今は逆にさばさばした、すがすがしい気持ちにさえなっています」

退路を断ったということか。

すべては身から出たサビとはいえ、どう転んでも、彼が死ぬまで檻《おり》の中で、灰色の壁を見つめながら過ごすことが決まったということらしい。後藤は、差し入れをしてくれる数少ない面会者であり、唯一《ゆいいつ》、社会との窓口になってくれる人間として保持していた女性との関係も、自ら断ち切ったのだ。裏を返せば、そこまでしてでも、〝先生〟への復讐《ふくしゅう》を遂げたいという強い気持ちがあらわれているといえよう。

「それと、高橋義博さんにもお礼を言っておいてください。今回、自分が余罪事件を告白する心境に至った背景には、同じ拘置所にいる高橋さんの説得や後押しもありました。新潮さんを紹介してくれたのも高橋さんですからね。彼には心からお礼を述べたいと思います。ほかにもまだいろいろありますが、それらについても、いずれ機会があれば、話したいと思っております。

自分は無学ですが、ウソはいいません。余罪殺人事件は真実です。何の罪もない人間が、不動産や保険金のために、自分たちの手で葬られているんです。後のことはよろしくお願いします」

あと私が果たすべき仕事は、後藤の〝自爆〟覚悟の告発を、いま書ける範囲で適正な記事にまとめ、社会に発信することだけだ。

そして、矢は放たれた。

ようやくというべきか、ついにというべきか。記事を掲載した『新潮45』は、平成十七年十月十八日に刊行された。

記事を書ききった後、私は疲労感に包まれていた。しかし、頭も体も極度に疲れているにもかかわらず、神経だけは逆に休まらなかった。実際、後述するように、この後、私は新たな騒動の渦中《かちゅう》に巻き込まれていったのである。

雑誌が発売される前夜、大熊弁護士が茨城県警に後藤の上申書を提出したという情報をキャッチしたNHKが、夜七時のニュースで、大きくこの事実を報道した。

このニュースが起爆剤となったのか、こちらの予想をはるかに超えて、『新潮45』の記事は大変な反響を呼んだ。朝日、毎日、読売の三大全国紙はもとより、産経、東京、日経の各紙、共同、時事の両通信社、そして一部のスポーツ紙までが、情報収集に狂奔し、連日、後追い報道をつづけたのだ。テレビも、NHKだけではなく、TBS、フジテレビ、テレビ朝日などもニュースを流した。

ほぼ全メディアが必死になって、警察当局や関係者への取材に走った。また、『新潮45』に対しても情報を求めてきた。かくいう私自身も、いくつかのテレビ局の要請で取材をうけ、その音声がお茶の間に流された。

しかし、こうした取材を受けている間にも、私には気になることがあった。記事を発信する直前の面会で、後藤がふと洩《も》らした言葉である。神奈川の内妻と縁を切った話ではない。それはなにげなく語られた、この言葉であった。

「ほかにもまだいろいろありますが、それらについても、いずれ機会があれば……」

〝ほか〟というのは、何を指すのか。

後藤が告白した余罪事件の取材に駆け回り、取材方針をめぐる後藤への説得、取材結果のレポートの作成、警察への通報、そして本来の仕事である記事の執筆と、多事を極め、疲弊しきっていた私は、時間がないことから、その一言をやり過ごしていた。気になる言葉に、新たに取り組む気力も余裕もなかったのである。

「まだ、何か隠しているのか……」

仕事が一段落すれば、もう一度、新たな気分で後藤に向きあわねばなるまい。そんなことを漠然とではあるが、頭の片隅で考えながら、他メディアの報道をながめていた。

第八章　脚光を浴びた死刑囚

《「別の殺人3件関与」

悪　覚せい剤を注射するなどして女性1人を殺すなど4人を殺傷し、別の男性を川に投げ込んで水死させたとして強盗致死や殺人などの罪に問われ、1、2審で死刑判決を受けた元暴力団組長、後藤良次被告（47）＝上告中＝が17日、「他に3件の殺人事件に関与した」とする上申書を茨城県警に提出したことが分かった。被害者はいずれも60〜70代の男性3人で、うち2件は財産や保険金目当てだった。後藤被告のほか約10人が関与しているとも記載され、同県警が事実関係の確認を進めている。

凶　上申書は後藤被告の弁護士を介し、県警に提出された。後藤被告はこの上申書を新潮社にも送っており、18日発売の月刊誌「新潮45」が後藤被告の手記として報じる。

上申書や手記によると、1件目の殺人は99年11月。知人の不動産ブローカーから「融資先の男性とトラブルになり、ネクタイで首を絞め殺した」と相談を持ち掛けられ、同県内の会社のゴミ焼却場で男性の遺体を焼いたという。

2件目は同月、さいたま市（当時大宮市）に土地を持つ70代の資産家男性を水戸市で暴行して拉致。茨城県北部の山中に生き埋めにして殺した。殺害後、資産家になりすまし土地を約7000万円で売却、不動産ブローカーら5人で山分けしたという。

3件目の被害者は同県でカーテン店を経営する60～70代の男性。00年当時、病弱で店の経営が行き詰まっていたため、経営者の家族と共謀し、自殺に見せかけて殺害。8000万円の死亡保険金を詐取《さしゅ》したという。

後藤被告は00年8月に逮捕され、03年2月宇都宮地裁で死刑判決を受けた。控訴したが、昨年7月、棄却され最高裁に上告中。

後藤被告側の大熊裕起弁護士の話　上申書を茨城県警にファクスで送信し、受領確認をした。後藤被告は強く立件を望んでいる。

石津源栄・茨城県警組織犯罪対策課長代理の話　上申書は事件関係の端緒として預かった。事実関係を確認し、信ぴょう性があれば被告本人からも事情を聴きたい》

（毎日新聞　平成十七年十月十八日付朝刊）

『新潮45』の報道を受け、この毎日新聞同様に、

《「他に殺人・遺棄3件」 死刑判決の元組幹部 関与認める上申書》（読売新聞）

《「死刑判決受け上告中の男 別の殺人3件関与?」》（朝日新聞）

といったような見出しとともに、三大紙のみならず、他の全国紙も十八日付の朝刊で、大きな紙面を割いてこの件を報道した。

そして、記事発信後、事態は最初のハイライトを迎える。

《殺人上申書 元組幹部から聴取へ 茨城県警「一定の信憑性」》

（朝日新聞 二六日付夕刊）

《生き埋め事件 本格捜査 茨城県警 あすにも後藤被告聴取》

（読売新聞 三一日付朝刊）

すなわち、警察としては、後藤が提出した上申書の内容に関し、真実と確認できるものがあった。一定程度の信憑性《しんぴょうせい》が得られたことから、本格的な捜査に乗り出し、立件が可能かどうか検討する。その一環として、後藤被告本人の事情聴取を開始する、というのである。

十月三一日付の朝刊で、読売新聞は、こう書いている。

《県警が特別捜査班を編成し、上申書に基づいて情報収集を進めた結果、「茨城県北茨城市の土地に生き埋めにした」と指摘された男性について、住民票が水戸市内に設定され、殺害後とされる1999年12月、さいたま市見沼区の男性の所有地が売却されていたことなどが確認された。

また、「98度のウオツカを飲ませた」とされた別の男性についても、2000年8月の茨城県七会村（現城里町）での遺体発見時に病死と認定され、生命保険に加入していたことなど、上申書にほぼ沿った事実が確認された》

ついに、茨城県警が動き出した。警察当局が、当事者の事情聴取を始めるということは、注目に値する大きな一歩だった。そして、

《「上申書3事件」聴取 殺人・遺棄容疑 元組員立件可否判断へ 茨城県警》

（読売新聞 十一月一日付夕刊）

とあるように、後藤への最初の事情聴取は、十一月一日に実施された。

実は、この日、私は東京拘置所にいて、後藤と面会室で会っていた。その日が事情聴取の日であろうということは事前に摑《つか》んでおり、茨城県警の意向によって、面会は現実には困難だろうと思っていた。

しかし、申請したところ、面会は許可され、後藤は面会室に現れた。

「今、上に来ていますよ。茨城県警の人たちが。この上の十一階で話をしているところです」

後藤はうれしそうに、満面に笑みを浮かべて言った。さすがに事情聴取を始めたとはいえ、逮捕もしておらず、接見禁止にもなっていない被告を、本人の意に反して面会させないという荒業《あらわざ》は、警察も拘置所もとれないようである。

「よく、面会室に降りて来れましたね。『自分たちが出張って来て、事情聴取に乗り出しているんだから、今日くらいは面会を断ってくれ』と求められませんでしたか」

「いやぁ、『できれば、マスコミの人とは面会しないでほしいけど、強要はできないから』と、苦笑いしていましたよ」

後藤によると、事情聴取のために茨城から〝小菅〟にやってきた刑事は三人だという。そして、彼らはこう言ったそうだ。

「後藤よ、俺たちがここまで来るのは本当に大変だったんだぞ。なにしろ、お前の事件そのものが、すでに控訴審でも死刑になり、最高裁にかかっているんだ。その被告に、新たな事件の捜査で会うというのは、大変な苦労が伴うんだよ。当然、警察庁にも報告したし、水戸地方検察庁の検事、東京高等検察庁や最高検の検事さんにも相談して了解をとり、上告中の最高裁にも理解してもらうなど、難しい手続きがたくさんあったんだ。東京拘置所の所長にも許可をとった。申請してから許可が出るまで、一週間はかかったな。ここにこうやって、事情聴取に来るだけでも大仕事だったんだぞ。

こちらが来た重みというか、意気込みを理解してくれよな」

そして、目の前に数十枚の写真を並べて、

「ところで、このなかに〝カーテン屋〟はいるかな。いたら、教えてくれ」

と、写真による面割《めんわり》を行わせたという。

「で、その中にいたんですか。結果はどうでした」

気になって尋ねた私に、後藤は笑いながら、

「いましたよ。そんなのすぐ分かりますよ。『これでしょう』と、一枚、引きました。刑事たちはホッとしたように、『オォーッ、アタリだ』と歓声をあげて、拍手していましたよ。だって、自分たちが殺したんだから、顔を知らないわけないじゃないですか」

また、後藤に「倉浪さん事件」の共犯と名指しされた「不動産ブローカー・岡田毅」の写真も、警察はすでに撮影しており、面割用に持参してきたという。当然、これも後藤は引き当てた。

後藤は、本当にうれしそうだった。私も警察が迅速に対応してくれて、うれしかった。しかし、捜査は緒についたばかりで、そんなに甘いものではない。今後、越えなければならない険しい山や深い谷がいくつもあり、途方もない時間が費やされ

るだろう。

こうした良い流れがつづく一方で、意外なことも起こった。獄中の男に世間の関心が集まるなか、告発された当事者の〝先生〟は、こちらの取材を拒否し、記事が出た後もしばらくは不可解な沈黙を守りつづけていた。が、世の中の動きに反応せざるを得なくなったのか、一部メディアに、苦し紛れの言い訳を始めたのだ。そして、極端な反応として表れたのが、『週刊文春』への取材対応だった。なんと、〝先生〟は、実名、顔写真入りで登場したのである。

しかし、『週刊文春』の記事（平成十七年十一月十日号）は、実にお粗末なものだった。「新潮45で『3人を殺した主犯』と名指された私」と題されたこの記事に対し、まず、これだけは反論し、事実関係を是正しておかなければならないのは、〝先生〟と我々との取材のやりとりである。

記事中、〝先生〟は、

《『新潮45』の人が自宅に来て、突然、私の妻に『ご主人には三人を殺した疑いがある』と言ったんです。妻は腰を抜かした》

と憤慨している。

しかし、事実はまったく違う。前章に明記したとおり、車で帰宅したはずの〝先生〟は、夫人を使って居留守を決めこんだため、我々と夫の板ばさみになった。我々は、夫人に取材のお願いをくり返し行ったが、その際、「殺人」や「殺害」などの言葉は、一切使わないよう配慮している。

疑惑に関する記述についても、ここで矛盾点に触れておこう。『週刊文春』には、「倉浪さん事件」についての先生の言い訳である。もっともおかしいのは、「倉浪さん事件」についての先生の言い訳である。『週刊文春』には、こんなくだりがあった。

《(倉浪篤二《あつじ》さんの大宮の土地について)A氏(筆者注・記事中では実名)は呆《あき》れて、「謄《とう》本《ほん》に私の名前があるのは当たり前だよ! 私が転売したんだから」と憤《いきどお》る。一体、どういうことか。

「これは、もともと茨城の○○市(筆者注・記事中では都市名が明記されている)にある千三百坪の土地を巡るトラブルが発端なんです。詐欺《さぎ》みたいな話で、私の知人の植木屋が被害にあった。仲介に入った私を含め、十数人で○○市内のホテルの喫茶店で話し合いになった。私はIというヤクザに、『Iさんがケツとって下さい』と言いました。すると、Iさんが『今度、いい仕事を持ってくるから』と言う。それが大宮の例の土地だったんです」

その土地を転売したら、手数料報酬を支払うと、I氏は約束。ところが、これがワケあり物件だった。

「供託されていて、簡単に売れない土地でした。農道も入っていたため、市役所で農地転用の手続きがいる。地上権の問題で揉《も》めたので、私は後藤にアルバイトを与えた。杭《くい》打ちと、有刺鉄線を張ってもらったんです」

後藤は前出の兄貴分と一緒に有刺鉄線を張りに赴いたから、この土地について覚えていたわけだ。A氏は、二十年前に蒸発して『殺害された』という『倉』のつく人物などまったく知らないと言う》

この記事を受け、後藤は言った。

「この勝負、自分の勝ちです。文春の記事はお話になりません。〝先生〟は、ショックで頭がおかしくなったんじゃないですか。それは冗談として、やつは倉浪さんの土地を買って、業者に転売したことは認めている。しかし、そのうえで、購入先である倉浪さんについてはまったく知らないと主張している。それなら〝先生〟は、この土地をいったい誰から買ったのでしょう?

ヤクザのIが持ってきた物件だとしていますが、誰が持ってこようと、土地取引は、そんな簡単にできるものじゃない。売るときだけではなく、買うときだって当然、相手のいる話だし、その相手が譲渡する意思を示す書類も必要なんです。形だけ書類を調えるにしても、それには倉浪さんのダミーが必要です。それを『〝倉〟のつく名前の人物なんてまったく知らない』というのですから、言い訳にもなっていない。

膽本から自分が土地を転売した事実は消せないから、それは認めるしかない。だから、ヤクザ者の名前を出して、ワケあり物件として話を複雑に見せかけ、ごまかそうとしているんですよ。こんな話、業界ですれば笑われますよ。『じゃあ、彼はいったい、どこの誰から土地を買ったの？』と。この言い訳、『週刊文春』には通じても、警察や検察にはとおりませんよ。やつは墓穴を掘りましたね」

語るに落ちる、とはこのことだ。後藤が記事を一笑にふすのもむべなるかなである。

後藤は、さらにつづけた。

「このIという男は、〝先生〟の知り合いの指定暴力団・松葉会系のヤクザです。〝先生〟がそう言っているのを聞いたことがあります。でも、自分は一度も会ったことがありません。その人はあの倉浪さんの土地とはまったく関係ありませんよ。あの計画に一度も登場していません。〝先生〟にうまく名前を利用されましたね」

この点については、〝先生〟のことをよく知る別の関係者が補足してくれた。

「警察が動いて、土地の転売をめぐって話を訊《き》いてきたら、〝先生〟は『ヤクザのIが持ってきた仕事なので、自分に話がくる前の流れはIに訊いてください』と答えるつもりです。それで、警察はIを探しに行く。ところが、これがすでに死んでるんだなぁ。それを聞かされた〝先生〟は、こう言うんですよ。〝エェッ、Iのやつ、病気で死んでましたか。知らなかった。いやぁー、すいませんでした。じゃあ、もう詳しい経緯を知っている者は誰もいないですね〟と。そうやってごまかす算段ですよ。でも、そんな言い訳とおらないと思うけど……」

この程度にとどめておくが、『週刊文春』の報道には、他にも反論したい点が散見された。

しかし、いくら〝先生〟の反論がお粗末とはいえ、茨城県警が彼の疑惑に対する捜査に失敗し、闇《やみ》から浮かび上がった事件が、ふたたび漆黒の暗闇に消えてしまう可能性もある。〝先生〟が実名でメディアに登場するという荒業に出たのは、それを見越した挑発なのだろうか。

〝先生〟の行動には驚いたが、こちらは、冷静にこれまでどおりの姿勢を堅持し、〝先生〟に関しては匿名《とくめい》報道でいくことを社内で確認した。

へ〝先生〟、マスコミや警察から逃亡し、姿を消してしまうのではないかと心配していました。真実を暴《あば》かれて、自殺でもされたらどうしようかと、塀の中で、気が気でありませんでした。ご健在のようで、ホッと胸を撫《な》で下ろしています。あなたには、きちんと法の裁きを受けてもらいたいと願っているものですから。

確かに、自分の告発は事実ではあっても、物証などの観点から、立件できるかどうか微妙であることも知っています。あとはもう、捜査当局に委《ゆだ》ねるしかありません。悪運の強いあなたのこと、また嘘《うそ》八百で逃げ切るかもしれません。自分は被害者のためにも立件を強く望んでいますが、真実を世の中に公表し、あなたの悪事を暴けただけでも満足しています。

真実は一つです。自分が嘘をついているのか、あなたがついているのか。

そこで、少しでも警察の捜査に資することができるよう、自分とあなたで立てた、ほかの殺人計画も明らかにさせていただくこととします。第四、第五、第六の計画……、いったい、いくつ話がもちあがりましたっけ。たしか第四の殺害計画は、倉浪《くらなみ》さん事件の後でしたね。

自分は、平成十二年八月末に宇都宮事件で捕まってしまったので、その後、これらの計画が遂行されたのかどうかは承知していません。

でも、あなたがそう簡単に計画を白紙に戻すとも思えない。もし、ターゲットとされた人たちがその後、不審な死を遂げていたら……〉

県警の事情聴取をうけ、またメディアの反響を知らされ、嬉《うれ》しそうにしていた後藤だったが、私は彼に、別の話を切り出さねばならなかった。後藤が前に言った、「ほかにもまだいろいろあります」といった内容である。

そして、後藤はふたたび語り始めた。詳細を聞いた私は、後藤の報道に沸く都心の喧騒《けんそう》から離れ、神奈川の港町に赴き、さらにそこからもう一度、茨城の北部の街に向かっていた。

駅の改札を出ると、磯のかおりがほのかにした。海からの潮風が鼻腔《びこう》をつく。「不動産ブローカー・岡田毅」は、海がきれいで、魚のうまいことで知られる、相模《さがみ》湾に面したのどかな港町に住んでいた。

自宅を訪ねると、彼は在宅していた。

「なんだ、おおもとの新潮社がとうとうやって来たか。あんたのとこの記事が出て、少し前に朝日新聞が取材に来て大変だぞ。女房は気が気じゃないようで、ビビッちゃってるし」

岡田毅は、とっぽい男に見えた。周辺を取材したところ、彼はたいした人脈の持ち主であることが分かった。その世界では名前を知らないものはいない、ある広域指定暴力団の元会長（故人）の親族のブレーン的存在だった時代もあった。

「俺も驚いてさっそく、『新潮45』を買いに走ったよ。ツテを頼って、後藤の上申書も手に入れた。あんたら、やりすぎだよ。こんなミステリー小説のような話が、本当にあると思うか。よく後藤に乗せられて、これだけ全部書けたもんだ。いやぁ、かっこ良すぎるよ、これじゃあ。悪乗りしすぎだって」

彼は、饒舌《じようぜつ》な男でもあった。

私は、後藤とのやりとりを思い出していた。

「ほかにもまだいろいろある」といった、その内容を問いただすと、後藤は、〝先生〟の提案で練られた殺人計画を語り始めた。その一つが、仲間であった岡田毅をターゲットにしたものだった。内容は概《おおむ》ね、次のとおりだ。

「第四の殺害計画は、『倉浪さん事件』と『カーテン屋殺害』の間にもちあがりました。

実は、『倉浪さん事件』には、後日談があったんです。倉浪さんの土地の売却代金の分け前をめぐって、〝先生〟と、神奈川県にいる不動産ブローカー・岡田毅が、仲間割れしました。

岡田は、倉浪さんという格好のターゲットを見出《みいだ》した功労者でした。彼には二千百万円が配分されたのですが、〝先生〟は三千万円を受け取っています。だから、岡田は自分の報酬が少ないと不満を抱いたのです。

その後、ふたりは激しく揉《も》め、〝先生〟は自分に身辺警護を頼んできました。〝先生〟が暴力団関係者から拳銃《けんじゅう》を二丁調達してきて、その一丁を自分がもらい、ボディガードを務めました。

しかもその後、東京・赤羽西の不動産をめぐるトラブルがあり、二人の関係の悪化は決定的になりました。〝先生〟が所有者に五百五十万円を貸し、担保にとっていた一戸建ての物件を、岡田が、うまく立ち回って〝先生〟の抵当権をはずし、勝手に売却してしまった。

これに腹を立てた〝先生〟が、自分に岡田の殺害を依頼してきたんです。成功すれば、報酬は一千万円でした。実際に、自分は神奈川に車で向かい、岡田の自宅を探しまくりました。ようやく探し当てて、やつの自宅に出向いたとき、岡田は運よく不在で、命拾いしたんですよ」

実行にうつそうとしたが成就《じょうじゅ》しなかった「第四の殺害計画」が、〝先生〟と後藤の間であったわけだ。

この問題については被害者とも言え、一方で倉浪さん事件では共犯ともされている岡田毅は、どう答えるだろうか。

「俺もA（〝先生〟の実名）や後藤に殺されるところだったのかい？　危ない、危ない」

こちらが、「あなたも殺しのターゲットにされていたようです」と伝えると、彼はそう言っておどけてみせた。そして、語りはじめた。

「まず最初に言っておきたいんだけど、俺は、確かにAや、後藤のことはよく知っている。一緒に不動産の仕事をしたこともある。だけど、後藤の上申書の中でな、俺が関わったとされる、倉浪さんの事件。あれについてだけど、もちろん俺はやってないし、倉浪さんというおじいさん自体、全く知らないんだ。

　俺が倉浪さんというじいさんを見つけて、連れてきたというんだろう。なにせ〝功労者〟ときているからね。でも、功労者なら、二千百万円じゃなくて、もっともらってもいいんじゃないか」

　岡田は、余裕の表情だった。

「だから、あなたが取り分が少ないと怒って、もめたというんですよ。もちろん、後藤の証言によればですけど」

「そうきたかい。確かにな、後藤の言っていることも、すべて嘘だとは思わないよ。実際にあったことをベースにして、それに作り話を混ぜているんだ。その作り話の部分が、殺人の話だよ。あんなこと、あるわけないじゃないか。考えたら分かるだろう。あんたら、本当に調子に乗りすぎだよ」

「倉浪さんの話に合うような、埼玉の大宮の土地というのには覚えがありませんか。Aさんやあなたで、そういう大きな不動産を扱ったことはなかったですか」

「思い当たる節はあるよ。俺はやってないけどな。Aがさ、大宮あたりの土地ですごくおいしい仕事をやったというのは、風の便りで聞いたよ。それのことだろう。なにしろ、あんたが確認したように、不動産の登記でそうなっているのがあるんだから、そういう土地はあったんでしょう。でも、俺は関係ないよ」

「あなたとAさんはいつ頃、どういう経緯で知り合ったんですか」

「知り合いの紹介で、一緒に仕事をしたのがキッカケさ。不動産のな、うん。もう十年くらいになるのか。俺もよく茨城に行って、仕事をしたよ。Aとか、彼の仲間なんかと会ってたよ。そしてあるとき、気づいたら、後藤という男が現れていた。ずっとAのそばにくっついていたよ。見るからにヤクザ者、チンピラみたいでな。『先生、先生』って、Aをヨイショして、腰ぎんちゃくのようにくっついていたよ。Aのほうも、仕事でコワモテが必要なときに後藤を利用しようとしたんだろうな。用心棒のようにして、侍《はべ》らせていたからな。そういうことが好きなやつなんだよ。ヤクザ者が好きでさ」

「後藤の話では、あなたとAさんはケンカ別れして、関係が切れたというのですが、それは事実ですか」

「そのとおりだよ。もう何年も会っていない」

「原因は何だったんですか」

「仕事のことさ。それでトラブったんだ」

「どうして、仕事でトラブルになったんですか。お金ですか」

岡田は、その話題にはあまり触れたくなさそうだったが、渋々、認めた。

「そうだよ、金だよ。うん」

急に声のトーンが下がった。その話し方には、後藤証言の中の〝実際にあった部分〟を、大きくしたくないという気持ちがあるように見てとれた。そして、また声の調子をあげた。

「いやぁー、Aのやつはケチなんだよ。金に汚いところがあるんだ。あるとき、一緒に仕事をしたのに、約束の金を払わなかった。それでもめたのさ。それが最後。それっきり、やつとはケンカ別れのままになっている」

「じゃあ、その部分については、後藤さんの言うとおりなんですね」

「うん。でも、勘違いするなよ。トラブルになった仕事というのは、埼玉の大宮の土地や、倉浪さんとかいう人の件じゃないからな。全然、関係ないものだからな」

「それは、東京の赤羽の土地じゃないですか。Aさんが抵当をつけていた、JR赤羽駅近くにある赤羽西二丁目の一戸建て住宅に関し、あなたが勝手に抵当を外して売却し、金に換えてしまった。それで、怒り心頭に発したAさんが後藤にあなたの殺害を依頼したと聞いています」

こいつは余計なことまで知ってやがるな……。岡田の顔に一瞬、困惑の色が浮かんだ。

「いや、それもなぁ、確かにもめたんだよ。でも、Aが不動産につけている抵当権を、俺が勝手に外せるわけがないだろう。Aも了承していたのさ。渋々とはいってもな。だから、俺に印鑑証明とか委任状とか、抵当権を外すための書類一式を渡した。で、俺がそいつを使って、抵当権を解除して、売った。Aも同意のうえさ。でも、Aも内心は、俺に売らせたくなかった。

それで、後藤には、『岡田のヤローが勝手に自分の抵当権を外して、土地を売りやがった。許せねぇ』とこぼしたのさ。でも、そんなこと常識で考えれば、あり得ないじゃない。抵当権者の知らないところで、勝手にできるわけないだろう。Aは嘘つきなんだよ。それなのに、後藤はそれを真に受けたのさ。で、俺にからんできたわけ」

「後藤さんは、Aさんの依頼であなたを殺害しようとし、ここに来たとも証言しています。後藤さんにつけ狙《ねら》われたことはなかったですか」

「あぁ、あったよ。それも事実だよ。後藤から携帯に電話がかかってきて、『おまえを殺すために、今そっちに向かっているからな』と脅されたことがあった。近くで飲んでいるときに、『今、居酒屋で飲んでいるだろう。外で見張っているからな。出てきたら、ぶっ殺してやるからな。覚悟しておけ』と、脅迫されたこともあったよ。ゾッとするだろう。気持ち悪い思いをしたよ。やつは、普通の精神状態じゃなかった。今から考えても、顔つきがおかしかったもん。本当に気味の悪いやつだった。

でも、そうやって脅しておきながら、実際には目の前に現れなかったんだよね。宇都宮の事件で逮捕され、テレビでニュースが流れたときは、『あぁ、あいつだ』と驚いたよ。と同時に、『確かにあいつならやるよ』と納得したもんさ。さいわい、俺は無事だったけどな」

岡田の話をまとめると、〝先生〟らと殺人事件を犯して土地を略奪、転売したという主要部分をのぞけば、他は、ほぼ後藤の証言に沿った事実があったということになるのだ。

ただ、そこから殺人事件に飛躍するには、越えなければいけない峡谷は、あまりに深い気がする。岡田がいうように、「そんなミステリー小説のようなことが現実にあると思うか」と聞かれれば、「あり得ない」というのが一般の反応だろう。

岡田は言葉をつづけた。

「Aはさぁ、ミエッパリで大言壮語するやつなんだ。金の話にしてもそうさ。金をもっていると見せかけるため、一億円の現金や、金塊を撮影した写真をいつも持ち歩いているんだ。俺も、よく見せられたもんさ。

人殺しの話だって、何回も聞かされたよ。『殺してやる』とか、『さらって殺して、山の中に隠せば大丈夫』、『自分は完全犯罪をできるんだ』、『これまでもすでに、完全犯罪をやったことがある』とかも吹いていたな。そういう話をするのが好きなのさ。

でも、実際には口だけだよ。本当は気が小さくて、口先だけの男なんだ。そんな大それたこと、できるやつじゃない。だけど、それを後藤が信じ込んじゃったんだろう。後藤の上申書も、全部、嘘なのではなく、Aのいう大ボラ話を真に受けて、現実と架空の話の区別がつかなくなっているんだよ。だから、ああいう虚実ない交ぜの話になるんだよ」

「でも、そうだとしたら、どうしてAさんはうちの取材にまったく応じず、逃げたのでしょうか。あなたのように、笑いながら、『まいったな、あんな話、真に受けられちゃって』と、取材をうければいいと思うのですが。それに、証言が嘘だとしたら、なぜ強く後藤さんに反論したり、抗議しないのでしょうか」

「単に面倒くさいんじゃないの。それに、後藤に言い返せないというのは、やはりA

にも後ろめたいことがあるんだよ。後藤との関係でね。後藤が言うような〝殺し〟ではないけど、やっぱり何か、後藤に弱みを握られているんだよ。非常にまずい弱みをね」

「それは何だと思われますか」

「うーーん。これは類推だけど、シャブじゃないの、覚せい剤。俺はそう思うね。後藤はシャブをやっていたから、いつも一緒にいたAも関係していないわけがないと思うんだよ。あんたが後藤から聞いたところでも、Aに調達してもらったことがあると言ってるんだろう。後藤のために金を出して買ってやったり、あるいは一緒にやっていたようなこともあり得るんじゃないの。殺人よりも、そっちのほうが全然、現実的だろうよ」

「でも、シャブでそれほどの弱みになりますかね」

「だって、今はシャブも（刑罰が）重いよ。それこそ、何年も食らうだろう。Aにしてみれば、クスリのことを警察にバラされて、逮捕されたら、たまったもんじゃないよ。それこそ人生が台無しになる。

それに、後藤が捕まった宇都宮の事件は、やつが被害者の女に高濃度の覚せい剤を射って死なせているだろう。そのシャブの入手先がAだとしたらどうする？　後藤がそれに使うと知っていたかどうかは別にしても、結果責任は重大だ。これを暴露されたら、Aは大変なことになるだろう。ヘタをすれば、共犯で挙げられるかもしれない。だから、やつは後藤をおそれて、これだけのことをされながらも、強く出られないんじゃないか」

この推理には、一理あった。彼は、こうも言った。

「あのなぁ、ひとつおかしいところがあるだろう、後藤の話には。不動産を転売する前に倉浪さんを生き埋めにしたという。俺もその穴ほりを手伝ったことになっているようだけど、もし俺が一枚かむとしたら、そんなことしないね。わざわざ殺さなくても、倉浪さんを、言うことを聞くように手なずけておけばいいじゃないか。不動産は売って、安いアパートに住まわせて、必要に応じて小遣いをやればいい。土地をとられたことにも気づかず、とても感謝されるよ。

そうやって、人知れず老人の資産を食い物にしているブローカー連中をいっぱい知っているよ。

もし、どうしても倉浪さんがジャマで殺すのなら、不動産を売った後にするだろう。俺が犯人だとしたら、そうするね。推理小説とかミステリーでもだいたいそうじゃない。なんで、途中で殺すの。殺《や》っちゃった後に、どうしても本人が必要になったら、どうするの。そのへんも、後藤の話はおかしいよ」

岡田毅は、本当に饒舌な男だった。彼が実際に共犯だとしたら、話をするうちにボロを出すタイプだろう。警察が突破口として狙うには、いい存在ではないか。

さらに、彼はこう話した。

「三件目の〝カーテン屋〟の件な。あれは、実際にAはやったと思うぞ。やつならやりかねない。あれだけだな、現実味があるのは。

身寄りのないじいさんや、土地を持っているだらしない人間、生命保険に入っている死にぞこないを見つけてきては酒に溺《おぼ》れさせ、面倒を見てやり、小金を貸してやる。最後には、土地や預金通帳などを手に入れ、土地は転売する。このやり口は、あいつが最も得意とする常套《じょうとう》手段なんだ。二、三百万の金で数千万円の土地を手に入れる錬金術だ。

あんたらには分からんだろうけど、Aのように、そういう人物を見つけてくる専門家がいるんだよ。あとは、必要書類をいくらでも偽造できる専門家が活躍する。情報ブローカーに偽造屋、不動産ブローカーがチームを組んで仕事をする。そういう世界が、現実にあるんだよ」

彼は、現実味がある話として三件目について説明してくれたが、これはそっくり、二件目の倉浪さんの事件にもあてはまるものではないか。

岡田は最初、不動産以外に手がけている現在の自分の仕事を喋《しゃべ》りたがらなかったが、そのうち、「横浜市内で老人介護関連のビジネスを展開している」と話した。しかし、さらに具体的に聞き出そうとすると、まずいことを言ってしまったというような顔をして、口をつぐんだ。

これがポイントだろうか。少なくとも彼が、身寄りがなく、悪意をもった輩《やから》にとって都合のよい、倉浪さんのような老人を見出《みいだ》し、親しくなる環境は整っていたのだ。

実は、私が岡田と接触した約一ヶ月後、彼は警察に逮捕されることになった。本人が特定されないよう、容疑など詳細は割愛するが、しかし、逮捕したのは茨城県警ではなく、別の県警だった。

情報は入り乱れ、錯綜《さくそう》した。当初は、警察庁主導のもと、〝先生〟関連の捜査のカムフラージュとして別の県警に岡田の身柄をとらせた、茨城県警がそこへ出張り、話を聞くのではないか、といった憶測も流れた。岡田が逮捕された事案は、それによって動いた金額が小額だったため、あきらかに別件ではないかという見方に拍車がかかったのだ。

しかし、実際には、この逮捕は茨城県警の捜査とは関係ないものだったようだ。彼は、かなり前から、その県警に内偵されていたらしい。

このドタバタの中で、私は、岡田が洩《も》らしたという、こんな言葉を聞いた。彼がマスコミに追いかけられたり、警察に逮捕される過程で、関係者に語った言葉だ。

それは、実に意味深な響きをもっていた。

「倉浪さんは最初からいなかったんだ。これだけは間違いない。

チルチルミチルだよ。年格好の似た老人なんていくらでもいるさ。公園に行って、『フロに入れてやる、パンを買ってやる、アパートを借りてやる』といえば喜んでついてきて、何でも言うことを聞くルンペンたちがさ。そいつらをこぎれいにしてやって、倉浪さんになりすませれば、実印も作れるし、印鑑証明も住民票だってとれる。使い捨てのおっさんをそいつに仕立て上げれば、本人は必要ないというわけだ。そうすれば、土地は簡単に転がせるのさ。俺たちのビジネスの世界では常識だ。チルチルミチル……使い捨ての百円ライターだよ」

どう聞いても、「倉浪さんの事件が実在した」ことを前提にした言葉としか思えなかった。

　これは、「倉浪篤二さん殺害・不動産略奪転売事件」疑惑のキーマンのひとりが示《し》唆《さ》した〝自白〟の類《たぐい》なのだろうか。

「いいか、よく聞けよ。倉浪さんは本当に最初からいなかったんだよ」

第十章　消せない死臭

〈その家は、小さな川を見下ろす橋のたもとの傾斜地に危うげに建っていた。日中は、近くのテニスコートから聞こえてくる子供たちの声で騒がしいが、夜になると、人通りも絶え、異様な静けさに包まれる。

暗がりに下りていき、玄関に近づいても、灯りがなく、足元がおぼつかない。ライターの火を目の前にかざすと、漆黒の闇《やみ》の中から、古びた家屋の全景が浮かび上がった。

六十歳くらいの男性は、床に寝たきりに近い状態で臥《ふ》せっていた。病弱のせいか、年以上に老《ふ》け込み、もう老人に見えた。髪とヒゲは伸び放題で顔は土気色をしていた。

その近くを興奮したように、飼い犬が走り回っていた。

朴訥《ぼくとつ》な茨城弁で、その男性に、優しげに体の調子を尋ねる〝先生〟。男性は〝先生〟に全幅の信頼を寄せているようだった。

しかし、〝先生〟と自分の本当の目的は、男性の様子を観察し、衰弱ぶりを冷徹にはかることだ。それによって、今後どうやって、男性を病死か自殺に見せかけ、死に至らしめることができるか、考えなければならなかった。

男性の家を出ると、〝先生〟は言った。

「家族が、『一日も早くよろしくお願いします』だって。哀れな男だ。良次くん。今回も手伝ってくれるよな」

その男性は、生命保険に入っていた。受取人は当然ながら、家族だった。

しかし、〝先生〟の目は笑っていた。その手には、なぜか、保険金が振り込まれる家族名義の口座の預金通帳が握られていた――〉

岡田毅を狙《ねら》った事件につづいて計画された「第五の殺人計画」における、後藤の述懐である。

この事件は、概《おおむ》ね次のような内容だった。

標的とされたのは、茨城県某市の川べりにある二階建ての貸家に住んでいた男性。家族とは別居しており、柴犬《しば》と一緒に暮らしていた。

後藤には、〝先生〟と彼との関係は詳しく分からなかったが、その家の家賃は〝先生〟が払っていて、生活費も出していると、本人から聞いたという。後藤は、〝先生〟とともに、平成十二年の六月、七月、八月と、この貸家に赴いた。

「自分は〝先生〟から男性殺害の協力を頼まれました。〝先生〟の話を信じ、家族が協力するなら、犯行がバレることはないと思い、即答しました。

『手伝います。でも、あれは放っておいても、もう時間の問題ですよね』

しかし、その後、借金まみれの〝カーテン屋〟をアルコールで殺すことに専念したため、この男性は後回しになりました。そして、自分は逮捕されてしまったので、この件が実際、実行に移されたのかは分かりません。

ただ、〝先生〟がそう簡単に、金になる仕事を諦《あきら》めるとも思えません。そちらで調べていただき、男性が不審な死を遂げていたら、〝先生〟の関与を疑ってください。

この件も、〝カーテン屋〟同様、保険金が目当てでした。〝先生〟は保険金の受取人にはなれないのに、どういう手を使ったのか、保険金が振り込まれる家族名義の銀行口座の通帳と印鑑を押さえ、管理していたのです」

平成十七年十月二四日早朝。

朝の冷え込みが徐々に厳しくなり、辛《つら》い冬の寒さを思い起こさせた。

新聞配達人は、数日前からある疑念を抱いていた。橋の側道をおり、その家の玄関に近づく。

〈やっぱり、まだ留守なのか。それとも……〉

十月四日付の朝刊から、家人は新聞を取り込んでいなかった。新聞は溜《た》まりにたまってポストに入りきらず、ドアの前の地面に置くしかなかった。

頭をもたげた彼の疑念の原因は、鼻腔《びこう》をつく匂《にお》いだった。何日か前まではかすかなものだったが、今では、家から少し離れた場所でも嗅《か》ぎとれるぐらいになっていた。玄関の扉にそっと近づく。もはやそれは、匂いというよりも激しい腐敗臭となっていた。後ずさりした新聞配達人は、踵《きびす》を返すと、思わず駆け出していた。

通報を受けた警察は数時間後、家の中に踏み込んだ。部屋の中には、強烈な刺激臭が充満していた。男性はパジャマ姿のまま、腐乱死体で発見された。その遺体の横で、唯一《ゆいいつ》の〝同居人〟は生きていた。柴犬は、警察官に向かって吠《ほ》えつづけていた。

これは、新たな展開の序章なのだろうか。

男性は死んでいた。後藤が私に語った、殺人リストの五番目に名をつらねていたターゲットである。

〝先生〟が狙っていたこの男性について、不審な死を遂げたりしていないか調べてもらいたい、と後藤が言ったのは、こういうわけだった。

「そちらの記事がでてから、茨城県警が〝先生〟の周辺を調べていますが、県警によると、上申書の三人以外にも、〝先生〟のまわりで何人も死んでるそうです。不審死、変死だそうですよ」

私はこの話を聞き、すぐにこの男性の調査に着手した。そうしたところ、前記の事実を知ったのである。しかもそれは、過去に起こったことではなく、〝先生〟への長期の取材をはじめ、記事を発信し、さらなる続報を準備していた最中の出来事だった。

驚愕《きょうがく》の展開に、私は身震いが止まらなかった。

我々取材班が本件で〝先生〟に取材を申し入れたのは、平成十七年十月上旬。この時点まで、〝先生〟は我々の動きに気づいていなかった。

男性が死亡した日付は、確定こそできないが、それより以前で、少なくとも十月四日までは遡《さかのぼ》ることができる。果たして、この変死に〝先生〟は、何がしかの関与をしているのだろうか。

茨城県警の捜査関係者が語る。

「そちらの通報を受けて以降、Ａ（〝先生〟）がらみで、上申書にあった三件以外の事案も内偵してきました。その一つがこの件なんです。

男性は死亡時、六十四歳。Aの関係者であることに気づかないまま、すでに遺体は茶毘《だび》にふされてしまっています。ただ、不審死でしたので、ある程度の調べはしています。死体は死後、相当期間が経《た》っていた。死因は、栄養失調による衰弱死として処理されました。つまり、餓死です。

あとは、男性が窮状にあるにもかかわらず、それを知っていた人間が意図的に放置し、餓死に至らしめたかどうかがポイントになります」

不審な死を遂げた男性は、どういう人物だったのか。

「もとは、地元の優良企業に勤めるサラリーマン。子供もいて、仲の良い家族でした。社宅住まいだったが、十数年前に念願のマイホームを手に入れました。でも、ご主人がその直後にリストラにあい、人生設計が狂ってしまった。数年のうちにローンを支払うのが厳しくなり、サラ金などによる借金漬けになった。最後は泣く泣く、マイホームを手放すことになったんです。

そして、八〜九年前に、今の川沿いの貸家に越した。気の毒に奥さんなんて、昔の社宅近くの知り合いを回り、お金を借りていたそうです。それでも、ご主人はパチンコが好きで、ほとんど働かない。愛想をつかした奥さんが離婚を申し入れ、ご

主人は家族にも見捨てられてしまったんです。最後は、その借家で独居老人状態でした」（近所の住人）

確かに、男性が失ったマイホームの不動産登記を調べると、そこには複数の消費者金融の抵当権がつけられていた。

しかしここで、男性の窮状を救うかのように登場したのが、〝先生〟だった。男性の子供の知人が〝先生〟の関係者だったことから、ふたりは知り合ったという。

「男性のために、貸家を見つけてきたのがAだった。契約の際、連帯保証人にもなっています。男性は月数万円の年金生活で、当初はそれを家賃にあてるはずでしたが、その金すらもパチンコや他のことに使ってしまった。ですから、すぐに家賃を滞納しはじめました。それをAが立て替えたり、生活費を出してやったこともあった。また、食料を持ち込んでやることもあったようです」（前出・捜査関係者）

どうして〝先生〟は保証人になり、家賃の立て替えや、生活の援助まで行っていたのか。困った知人を放っておけない気質なのか、それとも後藤が言うように、保険金を見越した先行投資なのか。私は男性の娘に話を聞いた。

「Aさんは、父に食べ物を届けてくれたりしていました。私たち家族が見捨てたというのに、赤の他人が、どうしてここまで父によくしてくれるのか不思議なくらいで、本当に感謝しています。私たち家族が、Aさんに何か依頼したり、逆に彼から変な話を持ちかけられたことは一切ありません。そもそも、父は生命保険に入っていたんですか？ 昔、本人が入っていると言っていたのを聞いたような気もしますが、それがどうなったかは分かりません」

また、家族名義の預金通帳を〝先生〟に預けたこともないという。それでは、〝先生〟が「家族も承知している」と後藤に語ったのは、後藤を安心させ、犯行に協力させるためだったのか。

後藤の上申書では、〝先生〟と親しく、〝カーテン屋〟事件の事情を知っていた疑惑がある人物として、銀行関係者の名前が挙げられていた。仮に金融機関に特別なコネクションがあれば、男性の家族名義の銀行口座を勝手に作ることも可能だったかもしれない。

ちなみに、餓死した男性が住む川沿いの借家を〝先生〟が斡旋《あっせん》できたのも、この銀行関係者の意向を受けた銀行からの紹介だったために、信用があったからだ。

そして調べていくうちに、〝先生〟が善意だけで、身銭を切り、餓死した男性の面倒をみていたわけではないということが判明した。

というのも、男性のマイホームが売却される前、整理屋である〝先生〟は、ちゃっかりこの処分に介入し、それ相応の報酬を得ていたというからだ。

しかも、警察関係者によれば、川沿いの借家の家賃の滞納は約二百四十万円にものぼっており、当然、法律上も連帯保証人がかぶらなければならない。が、〝先生〟は残された家族には、

「大家がなんと言ってきても、相手にしなくていい。家賃の滞納分については、あんたらが心配する必要はないんだ。私が手を打ってあるので、大丈夫だから」

といいながら、かたや仲介業者の催促には、のらりくらりとかわして逃げつづけ、結局、腹を痛めずに踏み倒しているのである。

事の真相は藪《やぶ》の中だが、いずれにせよ、この餓死した男性が〝先生〟や後藤が関わった人物の中で、最新にして最後の死亡者だった。

ほかに、次のようなケースも後藤の証言で明らかになった。

その男性は、茨城県日立市内の数ヶ所に広大な土地を所有する資産家だった。先祖伝来受け継いできた財産である。彼の家は代々、兼業農家をしており、男性も地元の有名企業に勤めていた。彼の代になり、遊休状態の土地に大きなマンションやアパートなどを何棟も作った。

しかし、あるとき、投資話を持ち込んできた詐欺師《さぎし》にひっかかってしまった。つぎからつぎへと資金投下や赤字の補塡《ほてん》を求められ、男性は不動産を切り売りするハメになった。周囲がいさめても、プライドが高く、聞く耳を持たない。気がついたときには、マンションもアパートも土地も失い、残ったのは自宅だけになっていた。

「もう、どうにもなりませんでした。そんなとき、どこで知り合ったのか、Aさんと付き合うようになりました。一緒に出かけたりもしていましたね」

と語るのは、この男性の妻である。彼は、〝先生〟の水戸の事務所にも、〝カーテン屋〟が転がり込む以前に、一時期、居住していたこともあった。

「お父さん（亭主）は、私にも内緒で借金をあちこちにしており、Aさんからも少し借りていたと思います。私は、Aさんがどういう人なのかまったく分かりませんが、腰の低い、いい人に見えました」

おそらく資産家であるという情報から、〝先生〟はこの男性に近づいたのだろう。だから、金に困っているのを見て、五百万円ほどの貸付を行ったとされる。しかし、当初の目論見《もくろみ》とちがい、すでに不動産の大半は処分された後で、整理屋として腕をふるう機会はほとんどなかったようだ。それでも、〝先生〟は、男性に残された、自宅に隣接する更地に目をつけた。

貸した五百万円の担保としてとったこの土地を、知人の男性に約千四百万円で売却した。本来なら仲介手数料だけをとるところが、他人の土地の売却代金の全額が〝先生〟の懐《ふところ》に転がり込んでいる。ここでも、彼は損することなく、見事に一千万円近いサヤを稼いだのだ。

その後の平成十三年五月、この男性は急死した。自宅で変調をきたし、近くに居る実姉が病院に連れていった。緊急入院したが、容態が急変し、その日のうちに、なにごともなかったかのように回復した。しかし、翌日、死亡したのである。病院の説明では、入院後に脳卒中を起こしたということだった。

驚いたことに、妻は自宅に隣接した土地が、すでに他人に売られていることを知らなかった。

「エッ！　本当に隣の空き地も売られてしまったんですか。そこは庭先だから、自宅の一部のように思っていました。お父さんはそこまでも、私の知らないうちに売ってたんですね。私は不動産登記なんて全然見ないから、分からないんです。お父さんにまかせっきりでしたからね。でも、失ってしまったものは、今さらああだ、こうだと言っても仕方ありませんから……」

こんなあんばいだから、〝先生〟のやりたい放題だったようだ。妻はもう、なにがあっても驚かないし、すべてを諦《あきら》めたような様子だった。

「Aさんとの関係について、話を聴きたいと、警察の方が一度、来られましたよ。でも、うちの主人の死に不審なところはありません。病院で亡《な》くなっているんですから」

確かに、この男性のケースでは、〝先生〟は当初、思っていたほどの仕事はできなかったのだろう。しかし、茨城県警は〝先生〟の周辺捜査の一環で、ここまで手を伸ばしていたのだ。

警察が後藤に言ったように、ほかにも、〝先生〟のまわりでは、不審な死がいくつもあった。『新潮45』の記事が出るや、それらの件についても、いろいろな情報が駆け巡った。

たとえば、〝先生〟と一緒に土地の開発事業に取り組んでいた設計会社の幹部。その人物は、その仕事を進めている最中、自分の車にマフラーとつないだホースを引き込み、排ガス自殺を遂げていた。

「その土地開発というのが、まさに『新潮45』が、倉浪《くらなみ》さんの遺体が埋められているんじゃないか、と書いた北茨城の土地のことさ。当初はA（〝先生〟）もやる気満々で、平成十一年ころには、開発の申請も出していたんですよ。なにしろ、六千坪近くあるから、何十区画にも分け、宅地として分譲しようという計画だった。ところが、急にやつが消極的になったんだ。そして、いつしか話が立ち消えさ。今から考えたら、遺体を埋めたから、やめようと思ったのかもしんねえな。造成で掘り返している最中に骨でも出ちゃったら、大変だろう。自殺したのは、その事業計画で図面を書く予定だった設計屋ですよ。三〜四年前のことです」（地元の不動産業者）

自殺した幹部が、〝先生〟から借金をしており、仕事の計画段階で、ふたりがトラブルになっていたという情報もあるが、真相は定かではない。

また、茨城県南部の町で居酒屋風のスナックを経営していたママのケースも出てきた。

彼女は借金苦におちいっていた。例の藤田幸夫の母親など、債権者から、そのキリトリ（借金取り立て）を請け負っていたのが〝先生〟だった。〝先生〟の手のものに激しいオイコミをかけられていたママは、平成十一年十二月頃、入水《じゆすい》自殺に追い込まれたというのだ。生命保険で借金が清算されたかどうかは判然としない。

いずれにせよ、〝先生〟の周辺には常に死の匂いが立ち込めている。

倉浪さんが埋められていた疑いが強い北茨城市内の空き地

後藤がつづける。

「ほぼ同時期に、他にも殺人計画がありました。

東京都内のパチンコ業者が、億単位の借金まみれになってしまった。ここに〝先生〟の関係者がお金を貸していて、その回収のため、この業者の保険金に目をつけたんです。

自分も〝先生〟とともに、そのパチンコ屋に何度か行っています。都内有数の繁華街から各駅停車の電車に乗って、三つ目くらいの駅界隈《かいわい》にありました。

店舗や自宅が入っている自社ビルは、銀行などがばんばん抵当をうっていて、権利関係が複雑になっていました。我々がおこぼれにあずかれるようなものはない。でも、創業者の息子と会って、貸し金のキリトリでいたぶっているうちに、死亡時数千万円の生命保険に入っていることがわかりました。そのパチンコ業者は、すでに八十歳近い老齢で、健康も損ねていました。

これしかないか——。

〝先生〟と自分の共通認識でした。その五階建ての自社ビルを出た後、〝先生〟は屋上を見上げて言いました。まるで独り言のようにね。

『じいさんなら、この高さで充分だよな。あそこから飛び降りてくれれば、確実に死ぬよね』

そして、自分を見て言ったんです。

『良次くん、今は仕事が立て込んでるけど、一段落ついたら、これも片づけないとな。この仕事でも働いてもらうからね』

自分はもちろん、一も二もなく同意しました。しかし、これも先ほどと同様、自分が別の事件で捕まってしまったため、実行には移しておらず、その後、どうなったかは分かりません」

結果的には、この件は実行には移されていなかった。「カーテン屋殺し」で多忙を極めていたため、第五の殺人計画同様、手がけるヒマがなかったようだ。命を狙《ねら》われかけた創業者は現在、老人介護の施設に入っている。

まだある。次のような殺人未遂の話を解説するのは、娑婆《しゃば》にいる後藤の舎弟のひとりだ。

「あなたが、後藤の兄貴のためにいろいろ骨を折ってくれたことに感謝しています。私は今、兄貴と〝先生〟の両方と話ができる、唯一の存在でしょう。〝先生〟とも仲良くしてきましたから。この前も、夜中、酔っ払った〝先生〟から電話があり、『新潮の記事とかですべての絵を描いているのは君だろう。つぎはどういう展開になるんだ？』と訊《き》かれました。〝先生〟も、尻《しり》に火がついている感じですね」

そういって笑った男は、小野塚博敏や鎌田仁といった舎弟と同様、後藤が宇都宮に〝遠征〟し、事件を起こす直前まで行動をともにしていた。しかし、子供が生まれ、急遽《きゅうきょ》、自宅に戻ったため、幸いにも事件の共犯にならずにすんだのである。

その後、この舎弟は後藤を見捨てず、面会して差し入れをつづけたり、弁護運動のために金策に走ったり、なにかと兄貴分のために献身的に動いていた。そして、本人が言ったとおり、〝先生〟とも話ができる関係がつづいていた。確かに、後藤と〝先生〟の関係について熟知している貴重な証言者である。

「〝先生〞は茨城県内で、ヤクザ関係の家や事務所のリフォームや、内装の仕事を手広く請け負っていました。そこから派生したのが、今回、後藤の兄貴が覚悟を決めて告発し、問題になっている土地や保険の商売です。『土地つきでボケている年寄り』『家族から見放されたリストラ対象者』。こうした連中を食い物にしはじめたのが、兄貴が上申書で指摘した疑惑が行われた頃です。どれもこれも酒好きの人間ばかりで、〝先生〞は、『監禁して、酒だけ差し入れしていれば、勝手に死んでくれるから楽だよ』と、よく話していました」

彼は、前述した日立市の元資産家男性についても知っていた。

「そいつは〝先生〞の水戸の事務所に住み込みでいたおじいさんですよ。庭いじりなんかの雑用をやっていた。しかし、あるとき、プッツリいなくなったんです。たしか〝先生〞の会社の名刺ももたされていましたよ。これもアル中の糖尿だった」

彼は、後藤の弁護活動のために〝先生〞にも資金協力を求めたが、うまくいかなかったという。

「私としては、兄貴に、最高裁まで争って死刑にならないように闘ってほしかった。最高裁がダメなら、再審請求だってしようと思っていた。そのために弁護士も探していたんです。再審のお金が必要で、〝先生〞に〝五百万円貸してほしい〞と頼みにもいきました。だからこそ、余罪事件のことは前から聞かされていたけど、公表するのは思いとどまるよう、ずっと反対してきたんです。出したら、確実に死刑になりますから。でも、今回、〝先生〟への報復のために、どうしても事件を表に出したいという兄貴の意向があまりに強くて、こうなった。あれ以上は反対できませんでした。兄貴の望みだから、しょうがありません。

〝先生〟と兄貴のふたりは、本当に仲が良かったんですよ。〝先生〟に金があって、兄貴に約束どおりしてあげていれば、こんなふうに関係が決裂することはなかった。でも、〝先生〟も今、本当に金につまっていて、困っているんです。あれば、兄貴に支援していたと思いますよ。

実際に前は、金があれば、まわしてくれましたから。会うたびに、私なんかにだって十万円くらい小遣いをくれていた。

〝先生〟と最後に話したのは、平成十七年の十月はじめころですが、『今は本当にないから、まわせないんだ』と言っていました。そういえば、そのとき、『作業中の仕事があって、来月になれば、まとまった金が入る』とも言っていました。で、俺は、『また、どっかで糖尿の人が死ぬのかな』と思ったんですよ」

今回、この舎弟とコンタクトをとったのは、彼と後藤と〝先生〟との間で、今まで隠していた秘密の計画があり、それを話してもらえることになったからだ。

「協力してあげられるなら、新潮にすべてを話してやってほしい」

との後藤の要請をうけ、彼は話す気になってくれた。


この秘密の計画に関する後藤の事前の説明は、次のようなものだった。

「平成十一年。年の瀬の迫ったころ、〝先生〟からこういう話を聞かされました。『(群馬県の)高崎で、スナックを経営しているママがいる。このママの長年の愛人で、資産家のおっさんがいる。ずいぶんママを大事にして、家族がなかったことから、遺言を書き、資産の大半をこの女性に譲る、としていた。女に身の回りの世話もしてもらっていたので、それだけ絆《きずな》も感じていたのだろう。

そうしたところ、タイミングよく、最近、このおっさんが新潟県に釣りに出かけ、川で事故にあって死んだんだ。いくつかあったマンションやコーポなどの不動産を、このママが遺言でもらっている。この女をうまく殺して、資産を乗っ取れないだろうか』——。

いつも、〝先生〟が、どこからそんな情報をとってくるのか不思議だけど、このときは、話に乗るのを断りました。自分は自分の中で、女、子供は殺さないという最低限のルールを作っており、この信条を守っていますから。

でも、〝先生〟は『このまま女においしい思いをさせておくのはもったいない。彼女が資産を金に換える前に何とかしたい』と執着しました。高崎にいる舎弟が頭に浮かんだので、土地勘もあるし、役に立つだろうと思い、〝先生〟の相談に乗ってやってほしいと頼み、紹介したんです。そのあと、この件がどうなったか自分は知りませんので、その舎弟に聞いてみてください」

そこで、この舎弟とコンタクトをとったわけである。

「私は〝先生〟と、その仲間の男と一緒に、そのママが住むマンションに張り込みました。四十代半ばのハデな女でしたね。ベンツに乗っていて、〝先生〟は『あのトランクに、いつも一千万円の現金を積んでいるんだ』と言っていました。彼女が男から贈られたコーポも下見に行きましたよ。〝先生〟は死んだ男に二千万円の債権があったとかで、『回収のためにコーポはいただく。ベンツも利子の足しに持っていくから、君が乗ったらどうだ。女がぐだぐだ言ったら、犯《や》っちまって、自分の女にすればいい。それでもうるさいようなら、最後は殺しちまおう』と意気軒昂《けんこう》でした」

しばらくこの張り込み、尾行がつづけられた。彼らは女の周辺も洗った。計画はいつ実行に移されるのか？　女がはむかった場合、彼女を亡きものにする具体的なやり口は？　そしてその後、どうやって資産を乗っ取るのか？　舎弟は緊張感を抱きながら、その時を待ったという。

「ところが、いつまで待っても、ラチがあかないんです。〝先生〟はだらだらと張り込みをつづけるだけで、実行を決断しませんでした。『俺は土地勘があるし、後藤の兄貴から頼まれたから、もろもろのサポートはするけど、実行は勘弁してもらいますよ』と、言ってありました。

どうやら彼は、自分が手荒なマネをする度胸まではないんですね。後藤の兄貴がいれば、兄貴に荒っぽいことをやらせられたので、計画を実行に移せたのでしょう。でも、本人は自分の手を血で汚したくないから、いつまでたっても踏ん切りがつかないんですよ。

私もこれでも忙しい身でしたから、いつまでも付き合ってられません。〝先生〟も同時並行で、他にいくつも仕事をやっているようでした。そしていつしか、この話は自然消滅してしまったんです。その後、そのママがどうなったか知りませんが、後藤の兄貴のためになるなら、この件でいくらでも警察に協力しますよ」

計画実行の時は、ついに訪れなかったのだ。

確かにその女性は、愛人の男性から、高崎市内にある二つのビルやコーポなどを、棟ごと贈られていた。不動産の謄本《とうほん》によれば、平成十一年の夏に男性が死亡したのを受け、同年秋に、ふたつの物件を遺贈され、翌年には不動産業者に売却していた。

この資産のせいで、命を狙われるハメになった女。自分の周辺に〝悪意〟が忍び寄り、身に危険が迫っていたことなど露ほども知らない彼女は、今日も店に出て、厚い化粧に覆《おお》われた笑顔で、男たちに愛想をふりまいている。

疑惑が増えすぎ、話が複雑になってきた。ここで、〝先生〟や後藤が起こしたとする疑惑や、計画を立てたとする案件につき、整理しておこう。

【〝先生〟の依頼で後藤がかかわったとされるケース】

①大塚某殺人・死体遺棄疑惑——偶発的、突発的に生じたとされる最初の事件。いまだに、被害者とされる人物の身元は判然としない。

②倉浪篤《あつじ》二さん殺害・不動産略奪転売疑惑——〝先生〟や後藤らによって、はじめて計画的に行われ、成功したとされる事案。

③「カーテン屋」保険金殺害疑惑――茨城県警が疑惑の本丸として、ターゲットにすえている事案。完全犯罪に見えるが、現在、捜査当局は立件を目指して、懸命の捜査を展開している。

【〝先生〟が後藤に殺害計画を相談。その後、ターゲットが死亡しているケース】

④独居老人変死事案――茨城県某市の川べりの貸家に住む男性。リストラされ、多額の借金を重ね、家族からも見放される。〝先生〟が借金を整理し、自宅も売却。男性を死亡させて保険金をとることを計画し、後藤に相談していた。後藤の逮捕で経過は定かではないが、男性は平成十七年十月に死亡。餓死したものとみられる。

【後藤が〝先生〟から殺害を相談されたが、計画段階で頓挫《とんざ》したケース】

⑤「不動産ブローカー・岡田毅」殺害計画――倉浪さん事件の報酬をめぐって、〝先生〟と岡田の関係に亀裂《きれつ》が入る。〝先生〟は、後藤に岡田の殺害を依頼。報酬は一千万円。後藤は実際に、岡田の自宅を探しあてたが、本人が不在で殺害を断念。この話は立ち消えになった。

⑥パチンコ業者殺害・保険金詐取計画――東京都内の老舗《しにせ》パチンコ業者がターゲット。〝先生〟は、殺害して生命保険金を狙うことを画策。後藤に相談していたが、同時に進行していた〝カーテン屋〟の殺害計画で忙しく、その後、後藤が逮捕されたため、計画は頓挫した。

⑦高崎市のスナックママ殺害計画――高崎市内の資産家から資産を譲りうけたスナックのママがいた。この情報を入手した〝先生〟は、彼女を殺して、資産を奪う計画を立て、後藤に相談。後藤が舎弟を紹介し、現地を案内させたりしたが、計画は実行されなかった。

【その他のケース（死亡者が出ているもの）】

⑧スナックママ自殺追い込み疑惑――茨城県南部にある居酒屋風スナックのママが多額の借金をしていた。キリトリを請け負った〝先生〟が、人を使って激しい追い込みをかけた結果、ママは入水自殺をとげたとされる。

⑨設計会社幹部排ガス自殺――〝先生〟の依頼で、北茨城の土地（倉浪さんを生き埋めにしたとされる場所）の開発分譲計画にかかわっていた人物が、車の中で排ガス自殺をとげた。

⑩日立市の資産家男性——日立市南部の町に土地やマンション、アパートなどをもつ大地主。詐欺師《さぎし》にダマされ、ほとんどの不動産を手放したが、一部残された土地を〝先生〟が確認し、彼に接近、一時期は自分の事務所に住み込ませた。〝先生〟は、数百万の融資をタテに、その土地の権利書を入手。売却して一千万円ちかい利ザヤを得、男性を自宅に帰した。その後、男性は自宅で変調をきたし、翌日、病院で急死。

⑪「藤田幸夫」自殺追い込み疑惑——〝先生〟は、藤田家が所有していた不動産を売却処分。しばらく自分の事務所に藤田幸夫を起居させ、面倒をみていたが、必要がなくなったことから放り出そうとし、生活能力のなかった藤田は自ら縊《い》死《し》をとげた。

【その他のケース（計画が中止されたもの）】

⑫「藤田幸夫」の母親——造園業を営む地主一族だったが、夫の死後、借金を重ねた。〝先生〟は、自宅などの土地を整理した後、安アパートに住まわせ、酒びたりの日々を送らせる。保険金までしゃぶろうとしたが、なかなか死亡しないため、面倒をみるのをやめたという。

どす黒く血ぬられた疑惑の数々……。狙われたのは、孤独な老人や破綻《はたん》した元資産家、会社経営者などが目立つ。

いくつかのケースでは、〝先生〟が困った人たちを助ける、ボランティア精神にあふれた人物であるようにも見てとれる。その姿は、「相手を軟禁状態で酒漬けにして、死をまつハゲワシ」や、「インチキな資産処分が発覚しないよう、アフターケアに余念のない詐欺師」という、後藤の主張するイメージとは対極をなしている。

ふたつの顔を表裏一体であわせもち、相手や時宜に応じ、巧みに使い分けている〝先生〟。しかし、彼の周りには、死臭ただようケースがあまりに多発していて、生々しい。

第十一章　闇《やみ》に射《さ》しこむ光

計約二百六十日、のべ六十人以上にわたる取材を行っていくうちに、私は、このように考えるようになった。

――〝先生〟は、整理屋の嗅覚《きゅうかく》を活《い》かし、金の匂《にお》いのする人生の破綻者を見つけ出す。

狙《ねら》いは、処分が可能な状態であれば不動産であり、それが残されていなければ、保険金だ。周辺を精査し、親族とも話をして安心させる。そして、破綻者を金に換える環境を整える。

しかし、〝先生〟自身には、実際に人を殺すだけの腕力も度胸もない。安全な場所に安閑として居られるよう、自分のために汚れ仕事に手を染めてくれる〝道具〟が必要だ。卑劣で狡猾《こうかつ》な首謀者が、常にそうであるように。

そこに後藤が登場した。人を殺すことなど何とも思っていない、格好のアウトローだ。しかも、殺人の経験者である。

このふたりの邂逅《かいこう》は、犯罪を醸成するうえで、画期的な核融合を遂げた。これだけ強烈で危険な化学反応はあるまい。被害者にすれば、数少ない確率で生じてしまった禍《わざわい》である。

実行力と非情さをあわせもつ後藤という男を得た〝先生〟。異種の凶悪性を持つふたりはベスト・パートナーとなり、暴走機関車の両輪のように激しく回転し、次々と大胆で凶暴な事件を遂行した。後藤は殺人マシーンと化して、〝先生〟に忠誠を尽くし、〝先生〟のために働いた。

しかし、あるとき、予想に反して、その片輪がはじけ飛んだ。後藤が別の事件で逮捕されてしまったのである。

後藤という〝人間凶器〟を失った〝先生〟。その瞬間、人の死を錬金術のように金に換えた犯罪チームは解散を余儀なくされ、完遂途上だった他の計画は、すべて頓挫《とんざ》し、白紙に返った。〝先生〟はこの種の仕事から撤収し、後藤と出会う前の、普通の不動産ブローカーに戻った。

そして逆に、〝先生〟はそれまでのツケを払わされることになる。〝人間凶器〟として使った後藤の逆襲への対応に追われるのである――。

後藤は、特殊ガラスのしきり板の向こうでこう言った。

それは、警察への奮闘努力の懇請であり、社会への静かな呼びかけのようでもあった。


「上申書の三件以外については、自分という凶器を失ったことで、〝先生〟は実行に移さなかったのかもしれません。でも、彼には他にもヤクザ者の知人がいた。そうした連中が、自分の代わりを果たしている可能性がないともいえないのです。

あなたは半信半疑かもしれませんが、金に困って、言うことをなんでも聞く中途半《はん》端《ぱ》なヤクザ者が、予備軍として控えている。いくらでも替えがいるとしたら……。

ここは、ぜひとも捜査当局に奮闘していただかなければなりません。〝先生〟という社会にとっての危険因子が温存されれば、あなたがたは信管の残った、いつ炸裂《さくれつ》するともわからない不気味な不発弾を抱えつづけることになります。

今、自分はじつにさばさばした気持ちになっています。すがすがしい心境ともいえます。新潮の報道を受け、他のマスコミも彼への取材に奔走し、警察も動きだしてくれたのですから。一年にわたって抱え込んでいた悶々《もんもん》とした思いを爆発させ、〝先生〟への復讐《ふくしゅう》が果たせたのですから。

もちろん、完全な復讐とは、〝先生〟が捕まり、きちんと罰を受けることです。しかし、今の状況だけでも充分、自分は満足しなくてはいけません。なにしろ、今後の捜査が困難を極めることは想像に難くないからです。自分は、茨城県警が捜査を尽くしながらも、本件である殺人罪での立件に至らず、〝先生〟が逃げ切る可能性も相当程度高いと、覚悟は決めているのです。

ただ、先ほど申したとおり、〝先生〟という危険因子を社会に残すことは、将来にわたって爆弾を抱え込むことになる。だから、警察は強制捜査権をもっているのだから、それを最大限駆使して、全力を尽くしてもらいたいのです。

〝先生〟は五年前、宇都宮事件を起こし、逃亡中だった自分に接触をはかり、百万円を渡したとして犯人隠避に問われました。でも、このときの取り調べでは、警察も検察も〝先生〟の危険な本性に気づかず、ダマされました。今回の闘いでは、〝先生〟の悪知恵に負けず、捜査当局にぜひとも勝利していただきたいと、切に願っています」

この期待を裏切ってというべきか、あるいは予想どおりというべきか……。

茨城県警は水面下で執念の捜査をつづけながら、なかなか結果を出せず、悪戦苦闘の日々を送っていた。専従捜査班には、本部の組織犯罪対策課を中心に、各警察署から精鋭が招集されている。ここに殺人事件を専門とする捜査一課が適宜、応援に加わり、最大時は総勢約四十名態勢で、鋭意捜査がおこなわれてきたのである。

「餓死した人物や病院で急死した男性、排ガス自殺の設計屋など、Aの周辺には不審な死をとげた人物が多数いる。しかし、それはあくまで参考材料にして、検挙に向け、全力をあげなければいけないのは、上申書の三件である」

茨城県警のある捜査幹部は、専従捜査班の班員たちに、そう活を入れたという。

「なかでも、立件にむけて取り組んできたのが、三件目の『カーテン屋保険金殺人』疑惑です。

なにしろ一件目の『大塚某』は、被害者の特定さえできていない。

二件目の『倉浪《くらなみ》さん』の件も、遺体を掘ろうとして土地の捜索に着手しながら、発見できなければ、捜査の痛手は計りしれない。そう易々《やすやす》と手出しできないんです。また、かりに遺体の残滓《ざんし》や遺骨などが出ても、それが誰なのか、本当に倉浪さんなのか、照合する手立てがありません。なにしろ、親兄弟がいませんからね」

苦渋の内幕を明かすのは、茨城県警の捜査関係者である。

「とにかく、勝負は三件目です。〝先生〟と後藤以外に犯罪の秘密を知る共犯者が複数いて、しかも被害者の家族を叩《たた》けば口を割る可能性がある、〝カーテン屋〟の事件に賭《か》けているんです」

そして、捜査は重大な局面をむかえた。

平成十八年十一月二五日、茨城県警はこの〝カーテン屋〟の未亡人や娘夫婦ら家族を任意で呼び、同日、娘婿《むすめむこ》の親族を含めた五人を、別件容疑で逮捕したのである。

容疑は、親族の名義を借用して銀行口座を開設し、銀行から預金通帳をだまし取ったという、金融機関に対する詐欺《さぎ》である。こんな容疑で身柄まで取るとは、未曾有《みぞう》のテロ事件を起こしたオウム真理教にしか繰り出さないような荒業である。

だが、事が殺人の疑惑解明のためと考えれば、捜査当局の苦渋の決断は容認されるべきだろう。しかも、この容疑は、間接的に保険金とリンクしているのだ。

捜査関係者が、辛酸をなめつづけた、ここまでの捜査の紆余《うよ》曲折を語る。

「勝負をかけるかどうかの決断をするまでに、『新潮45』の記事が出てから、一年以上の時間を要しました。これまでも家族を呼んで、任意で事情を聴き、勝負をかけるか、という話になったことがありました。『叩けば落ちるのではないか』という見込みです。でも、さすがに検察上層部の反対にあい、ギリギリのところでストップがかかった経緯があります。

事件捜査というのは、生き物で、検察官のモチベーションや気概でも、流れが変わります。公判を担当する検察庁は失敗をおそれ、立証困難なものは回避する傾向にありますから。

今回、別件容疑での逮捕にゴーサインが出たのは、〝カーテン屋〟にかけられ、家族に支払われた生命保険の金の流れが、ある程度、摑《つか》めたからです」

昨年の夏前、「カーテン屋保険金殺人」の捜査を、現状なしえる範囲で尽くしたと判断した茨城県警は、水戸地方検察庁の検事とともに上京した。そして、公判を全般的に管理する上級庁の東京高等検察庁に捜査状況を報告し、協議をおこなった。そのうえで、「取り調べなど、捜査に着手させていただきたい」とお伺いをたてたのである。

しかし、東京高検は、まわりくどい言い方で難色を示したという。

「ご苦労様です。着手に反対するわけではない。しかし、クリアしないといけないハードルがまだいくつかある。金の流れの全容解明などいくつかの点をさらに鋭意捜査されたし――」

要は、〝夏休みの宿題〟をいくつか出し、それをクリアするよう要求し、暗に「N

O」を示したのである。

　この東京高検のダメだしに、茨城の警察官らは肩を落として水戸に引き上げてきたという。

　しかし、もちろん、その後も茨城県警の執念の捜査は、水面下でつづけられてきた。そして、「カーテン屋保険金殺人事件」の疑惑について、生命保険の金の流れや、新たな事実が判明し、現状にこぎつけることができたわけである。

　さきの捜査関係者がつづける。

「生命保険は総額一億円近く下りていますが、立件を目指しているのは、そのうち当初から加入していた八千百十万円分についてです。

　これは、平成十二年十月十九日に〝カーテン屋〟の妻の銀行口座に振り込まれている。そして、翌日すぐに、この未亡人が六千万円を引き出しています。我々はこの現金がどこに行ったのか、金の流れに重大な関心を寄せました。

　また、それ以外に、〝カーテン屋〟の娘婿の三人の親族の口座にも、五百万円ずつ、計千五百万円が送金されていました。

　それらの口座の開設こそが、『カーテン屋保険金殺人』の疑惑解明の突破口にした別件容疑です。当然、この金がどこに流れたかも、重要事項でした」

問題になっている娘婿の親族名義の口座は、保険金がおりた日と、その前日に慌《あわただ》しく開設されていた。そして数日後、妻が保険金の中から千五百万円を引き出し、三等分して、各口座に送金したのである。別件容疑とはいえ、この口座開設が、疑惑の保険金とリンクしている所以《ゆえん》である。

これらの口座が、〝カーテン屋〟の保険金を環流させるために利用されたことは間違いあるまい。なぜなら、翌月、これらの金は疑惑のグループの一員の手で全額、引き出されていたからである。

ATMの防犯ビデオに写っていたのは、口座の名義人でもなく、その家族でもなかった。そこに映し出されていたのは、札束をにぎりしめた〝カーテン屋〟の娘の姿だった。

捜査関係者は語った。

「〝カーテン屋〟の家族を追及したところ、娘夫婦はこう供述しました。『最初に引き出した六千万円はそのまま全額、〝会社社長・山田正一〟に渡しました。そこから、いくらかは分かりませんが、Aさん（〝先生〟）にかなりの額が流れています』と。捜査の結果、我々は、保険金の大半が〝先生〟側に環流していたとの確証を得ているのです」

それ以外にも、新たな事実が判明している。たとえば、〝先生〟が面倒を見ていた沢田一孝への任意の事情聴取などから、〝カーテン屋〟が、最期《さいご》の瞬間、いかにひどい仕打ちを受けていたかが分かった。

〝先生〟の自宅近くにある行きつけの割烹《かっぽう》料理店に、〝先生〟、後藤、沢田、そして自殺した藤田が、〝カーテン屋〟をともなって夕食をとりにきたことがあった。

それが、まさに殺害計画でとどめを刺す日だった。〝先生〟はこう言ったという。

「今日が最後だかんな。何でも好きなものを食え」

〝カーテン屋〟は、〝最後の晩餐《ばんさん》〟として、釜飯《かまめし》と刺身を口に運んだ。しかし、やはり命が惜しくなったようだ。

「もう家に帰りたい。実家の墓参りにもいきたい。お願いです。許してください」

彼が食事をしながら消え入るような声で懇願すると、後藤は、「おめぇ、今さら、帰りたいったぁ、どういうこったぁ。覚悟を決めて、やって来たんだろうが。往生際《ぎわ》が悪いぞ」と怒鳴りあげ、〝カーテン屋〟をこづいたり、顔に熱いお茶をかけるなど、手荒なマネをしていたというのだ。これは、店の関係者からも確認がとれている。

また、死体遺棄にまつわる裏づけもある。

後藤は、〝カーテン屋〟の遺体を笠間《かさま》の山中に運んだ際、自分の日産エルグランドと〝カーテン屋〟の車の二台を使い、自分が〝カーテン屋〟の車を運転していたと証言していた。

しかし、任意の取り調べを受けた舎弟の鎌田によって、その証言が修正された。鎌田は、「エルグランドと〝カーテン屋〟の車、そしてカリーナの三台で現地に行き、自分はカリーナに乗っていた」と供述したのだ。

そして、この供述どおり、これらの車が水戸から笠間にいたる国道五〇号線の水戸市大塚町近辺を走っていたことが、Nシステム（自動車ナンバー自動読み取り装置）で確認され、裏づけがとれたのである。すくなくとも、〝先生〟や後藤たちがその日早朝、水戸市から笠間市に向かい、車を走らせていたことは間違いないことがわかった。

また、これにより、〝カーテン屋〟の殺害実行日については、後藤自身は平成十二年八月三日から四日にかけてと思い込んでいたが、実際には、八月十二日から十三日にかけて行われたものとみられている。

こうした事実の解明にくわえ、捜査現場を鼓舞し、検察上層部を説得できる人物の登場も大きかった。これまでの悪い流れを変えたのは、水戸地方検察庁の次席検事である。

次席検事とはトップの検事正に次ぐ地検のナンバー2で、警察の捜査を牽引《けんいん》するポストだが、当局が事件の端緒を得てから、何度か人事異動があり、現在の次席は三人目だ。茨城県警は、平成十八年八月末に就任したばかりである、この次席検事の気概に賭けていた。

そうしたところ、彼のもと、事件が動きはじめたのである。

県警の期待を一身に背負っていたこの次席検事のもと、警察との窓口を務める三席検事みずから、宮城、千葉、群馬に出張し、各地の刑務所をめぐった。後藤の舎弟の小野塚や鎌田、沢田に会うためである。その聴取の結果、次席検事が出した答は、

「この事件はいける。これまでの捜査でも充分、公判維持にたえられる」――。

この次席の熱意に、東京高検や最高検察庁もついに、〝先生〟ら、疑惑の関係当事者たちの別件逮捕にGOサインを出したというのである。

あとは、いつ最後の勝負をかけるか、それだけだった。そして本件についても、検察は、鍵《かぎ》となり得る〝証拠〟を得ていたのだった。まずは、後藤の述懐である。

〈「まるで、ハイエナやハゲタカのようだな。死んだ〝カーテン屋〟の骨までしゃぶろうとしているわけだから」――我ながら、そう思ったものだ。〝カーテン屋〟の遺体を山に捨てた後、自分たちは、奴《やつ》が残したささやかな遺品の〝整理〟に走っていた。

まずは、〝先生〟の事務所に残されていたキャッシュカード。暗証番号を聞き出していたから、〝先生〟は小野塚に、銀行に引き出しに行かせた。あいにく、口座には五万円程度しかなかった。

自分も、押さえていた奴の車の一台を売却しようとしたが、これは売り物にならず、〝カーテン屋〟の家族に返すことになった。家族は緊張した、複雑な面持ちをしていた。その顔を見ながら、自分は笠間の山の中に遺棄した〝カーテン屋〟の哀れな最期の姿を思い浮かべていた。

夏の朝である。あたりはもう白々と明けていたが、通りかかる車は一台もない。

「このあたりでいいだろ。なぁ、良次くん」

車をおりてきて、〝先生〟はそう言った。小野塚と鎌田が〝カーテン屋〟の遺体を抱え、道の上にそっと寝かせた。

自分には、ひとつ気になることがあった。よくよく見れば、〝カーテン屋〟の遺体の首筋あたりには、打撲の痕《あと》のようなものが、ほんのりと浮かんでいるように感じられたのだ。それに背中には、はっきりと痣《あざ》が残っているはずだ。
「完璧《かんぺき》な計画だったのに……。調子にのってスタンガンで痛めつけたのは、余計だった」──。

しかし、あえてその不安は〝先生〟には伝えなかった。警察がそれを死因と結びつけるとは限らない。「大丈夫だ」、自分にそう言い聞かせて、もう一度〝カーテン屋〟の顔をのぞきこんだ〉

確かに、〝カーテン屋〟の遺体には、部分、部分にうっすらと皮下出血のあとが滲《にじ》んでいた。背中には、明らかに外部から圧力をうけたと思われる、ヤケドのような赤黒い傷跡もあった。
「どうして、地元の警察は不審に思わなかったのだろう。これで司法解剖もせず、事件性なしと判断するなんて……」

水戸地検の次席検事は、倉庫に眠っていた数枚の写真を凝視しながら、胸中で検死システムの不備を嘆いた。本来なら、永久に活用されることなく処分されていたであろう証拠。警察に命じて引っ張り出させてきた、〝カーテン屋〟の遺体の検視写真である。

完全犯罪を目論《もくろ》んだ連中を脅《おびや》かす小さなほころび。そこに刻印された暴力の徴《しるし》は、明らかに後藤の供述と合致していたのだ。次席検事は、決意を固めていた。

そして、ついに勝負の時は訪れた。

平成十八年十二月九日、捜査当局はその男の尻尾《しっぽ》をとらえた。

前月におこなわれた〝カーテン屋〟の家族らの詐欺容疑の別件逮捕につづき、ようやく〝先生〟に強制捜査権を行使し、逮捕したのである。牛丼屋《ぎゅうどんや》で店員に因縁をつけ、土下座までさせて謝罪を要求した強要容疑だ。

茨城県警の捜査関係者が語る。

「やつの身柄をおさえるのは悲願でしたが、まだ予断は許しません。東京高検から水戸地検には、『茨城県警がうるさいので、別件逮捕の許可を出した。しかし、これで、〝先生〟を落とせなければ、もうあきらめろと通達するように』という指示も出ています。結果的には潰《つぶ》しの捜査、敗戦処理の捜査に終わるかもしれない。

ただ、重大な供述も得られました。〝カーテン屋〟の娘夫婦を厳しく取り調べたところ、殺害という言葉こそ出ませんが、『〝先生〟らに、父にたくさんお酒を飲ませつづけて下さい、と頼みはした』と認めたのです。もう一歩ですよ。とはいえ、この本件がうまくいったとしても、〝先生〟が起こしたすべての事件の全容解明が残されている。まだ、いばらの道がつづきます」

捜査当局と〝先生〟の勝負の行方――。

平成十八年十二月十八日現在、その趨勢は見えていない。

闇《やみ》の中から仄《ほの》かに浮かび上がった三つの事件。

被害者の苦しみに満ちた形相には、光が照射されたかのように見える。狂気の犯罪は白日のもとに晒《さら》されるか。あるいは、まるで何事もなかったかのように、再び屠《ほふ》られ、漆黒の闇に永久に埋もれゆくのか――。

光あれ。

「大前田の殺し屋」と異名をとった後藤良次と、特殊なフィールドに生息する〝先生〟。その間に入って、右往左往したマスコミ人としての私。

私は思うほどの公益を本当に実現できたのか。あるいは単に利用されただけなのか……。

後藤が〝先生〟を告発した余罪事件を『新潮45』が報道してから、一年以上がすぎた。

上申書をうけた警察が、新たに事件の捜査をはじめたことから、死刑判決をうけて最高裁まで進んでいた後藤自身の裁判は完全に止まってしまい、中断された状態になっている。一説には、最高裁が判断をくだすまで十年は延びたともいわれている。

後藤が事件を告発した動機のひとつが死刑へのカウントダウンを止める時間稼ぎだったとしたら、充分、目的を達したといえるだろう。

この間、いろんなことがあった。最初に後藤を私に紹介した高橋義博被告は、平成十八年十月二六日、最高裁で上告を棄却され、死刑が確定した。

その前日、私は東京拘置所で高橋被告と面会していた。本人はすでに諦念《ていねん》の面持ちでいた。

「心配しなくて大丈夫だよ。私はもう完全にあきらめている。どんな結果でも、それが私の運命と思っています。若い頃から、善いことよりも悪いことばかりやっていたから、仕方ないさ」

彼は、さばさばした表情で笑った。

聞けば、最近、ペン習字を勉強しはじめたという。

「この年でそんなのはじめてもしょうがないだろうと笑われるかもしれないけど、少しでも上手になればうれしいからね。どう、最近そちらに送っている手紙でその成果が出ていない？」

これから、その時がくるまでの長い年月を東京拘置所の殺伐とした空間で過ごすことになる。なにか目標をもったほうがよいと考えたのだろう。

そういえば、後藤は、短歌を勉強しはじめていた。いくつか手紙に書いて送ってよこしたことがある。

《凍《い》てつきて　拘獄の中で　春待ちて　風吹き荒れし　娑婆《しゃば》の波あり》
《眠れぬ夜　辛苦の茨《いばら》の　北風は　立ち向かう時　命を持ちて》
《そこをどけ　先生が通る　悪魔道　春はこねどと　察動くなり》
達観した心境で詠《よ》んだものではなく、ここでも〝先生〟への憎悪《ぞうお》の思いがにじんでいる。
私は、まだ完全に後藤がすべてを出し切ったとは思っていない。〝先生〟がからんでいない凶悪事件を、他にも隠しているのではないかと、疑いの念をもちつづけている。
後藤自身、そのことをほのめかしたことがなくもない。〝先生〟が主犯の事件が立証されれば、いずれそれらについても、おもてに出すつもりなのではないか。
私は、今現在にいたるまで、後藤への面会をつづけている。毎週のように小菅《こすげ》に足を運んでいたので、上司のひとりは、「死刑判決をうけた人間のために、拘置所に通いつづけていて、まるでトルーマン・カポーティのような状態になっているね」と言った。
説明するまでもないだろうが、トルーマン・カポーティとは、『冷血』や『ティフアニーで朝食を』を世に出した、米国の著名な作家である。『冷血』は、二人組の男が、縁もゆかりもない田舎町に住む一家を、幼いこどももふくめて惨殺《ざんさつ》した実際の事件を題材にしている。

カポーティはこのうちの一人、「ペリー・スミス」にインタビューするため、刑務所に足繁《しげ》く通いつづけた。その男の生い立ちから殺人を犯すにいたるまでの足跡を追い、新たな手法で事件の真相に迫った同作は、ノンフィクション・ノベルの金字塔的作品と評されている。

冗談にしても、カポーティとはおそれおおすぎる。しかも、カポーティは、悲惨な境遇で育ったペリーに強いシンパシーを抱き、彼のために弁護士まで雇って、処刑を延期させようと努めた。そこには取材時間をかせぐという計算もあったが、ペリーに思い入れを深め、客観性を欠いたその姿勢は、言論人として批判もされた。しかし、逆に言えば、それだけペリー・スミスは、カポーティにとって普遍的な人間の弱さと残酷さを見出《みいだ》せる対象と感じられたのだろう。

私は後藤に対し、そのような感慨を覚えたことは一度もなかった。彼が犯した数々の事件に考えをめぐらしたとき、やはり「誰もが後藤になり得た可能性がある」とは到底、思えなかったからだ。

彼は特殊な世界に住む、特別な人間だ。ただ、表沙汰《おもてざた》になっていない凶悪事件の秘密を握っていた。こちらにすれば、あくまで、闇《やみ》に埋もれた犯罪を炙《あぶ》り出し、解明するための〝重要な〟取材対象者でしかなかった。

後藤はやはり死をもって、償いを果たさなければならない人間である。

真に裁かれるべき人間とともに――。

平成十八年十二月

『新潮45』編集部　宮本太一

最終章

最後の審判

【文庫版書き下ろし】

冬空に黒く垂れ込めた雲から晴れ間がのぞく。

「主文、被告人を無期懲役の刑に処する」――。

鈴嶋晋一《すずしましんいち》裁判長の声がひびくと、傍聴席でノートを開いていた記者たちは、一斉にペンを走らせた。

平成二一年二月二六日、水戸地方裁判所210号法廷。

灰色のフリースに黒のズボンをはいた〝先生〟は、裁判長から判決を言い渡されるや、まるで相手を睨《にら》みつけるように険しい表情を浮かべ、口を真一文字に結んだ。

前章まで〝先生〟と呼んできた「上申書殺人事件」の首謀者。この十年近く、何食わぬ顔で、社会生活を満喫し、後藤良次による上申書で殺人という重大犯罪を告発された後も、無辜《むこ》の民を装《よそお》いつづけた、狂気の犯罪者。平成十九年初頭に本書『凶悪』が単行本で刊行された後、その男が主導した「上申書殺人事件」のうちの一件が立件されたのをご承知の方も多いだろう。闇《やみ》に埋もれていた重大疑惑に司直のメスが入り、別件の強要容疑で逮捕されていたその〝先生〟に、殺人容疑の逮捕状がつきつけられたのは平成十九年一月二六日のこと。茨城県警が後藤良次の「上申書」を受理してから実に四百六十日余りが経過していた。長期間にわたる執念の捜査が実ったわけだ。

そして、ついにこの日、司法の場で、その〝死の錬金術師〟に正当な裁きが下されたのである。

ここで私はようやく彼の実名を明かすことが可能になった。

〝先生〟の名は、三上静男《みかみしずお》。取材開始時には五十五歳だったこの男も五十九歳になっていた。

「人命を金に換えようとした卑劣な動機に酌量の余地は皆無」

「その犯行態様は、殺人という重大犯罪さえ金もうけのための仕事のようなものではないかと感じさせる巧妙さ、非道さである」

「後藤良次被告による上申書の提出まで発覚せず、その巧妙さは際立《きわだ》っている」

「三上被告は不合理な弁解に終始し、後悔している様子すらうかがえない」

一時間以上に及んだ判決文の朗読で、裁判長は、三上静男の極悪非道の犯罪を白日のもとに晒《さら》し、その凶悪性と狡猾《こうかつ》さを厳しく断罪した。細い光の筋が大きな帯となって漆黒の闇に照射された。地中深く埋もれていた殺人事件が完璧《かんぺき》に〝発掘〟された瞬間だった。

面会室の厚いガラス板という障壁で仕切られた後藤と私。

時間の制約にも縛られた二人がともに苦労しながら、忘却の彼方《かなた》に消え去っていたはずの事件について、時空を超え、記憶を喚起し、裏づけをとり、互いを補完しつつ、立証を行っていくという、異例の共同作業から約四年の月日が経過していた。

平成十九年一月に『凶悪』を単行本として刊行するにあたり、盛り込むことができたのは、前年十二月十八日の情報までであった。その時点では、まだ三上への捜査は、牛丼屋《ぎゅうどんや》で店員に因縁をつけ、無理やり謝罪を強いた、強要容疑による別件逮捕までしか進んでおらず、この呪われた事件を扱った本書は未完のままで終わっていた。

今回、本書の文庫版刊行の機会に、事件のその後の動きや捜査の顚末《てんまつ》、裁判の経過などをまとめることで、あらためて事件への私なりの総括をしようと思う。それによって、異例の展開をたどった、この前代未聞の事件、「上申書殺人事件」はようやく

“凶悪”な素顔を隠していた“先生”こと三上静男

完結するのである。

突破口となったのは、やはりカーテン屋の家族だった。これまでカーテン屋と表現してきた男性。借金苦に陥り、自らの命でその清算を強いられた被害者の名は、栗山《くりやま》裕《ひろし》さん（享年六十七）。

銀行相手の詐欺《さぎ》容疑という別件で逮捕されていた家族が、警察の取り調べでオチるまでにはさほど時間はかからなかった。

栗山裕さんの妻、澄江《すみえ》（74＝逮捕時）、長女の久美子《くみこ》（50＝同）、婿《むこ》養子の栗山光《みつ》明《あき》（51＝同）の三人は、警察の厳しい追及に耐えられず、自供に追い込まれた。光明曰《いわ》く、

「勤務する住宅関連会社の上司である山田

正一（仮名）に、父親の大借金について相談し、お金を貸してほしいと頼んだところ、『それならいい〝先生〟がいるから、預けちゃったら。酒を大量に飲ませてもらって、殺してもらってから、生命保険金で借金を清算すればいいよ』と提案された。それで、山田を通じ、三上静男を紹介してもらった。三上や後藤良次に、父親を預けて、酒を飲ませて殺してもらい、総額一億円近くになる保険金を得ようと画策した」——。

完オチ（全面自供）だった。他の家族も同様で、泣き崩れながら語ったその内容は、概《おおむ》ね、後藤の上申書の通りだったのである。

これを受け、茨城県警と水戸地方検察庁は協議を重ね、殺人容疑での立件に向けた最終準備の局面に入った。担当の刑事たちは、平成十八年から十九年の年末年始が、休みも返上の修羅場となることを覚悟していたことだろう。しかし、そんな最中の十二月三一日、捜査当局に衝撃が走った。

山田正一が突如、死んだのである。高速道路上で自動車にはねられたのだという。

実行グループと依頼者をつないだ保険金殺人の仲介者。捜査に欠かすことのできないキーマンを失ってしまったのだ。

前日の三十日、一部メディアが、栗山さんの家族が知人男性に裕さんの殺害を依頼したとの供述を始めた模様である旨《むね》を報道。これを受け、某紙の新聞記者が山田の自宅に取材に訪れたのだという。

もちろん、こうした取材活動には、何の問題もない。報道機関としては当然の行動だ。山田もそれまでにマスコミの取材をすでに何度か受けていた。そして、そのたびに上申書の内容を否認し、犯行グループとの深い関係や、事件への関わりを否定していた。

しかし、事ここに至って、もう嘘《うそ》で逃げ切ることはできないと観念したのだろう。新聞記者の来訪を受けた後の夕方、山田は家族に「つくば市のすし屋に行く」と言い残して、車で家を出た。

そして、日付が変わった大晦日《おおみそか》の午前二時十分頃、彼は常磐自動車道を走行中、ガードレールに衝突。車外にフラフラと出て、道路の中央に立ち尽くしているところを大型トラックや後続車に次々とはねられた。法的には事故死として扱われたが、捜査陣は追い詰められた末での自殺だったとみている。栗山さんの家族は「最初におろした保険金六千六百万円は全額、山田にそのまま渡した。山田が『三上のところに全額もっていく』と言っていたが、その先のことは分からない」とも供述していた。

山田の死を聞いて、三上はどれだけ喜んだことだろう。

〈俺はついている。まだ助かるかもしれない〉

そう考え、思わずほくそ笑んだことは想像にかたくない。

主要な役割を果たした山田という重要人物を失ったことは、当局にとって、保険金殺人の全容を解明し、三上の犯罪を暴《あば》くうえで限りなく大きな痛手となった。

「これで全容解明が不可能になるかもしれない。三上のやつ、なんて悪運の強いやつなんだ」

捜査員たちは唇をかんだ。

「警察は何をしていたのだ。なぜ、ちゃんと重要捜査対象者の行動確認を行っていなかったのか」という批判の声も関係者の間から上がった。

警察は、そうした批難を甘んじて受けなければいけなかった。しかし、もう後に退《ひ》くわけにはいかない。証拠固めはほぼ尽くされている。容疑者の一人が自死したからといって、ここまで証拠を積み上げてきた犯罪全体の構図をすべて崩され、良心の呵《か》責《しゃく》もなく図太く生きる悪人連中に逃げ得の権利を与えるなどということは、絶対あってはならない。茨城県警は、あらためて覚悟を決めた。

県警は検察のGOサインを受け、平成十九年一月二六日、殺人容疑による被疑者八人全員の一斉逮捕に踏み切った。栗山家の三人に加え、宮城刑務所から後藤の舎弟である小野塚博敏（仮名）、水戸刑務所から鎌田仁（同）、前橋刑務所から沢田一孝（同）

をそれぞれ茨城に連行して逮捕。犯行に加担したとされながら、後に生活に行き詰まって自殺した藤田幸一（同）は、被疑者死亡により殺人容疑で書類送検となった。自死を遂げたと思われる山田正一に関しても、殺人容疑の共犯と断じ、被疑者死亡で書類送検した。ちなみにこの後、水戸地検は、被疑者死亡のため、山田と藤田は不起訴処分としている。

むろん、同日のうちに、首謀者の三上へも殺人容疑の逮捕状が執行された。別件で茨城県警・日立警察署に勾留《こうりゅう》されていた三上は、「栗山裕なんて、見たことも会ったこともない。名前さえ知らない。何の事だか、まったく身に覚えがない」と悪あがきをつづけた。

そして、もう一人の主役がいる。捜査員は小菅の東京拘置所にも赴いた。茨城で逮捕状を執行する二日前の一月二四日のことである。

かつて刑事たちが小菅の後藤のもとを事情聴取に訪れてから、約四百五十日もの月日が流れていた。

茨城からやってきた捜査員が姿をあらわすと、身の周りの所持品を集め、移管の準備を済ませていた後藤は言った。

「遅かったじゃねぇか」

山田から三上へ最終的にいくらの保険金が渡ったのか。捜査当局は、その大半の数千万円が三上の手に渡ったものと見ているが、その正確な金額を解明することは山田の死によって不可能となった。また、上申書で指摘された大塚某殺害・死体遺棄事件についても、その追及は事実上、道を閉ざされた。

しかし、山田の死は、栗山さん保険金殺人の大枠の構図を描き、立証するという事においては、心配したほどの痛手にはならなかった。というのも、依頼者の栗山家の家族と実行グループの大半が犯行を認めていたからだ。これで検察も「刑事訴追には支障にならない」と判断した。とりわけ殺人の依頼者である家族は、起訴後も変わることなく、法廷で罪を全面的に認めた。

また、刑務所から連行されてきた三人の受刑囚たちも大筋で事件を認めていた。

ここでは、検察当局の高度な技が効いていた。小野塚、鎌田、沢田に関しては、殺人容疑で逮捕しながら、「従属的で、関与の度合いが薄い」「刑事責任は軽微」として、起訴猶予《ゆうよ》処分にしたのである。

「おまえらは、ただ、三上と後藤にいわれて、命じられるままに動いていただけだ。後藤の命令には逆らえなかったんだろう。下手をしたら、自分が殺されるかもしれないからな。保険金の報酬だってもらえていないし、要求もしてないみたいじゃないか。そもそも死体遺棄の方はもう時効になっている。反省し、真相解明に協力して、すべてを正直に話せば、これだけ従属的な立場で、利益も得ていないんだから、起訴されることはまずないだろう」

こう囁《ささや》かれたとすれば、誰でも当局に協力するにちがいない。事実上の司法取引が行われたということである。これは巨悪を追及し、より大きな真実を究明する上で当然、なされるべき必要な手立てだったと私は考える。

前述のとおり、栗山家の三人は、法廷でも事実関係を一切争わなかった。愚直なまでに素直にあらいざらいすべてを明かし、ひたすら改悛《かいしゅん》と後悔の念をあらわにする三人。借金苦から逃れるために、父親を殺してしまったという重い罪悪感と、嘘をつき通さなければいけないという苦しさ、後ろめたさから解放され、法廷では全身から力が抜けきってしまったような様子だった。彼らは本当の意味での悪人ではなかったのである。

法廷では、彼ら三人が、精神的にも肉体的にも追い詰められ、その果てに凶行が決行された様が浮き彫りにされていった。

裕さんが最期《さいご》の局面で、「死にたくない」「母ちゃん（妻・澄江のこと）に会いたい」「お盆の墓参りに行きたい」「家に帰りたい」と命乞《いのちご》いをした際、実行犯らが激怒して、スタンガンなどで虐待《ぎゃくたい》し、とどめのウォッカのびんを口に突っ込んだシーンが明かされると、妻の澄江や長女の久美子は目じりに手をやり、すすり泣きした。

「生き地獄から脱したかった」

うめくように法廷でもらした婿養子の光明の言葉が頭にこびりついた。

平成十九年七月五日に初公判を迎えた家族三人の裁判は、あらかじめ争点を絞り込む公判前整理手続きを経たため、あっという間に結審。同月二六日には判決が下された。

河村潤治《かわむらじゅんじ》裁判長は、三人のうちで、殺害の実行役である三上と直接、交渉を行うなど、中心的な役割を果たした栗山光明には、懲役十五年、妻の澄江と長女の久美子には懲役十三年の実刑判決を下した。

「家族には六千万円を超える多額の借金があり、住む家を手放さなければならない状況だった。三人は被害者の死亡保険金およそ一億円で借金を返す以外に、家族が離ればなれになるのを免れる方法はないと考えた」「三人は、生活を守るためには、知人の男性（筆者注・山田正一）から提案された保険金殺人の計画に従うしかない、と合意した」

と犯行の動機は事実認定された。

そのうえで三人を、「借金返済の金銭を得るために命を奪うという人倫にもとる卑劣な犯行」「病死に見せかけて殺害し、保険金をだましとるなど、犯行の経過は、巧妙かつ計画的で悪質」「詐取した保険金も多額で、結果は重大だ」と厳しく指弾した。

しかし、その一方で、「三人が窮状に陥ったのは、そもそも被害者の栗山さんが無計画に借金を重ねたためである」「もともと栗山さんが医師や家族の注意をきかず、飲酒をつづけて、肝硬変や糖尿病の病状を悪化させていた」「保険金で借金を整理できると、栗山さん本人も口にしていたことがある」「犯行計画の提案を受けて、栗山さん殺害を依頼したもので、実行には直接的には関与していない」「三上被告らに利用された面が多分にある」などとも指摘。「三人は、栗山さんが死去したのちに必要となる債務整理の十分な金額さえ確保できていない」と認定し、「一般的な保険金殺人とは一線を画すものがある」と、同情できる面もあるとしたのである。

人の命を金に換える保険金殺人は罪が重く、本来なら一件でも死刑か、無期懲役以上の刑になるケースが多い。そもそも検察側の求刑が十六～十八年だったが、それがさらに割り引かれて、懲役十三年～十五年の刑とされたのは、哀れで愚かな家族の差し迫った状況にも理解を示し、情状酌量で罪一等を減じたということなのだろう。栗山家の三人も一旦《いったん》は東京高裁に控訴したが、すぐにこれを取り下げ、一審で早々と刑が確定した。

家族たちの証言から、あらためて浮かび上がったのが、山田正一の、想像以上に大きかった役割の重さだった。

平成二十年九月十八日、三上静男の第二回公判に証人として出廷した栗山光明は次のような証言を行った。

検察官――結局、裕さんが作った借金というのは、いくらくらいあったんですか。

光明――六千万円くらいあったんじゃないかと。

検察官――山田にはどう相談したんですか。

光明――「うちのじいちゃん（裕さん）に大借金があり、自分らも連帯保証人になっている。親戚に借金を断られてから、じいちゃん、また酒を飲みだして、体調が悪いんだけど……、お金を貸してもらえないかな。もう生命保険の掛け金も払えないところまで追い込まれているから、このままじゃあ、保険も失効してパーになる。なんとかその分を貸してほしい」と相談しました。「生命保険の保険金が入ったら、それで全部整理するから」と。
検察官――山田はお金を貸してくれたんですか。
光明――貸してくれませんでした。
検察官――保険金について、何か言われたことはありますか。
光明――平成十二年七月の初旬ころだと思いますが、「三上静男さんに預けちゃいなよ。水戸にあずけちゃいなよ」と。「それで預けている間は、滞納しかかっている保険の掛け金も払ってもらってさ。そんなにじいちゃんが弱っているんだったら、お酒を飲ませて、殺してもらって、それで保険金を手に入れてさ、借金を整理してもらったらどうだ」と提案を受けました。
検察官――そのとき、山田が言っている意味は分かりましたか。
光明――大それたことを言っているんだなとは思いました。即答もできないんで、うちでいろいろ考えました。家族がこれから生きていくためにはしょうがないのかなとか、そういう葛藤がありました。でも、やはり、自分でも悪いこととは分かっていたので、してはいけないことなので……、だいぶ迷いはありました。
検察官――それで、あなたはその提案を受けることにしたんですか。
光明――自分だけでは返事ができないので、ばあちゃん（澄江）と女房（久美子）に相談しました。最終的には、生活のため、子供の学校のため、家を守って、家族が離散しないようにするためには、しょうがないのかなということになり、山田に「お願いします」と返事をしました。
検察官――裕さんが亡《な》くなったことはどうして知りましたか。
光明――平成十二年八月十三日の夜、山田に会社の事務所に呼び出されました。そこで、じいちゃんが死んだと聞かされました。それで、山田から、「明日の朝、最寄りの警察署に捜索願を出せ」と指示されました。
検察官――警察にどういうふうに説明するのか、山田から話はありましたか。
光明――「〝五日か一週間くらい前から、家を出て行って、帰ってこないんだ。お盆だから、帰ってこないんで、心配している〟と言え」と。で、じいちゃんが乗っていた車のナンバーまで言う必要はないけど、車種とか、あと着ていた服とかを警察に伝えろ、と言われました。
検察官――保険金を振り込んでもらう口座については、山田から何か言われたことはありますか。
光明――「会社で付き合っていない銀行にしろ」と。さらに「金額が大きいので、小さい銀行では下ろせないだろうから、大きな銀行に口座を作れ」と指示を受けました。

検察官——その後、三上に会いに行ったことは？

光明——保険が下りる前の晩、山田と一緒に三上の日立にある家に行きました。場所を知らなかったので、山田の案内でついていきました。これからの報酬の払い方について話をしました。財産放棄の問題とか、全部を整理してから、二回払いにしてくれないかなどとお願いしました。

検察官——十月十一日に、A生命から千六百八十五万円、十九日にB生命から八千百十万円の計九千七百九十五万円の保険金が下りていますよね。その使い道について聞きたいんですけども。

光明——まずB生命の保険金のうちから六千六百万円をバッグに入れ、山田の工場まで持って行きました。「これ、六千六百万円入っているんだけど」と言って、山田に渡しました。山田は、「じゃあ、今晩、三上に渡してくる」と答えました。

検察官——残りのお金は？

光明——残りの千五百万円は隠すために、私の兄貴たちのところに、五百万円ずつ振り込みました。

検察官——A生命の千六百八十五万円はどうしましたか。

光明——まず、一千万円は山田に預けています。

検察官——なぜ山田に預けたんですか。
光明——三上に取られちゃうとか、どういうことを考えたんだか分らないんですけど……、私が銀行に積んだら、おかしいことになるということで、「じゃあ、俺に預けておきなよ。用があったときに言ってくれれば、すぐに渡すから」と言われたからです。
検察官——山田に預けた一千万円はその後、どう使われましたか。
光明——うちの自宅の競落に三百五十万円使って（筆者注・山田が落札している（競売にかけられた））、あと、せがれの教育費に二百万円使いました。山田から「三上に〝二百万円貸してほしい〟といわれたんで、貸したからな。だから、あと俺が預かっているのは四百五十万円じゃなく、二百五十万円だからな」と言われました。その残りは預けっぱなしになっています。
検察官——最後に、この事件が発覚した後のことについてお尋ねします。平成十七年に、後藤良次が上申書というものを出して、裕さんが殺害されたということが報道されましたよね。どう思いましたか。
光明——やっぱり、逮捕されるんじゃないかとは思っていました。
検察官——それで、どうすることにしましたか。

光明――山田のアドバイスで、下りた保険金は全部、私が使ったようにしよう、帳簿類も整理して、そのように見せかけ、つじつまが合うようにしようということになりました。「私たちの生活費に充《あ》てたり、あるいは私がパチンコや競輪、競馬をやった」と。また「サラ金の支払いの関係などで、ヤクザ関係が借金の取り立てにやって来たので、それらにも充てた」という話にすることにしました。そういう風に帳簿を作れと指示されたんです。

検察官――実際には、六千六百万円を山田に渡したんですよね。それもあなたが使ったということにするんですか。

光明――はい。そうするように言われました。

検察官――それ以外には？

光明――山田が二千万円くらい用意して持って来ました。旧券と新券の一万円札が混ざったお金です。これは、私らが保険金を使い、その保険金の残った余りに見せかける工作のためのものでした。お金は大半使っちゃって、今、残っているのは、これだけですよ、と装うためです。そうやって、三上や山田は保険金に全然関係なく、うちが勝手に下ろして、全部使ったという形を作れという意味でした。

弁護人――その二千万円は逮捕されるときまで、あなたの家にあったんですか。

光明――毎月、私が保証協会とかに保証のお金を払ったように見せかけて、そのお金を山田に毎月、戻していくような状態でした。だから、金額自体は目減りして、千八百万円くらいになっていたとは思いますけど、私の自宅にありました。家宅捜索のときに押収《おうしゅう》されています。
弁護人――後藤良次の上申書だと、裕さんは山田から四千万円を借りているという話になっているんですけども、これはまだ借りていますか。
光明――いや、そんな借金の話は全く聞いたことはありません。
弁護人――山田さんもかなり保険金殺人に関与してると思うんですよね。
光明――はい。
弁護人――三上さんとどういう約束になっていたのか、山田さんへの報酬の話は出ていますか。
光明――いや、私、報酬というか、あのあれは全然。六千六百万円の流れの先は、私には全然分かりません。
裁判長――先ほどの話で、山田が用意したお金に旧券が混じっていたというのは、何か理由があるんですか。
光明――それは保険金が下りた当時はまだ、旧券（筆者注・偽造防止のためのホログラ

ムが貼られていない）の時代で、新券ができていないときだったからです。そのとき
の保険金の余りだと見せかけるためには、古いお札が必要でした。私だけで少しずつ
使ってきちゃって、今、この二千万円しか残っていない、という感じにするようにと
いうことで、山田がわざわざ集めて、そろえてくれたんです。
裁判長——山田から、そういう話があったんですか。
光明——そうです。で、旧券の中でも、一番最後の方にできた、新しいようなものは、
二人で抜き取る作業までしました。
裁判長——山田と三上被告人は、特に上下関係はなかったんですか。どっちが上で、
どっちが下とか。
光明——それはなかったと思いますけど。

それ以外にも、山田は、栗山家の家族三人が裕さんを三上の水戸の事務所に連れ、
実行グループに引き渡す際、これに同行して案内している。しかもその一室で行われ
た、三上と家族三人による殺害計画の謀議にも参加していたという。

・家族に対する、保険金殺人による借金整理の提案

・三上ら実行グループへの仲介
・事前に、依頼者である家族と実行グループのリーダー、三上らの五人で殺害計画の最終謀議を実施
・警察への捜索願提出の指示
・三上と栗山光明の報酬支払いをめぐる打ち合わせの場への同席
・栗山光明から三上への報酬六千六百万円の受け渡し役
・上申書が警察に提出されて以降の、保険金の使途をめぐる仮装隠蔽《いんぺい》や証拠隠滅の数々……

〝事故死〟した山田は保険金殺人のど真ん中にどっぷりと浸かっていた。「上申書殺人事件」というパズルの非常に重要なピースの一つで、事の遂行には欠かせない存在だったのである。

栗山宅を山田が落札してやったという話も、一蓮托生《いちれんたくしょう》の関係ゆえ秘密を共有しつづけるための口封じから行った行為だとは思っていたが、何の事はない、その資金は、自分の懐《ふところ》から出したものではなく、光明らが受け取った保険金の一部だったのである。

光明は、取り調べの捜査段階や公判廷でも、山田のことを「これまでやってきた住

宅関連の仕事以外に、土地の買い付けなど不動産に手をつけはじめた平成十一年の秋口以降は、「金の亡者のようになっていた」と評したが、まさに金銭へのシビアな面がうかがえよう。

また、三上への六千六百万円もの大金の受け渡しの場に、光明を立ち会わせなかったことについても、単に依頼者と実行者らを切り離し、犯罪を見えにくくするためだけだったのだろうか。何か他にも理由があったのではないかと誰もが勘繰りたくなるだろう。

ちなみに、栗山家の家宅捜索時に発見、押収された、件《くだん》の約二千万円については、事件による犯罪収益金にはならず、司法当局の没収の対象にはならない。当局は、「山田に帰属する金」として相続権のある山田の遺族に戻そうとしているが、遺族側がそれを拒絶しているのだという。遺族にとって、この金を受け取るということは、いわば山田の犯罪を認めることになる。そのためもあってか、未亡人は「うちの夫はそんな恐ろしい事件に関わるような人ではない。絶対、上申書でいわれたような犯罪は犯していない。そんなお金のことは知らないし、うちには関係ない」と受け取りを拒否しているそうだ。そのため、多額の現金は行き場を失い、宙に浮いてしまった状態らしい。

後藤の上申書が報道されて以降、事件への関与を全否定してきた山田。しかし、裁判でこれだけの事実が白日の下に晒され、認定されたのだ。もはや、後藤が「栗山さん保険金殺人事件」で彼について告発した主要部分も真実であることは明々白々である。

「金の亡者」――。確かに山田も、三上や後藤らと金でつながる関係だった。それが身の破滅を招くとはつゆ知らず……。

今、彼が常磐道で不審な死を遂げたことに思いを至すと、金に執着する人間の業《ごう》の深さと因果というものの怖さがひしひしと伝わってくる。山田もまた、人知れず、その内に「凶悪」を秘めた一人だったのである。

ここで、冒頭陳述や、法廷での関係者の証言、判決の内容などから詳細が判明した「栗山裕さん保険金殺人事件」のおそるべき全容をまとめ、そのあまりに凄惨《せいさん》な犯行の顚末を再現しておく。

〈栗山裕さんは昭和五十八年、茨城県阿見町でインテリア・ショップを営む室内装飾会社を設立。しかし、バブル崩壊後に経営が悪化し、金融機関や貸金業者から借金を重ね、平成十二年の段階ではそれが約六千万円に膨れ上がっていた。家には借金取りが来るような状況に。住宅関連会社に勤める、娘婿の光明など家族が稼ぐ月の収入は約五十万円ほど。しかし、毎月の返済金はその二倍以上の百万円を超えており、家族は四苦八苦の生活を送っていた。

そんな中、酒の飲みすぎで体調を崩していた栗山さんの病状が悪化し、同年四月に入院。医師からは、「お酒を今すぐやめないと、命が危ない」「このままでは、もうもたない」といわれるほど重篤《じゅうとく》な容態だった。

栗山さんが総額一億円近くになる生命保険に入っており、本人も「自分が死ねば、保険金が下りる」と漏らしていたことから、家族は、そうなれば、保険金で借金が清算できると淡い期待を抱く。しかし、予想に反して、栗山さんは回復。二ヵ月後には病院を退院した。

同年七月になると、家族は毎月の保険の掛け金約三十万円も払えなくなり、やむなく滞納せざるを得なくなった。二度、滞納すると、保険が失効し、保険金が得られなくなることから、家族は焦《あせ》った。しかし、来月も掛け金を払える見込みは到底ない。光弁護士からは、栗山さんの自己破産を勧められていたが、金融機関からの借金は、光明や、妻の澄江も連帯保証人になっている。借金の担保として、住んでいる家の土地や建物も抵当に入っていたため、自己破産することはできなかった。

このままでは、借金は自分たちに重くのしかかり、自宅も失ってしまう。一家離散となるのは目に見えていた。光明は、勤めている住宅関連会社の上司、山田正一に相談し、保険の掛け金を払うための借金を申し出る。ちなみに、山田は、かつて裕さんと仕事上の付き合いがあったことから、光明とも親しくなった。その関係から、二人は住宅関連会社を共同経営で立ち上げ、やがて山田が上司、光明が部下という間柄となっていた。

光明の申し入れに対し、山田はお金を貸してくれなかったが、次のように提案した。

「それなら、いい〝先生〟がいる。三上静男さんだ。水戸に事務所があるから、そこに預けちゃいなよ。その間は、掛け金も払ってもらってさ。そんなにじいちゃんが弱っているんだったら、お酒を飲ませて、殺してもらって、それで保険金を手に入れて、借金を整理してもらったらどうだ」と。

光明は、澄江、久美子と家族会議を開き、協議。迷い、悩んだ葛藤の末に、「このままでは家族は離れ離れになる。家と家族を守るためには、じいちゃんを三上に預けて、酒を大量に飲ませてもらい、病死に見せかけて、殺してもらうしかない」と決断。山田の提案を了承し、三上たち実行グループを紹介してもらって、栗山さんを預けた。

栗山さんは、水戸の事務所に軟禁状態にされ、三上や後藤、その舎弟らによって、毎日、大量の酒を無理やり飲ませられつづけた。勝手に外出しないよう、見張りの監視がつき、電話も自由にかけられない状況にあった。

狂気の酒宴はつづき、栗山さんはほぼ毎晩、泥酔《でいすい》状態になっていた。「もう飲めない」とコップを逆さにして、拒むこともあったが、三上や後藤が「俺の酒が飲めないのか」と怒るので、やむなく酒を飲みつづけた。ビール、焼酎《しょうちゅう》、ウイスキー、ブランデーなどありとあらゆる種類の酒を飲まされ、酒量は、焼酎の場合、一日四リットルを超えていた。

そもそも糖尿と肝硬変を患《わずら》っていた栗山さんには、すぐに体調の異変があらわれた。肝硬変の悪化により、腹水がたまり、みるみる腹が出てきたのである。そして顔や手足など、体中がむくんでいた。二階に用意された部屋に這《は》って帰ったり、途中からはその部屋に自力で帰ることさえもできなくなった。

排尿や排便も思うようにならなくなる。トイレに行けず、おしっこを漏らすようになったので、実行グループはおむつを穿《は》かせるようになった。部屋の畳の上にはブルーシートを敷き、その上に布団を敷いて寝かせるようにした。

同年八月に入ると、三上は、栗山さんに、「サラ金業者を回って、金を集めてこい」

と命令。逃げないように、実行グループのうちの二人をつけ、栗山さんに最後の金集めを行わせた。このとき、栗山さんは五軒ほどのサラ金を回り、百二十万円くらいを借りて、全額、三上に渡している。

また同時期、三上は実行グループに、「栗山を阿見町の自宅に連れて行き、保険の受取人を女房から会社に変更させろ。その方が仕事がしやすいんだ」と指示。栗山さんは、二人の見張りにともなわれ、久方ぶりに自宅に戻るが、その頃には歩いていても、ふらふらの状態だった。家族もその様子を見ていたが、娘は「これから保険屋さんが来るんだから、しっかりするように」などと言うのみ。そして家族は、事前に三上に言われて準備していた焼酎などの酒と、おむつを実行グループのメンバーに渡し、ふたたび栗山さんを彼らの手に委《ゆだ》ねた。

八月十二日、この日を最後と考えた三上は、「今日、仕事しちゃうべ」と言って、後藤に命じ、栗山さんを日立市にある自分の自宅に連れてこさせた。それから、夜七時ころ、三上、後藤、鎌田、沢田、そして栗山さんの五人は、近くの割烹《かっぽう》料理店に赴く。そこで、三上は栗山さんに、「今日が最後だかんな。何でも好きなものを食え」と言った。栗山さんは〝最後の晩餐《ばんさん》〟として、釜飯《かまめし》と刺身を注文。そこでも、栗山さんの目の前には酒が置かれた。

「先祖の墓参りがしたい。もう家に帰りたい」

栗山さんが消え入るような声で言うと、三上が激怒。「ふざけんな、今さら」と怒声をあげ、栗山さんの首筋あたりを殴打した。

それでも、栗山さんが「お願いです。もう許してください。なんで、帰してくれないんですか。実家の墓参りにいきたい」と大きな声で言うと、後藤も激昂《げきこう》。「てめぇ、今さら、何言ってんだ！」と怒鳴りあげ、栗山さんの顔にみそ汁や酒をひっかけ、さらには店員に煮えたぎった熱いお湯を持ってこさせ、それをぶっかけたのである。

その後、五人は三上の自宅に戻る。

三上は自分の携帯電話から、栗山光明の携帯へ電話をかけた。「じいさんが、〝もう、うちに帰りたい〟と言って騒いでいるけど、どうする？」

光明は、養父がどういう目に遭っているか、想像しながらも、こう答えるしかなかった。

「今、ちょっと迎えにいけねぇんだけれども」

その後、栗山さんに対する実行グループの虐待は苛烈《かれつ》を極めていく。

「早く死なねぇか。このくたばりぞこないがよぉ」

午後十時過ぎ、一階リビングに三上の野太い怒声がとんだ。

豪華なソファーに身をしずめる三上。かたわらには、彼が溺愛《できあい》する娘のために買い与えたグランドピアノが置いてある。

その床に正座させられた栗山さん。

「おら、じじい。ちゃんと飲めぇよー」

後藤は焼酎をストレートで、無理やり栗山さんの胃の腑《ふ》に注ぎこんでいた。

「おめぇにはもったいないけど、とっておきの味付けもしてやっから」

そう言うと、三上の指示で、後藤は焼酎に覚せい剤を溶かしはじめた。シャブ入り焼酎を栗山さんに飲ませようというのだ。

栗山さんは、ここでも、「もう帰りたい。ばあちゃん(妻の澄江のこと)に会いたい」と懇願。そして、「帰してください。死にたくない。死にたくない」と、土下座して命乞いをした。

「帰りたいって、どういうこったぁ。おめぇには帰る家なんてないだろうが。こっちはおめぇのかみさんや娘夫婦に頼まれて、やってんだぞ。〝殺してください。よろしくお願いします〟って、頭さげられてんだぁ」

怒鳴る後藤。三上も、

「今までさんざん、飲み食いして、今さら何言ってるんだ。自分で死ににきたんじゃねぇのか。家族だって、了承してんだぞ」

三上は、今度は栗山さんの長女の久美子、そして妻の澄江にたてつづけに電話をかけた。

「じいさんが、〝もう帰りたい。死にたくない〟って言ってんだけど、どうする。酒、飲ませつづけていいか。それとも、もうやめっか」

やめる気は毛頭ない。ただ、家族全員に、殺すことへの最終の同意をとり、共犯関係であることを明確に認識させようとしたのだ。時間は午前零時を回っていた。

「飲ませてもいいの？　どうする」

澄江は、思わずこう答えた。

「もっと飲ませれば」

残酷で計算高いサディストはこうして家族の最終確認の言質《げんち》を得た。

三上は薄笑いをうかべながら、栗山さんに言った。

「迎えにこれねぇってよ。もっと飲ませれば、って言ってんぞ。哀しいっぺ、なぁ。女房や子どもに見捨てられたうえに、殺しの依頼までされてんだから。もう早く逝《い》っちゃった方が楽だって。そうすりゃ、借金もなくなって、家族のためにもなんだから」

「うぅ……、やっぱり死にたくないです。助けてください」

その瞬間、後藤は切れた。１００ボルトの電気コードの先端を切って導線をむき出しにし、栗山さんの頭に突きあて感電させたのである。

藤田と沢田が別件で宮城に出かけることになり、入れ替わりに、後藤の舎弟の小野塚と鎌田が三上宅にやってきた。その際、後藤は、三上の指示で、二人に大型ワンボックス車のエルグランドで来るよう命じていた。

栗山さんは相変わらず、家に帰りたいと懇願していた。ついにスタンガンを手に取る後藤。凶器は、栗山さんの腹や腰におしつけられた。

「ギャアッー」

電流の威力に、思わず栗山さんはとびあがった。後藤に命じられて、鎌田が栗山さんを後ろから羽交い締めにする。後藤や小野塚がなおもスタンガンでいたぶると、栗山さんは、ウウッとうめき声をあげた。

屠られゆく男の断末魔の叫びに三上も興奮し、この通電のリンチに加わった。愉悦の色を浮かべながら、栗山さんの首元あたりにスタンガンをバチバチとめりこませたのである。彼はサディスティックな欲動が満たされるのを感じていた。

その間も、彼らは栗山さんに酒を飲ませつづけていた。酔いつぶれた栗山さんは坐《すわ》ってさえいられなくなり、横に倒れ込んだ。

「よし、もういい」

そう言うと、三上はリビングのサイドボードにあった透明の液体のビンをとりだした。ラベルにはアルコール度数九六度の表記がある。三上は、左手で栗山さんを起こすと、あごの部分をつかみ、ポーランド産で、〝世界最強の酒〟と謳《うた》われる、ウォッカ「スピリタス」をビンごと彼の口に突っ込んだ。

「この借金まみれの居候《いそうろう》が」「自殺しろ」「早く死ね」

あまりのアルコールの強さに栗山さんはむせかえり、ウォッカを吐き出した。そしてまた床に倒れ込んでしまう。

三上は一度、ソファに戻り、煙草を一本くゆらせた。それからおもむろに立ち上がると、もう一度、左手で栗山さんの首をもって、体をもちあげた。そして、右手でウォッカのビンを握ると、ふたたび栗山さんの口の中にぶち込んだ。

透明の凶器が、スーっと栗山さんの体内に入っていく。五〇〇㎖のボトルに入ったアルコール度数九六度のウォッカは、その半分以上が一気に、哀れな被害者の体内に流し込まれたのである。栗山さんはその場に倒れ込むと、まったく動かなくなってしまった。時間は、午前二時を回っていた。

それはまさに狂気のなせる業だった。

〝死の酒宴〟はこうして終わった。

その後、犯行グループは、栗山さんをエルグランドに乗せ、水戸の事務所に運んだ。その途中、高速道路上で、栗山さんの絶命が確認された。高濃度アルコール摂取による呼吸不全が死因となった。

事務所につくと、三上の指示で、栗山さんの遺体は氷を入れた水風呂に漬けられた。死亡推定時刻を狂わせるためである。そして、アルコールが高濃度のウォッカや、覚せい剤の痕跡《こんせき》を消すため、胃の洗浄も行われた。蛇口に結んだホースを栗山さんの口に入れ、思い切り水を流し込んだのだ。それからしばらく栗山さんの遺体は冷水に漬けられていた。一仕事終えたかのように、この間、後藤は横でシャワーを浴びていた。

その後、彼らは栗山さんの遺体に服を着せると、エルグランドに乗せた。遺体を遺棄するため、栗山さん所有のワゴン車など三台に分乗して、茨城県笠間市の山を目指して出発。笠間市を北に少し越えた七会村（現・城里町）あたりの山の林道に栗山さんの遺体を遺棄した。

行き倒れに見せかけるため、遺体はうつぶせに寝かせた。裸足《はだし》ではおかしいので、小野塚が履いていたスリッパを履かせ、片一方は脱げ落ちたように、右足の近くに置いた。

所持金が一銭もないのも不自然なので、後藤は小銭を取り出すと、それを栗山さんの遺体のポケットに押し込んだ。そして、直前まで栗山さんが酒を飲んでいたように装うため、遺体やその周りに、焼酎をかけた。後藤は心中でこう思った。

「金は、三途《さんず》の川の渡り賃だ。酒をまくのはお清めだかんな」

また近くに栗山さんの車を停め、発見されたとき、すぐに身元が特定されるように、ダッシュボードに彼の運転免許証を入れる細工も忘れなかった。

栗山さんの遺体は、八月十五日に発見された。家族が身元確認で、警察に赴き、変わり果てた姿の栗山さんと対面するのは、翌十六日のことである。光明と澄江は答えた。「じいちゃんに間違いありません」

亡骸《なきがら》は、十八日に荼毘《だび》に付された。火葬という名の証拠隠滅でもあった〉

これらの内容が公判で事実と認定されたわけだが、捜査段階から栗山さんとの面識さえ否定しつづけた三上は、裁判でも嘘に嘘を重ねた。その初公判から求刑公判までの経過も紹介したい。

初公判が開かれたのは、平成二十年七月三一日。この日、三上は、白地に横じまのシャツに薄いグレーのズボン、サンダル姿で法廷に姿を現した。勾留生活は一年半以上に及ぶが、血色は良く、拘禁による疲れも見えない。

起訴状が読み上げられ、つづいて行われる罪状認否で証言台の前に立つ三上。身長一八〇センチはある体の背筋をピンと伸ばし、法廷中に響き渡る大きな声を上げた。

「起訴事実はいずれも認めない。命懸けで争います。私はシロです」

それは、〝宣戦布告〟以外のなにものでもなかった。

この初公判で、〝嘘つきの先生〟は、ようやく栗山さんと面識があることを認めた。しかし、「酒は栗山さんが自分で好んで飲んでいた」「保険に入っていることは後から知った」と、ここでも嘘をさらなる嘘で塗り固めた。

弁護側も、「債務整理のため、親切心から、困っている栗山さんを事務所で預かっていただけ。軟禁状態ではなかった」「上申書は、自分の死刑を先送りしたい後藤被告のでっちあげ」「後藤被告は死刑判決を先延ばししようと、無関係の三上被告を引き込んだ」と主張。

この間、三上は被告人席で熱心にメモをとり、時折、検察官を睨みつけるように、メガネの奥から鋭い眼光を放っていた。

法廷では、三上と後藤のバトルも繰り広げられた。平成二十年十月七日に行われた、三上の第三回公判。ここに後藤良次が証人として出廷したのである。

何年ぶりかで、あいまみえる両者。至近距離で再接近した二人は互いに憎悪《ぞうお》の色を浮かべ、激しく睨みあった。法廷に緊迫した空気が張りつめる。まさに〝凶悪〟と〝凶悪〟の対峙だった。

検察官――この殺人事件に関与したのは、あなたの他には誰がいますか。

後藤――三上静男がいます。

検察官――その三上というのは、今、あなたの左側に坐っている被告人、三上静男のことですか。

後藤――そうです。間違いないです。

冒頭、検事から、上申書で告発した首謀者は誰か、法廷の被告人との同一性を問われた後藤は、三上を指し、「この人に間違いない」と言明。自分の目の前にいる男が首謀者の三上にちがいないとし、その男が主導した事件の、おぞましい事実の一つ一つを淡々とかつ力強く糾明していった。その証言は詳細を極めた。

「事件は、三上から〝小遣いをやるから協力しろ〟と持ちかけられ、始まった」

「保険金の報酬の配分は、山田正一が四千万円、三上が二千万円、自分が二千五百万円だった」

「水戸の事務所に栗山さんを軟禁状態においているとき、三上が栗山さんの頭を坊主《ぼうず》頭に刈ったり、体じゅうに油性マジックで落書きをしていた」

「一度、栗山さんが、高校野球の茨城大会を観《み》るために、事務所からいなくなったことがあった。帰ってきたときに、〝今度、いなくなったら、家族、殺しちゃうぞ〟と脅した」

「三上が事務所の庭にある鳥小屋に、栗山さんを閉じ込めた」

「毎日、酒を飲ませ続けていた栗山さんが、ウー、ウー、とうなりながら、トイレの便器に抱きついていたことがある。よくみると、苦しんで、どす黒い血のようなものを吐いていた」

「最後のとどめをさすことになった、平成十二年の八月十二日から十三日未明にかけ、自分とともに、三上もスタンガンで八十回ほどにわたり、栗山さんに刺激を与えていた」

「三上の指示で、覚せい剤を入れた酒も栗山さんに飲ませた。栗山さんが酒を飲むのを拒絶すると、三上が激怒。栗山さんのアゴを手でおさえて、ウォッカをボトルごと口につっこんだ。ウォッカを大量に飲ませると、栗山さんは倒れた」

「三上の指示で、死亡推定時刻を狂わせるために、氷を入れた水風呂に栗山さんの遺体をつけた。胃の中からウォッカや覚せい剤が検出されるとまずいから、証拠隠滅のため、三上から、栗山さんの胃の洗浄も行うように命じられた。栗山さんの入れ歯を抜いて、口にホースをつっこみ、蛇口を目いっぱい開いた。すると、ご飯とか水滴なんかのゲロみたいなのが噴き出してきた。それが終わった後、舎弟の小野塚が入れ歯を戻したんだけど、それが上下逆になっていたから、間違えないように入れかえ直した。栗山さんの遺体を笠間の山に捨てに行くとき、栗山さんの口からまたゲロが出たら、困るので、頭からビニール袋をかぶせ、首のところで縛った」

また後藤は、三上の弁護人から上申書を提出した動機について尋ねられると、「三上への復讐心から」と、恨みの念を隠さず、ストレートに説明。「あなたが上申書を公表したのは、〝自分が舎弟のように思っていた藤田が自殺したから、三上が見殺しにしたから〟というふうに言ってますよね。でも、本当は藤田の件が理由ではなく、自分が死にたくないからじゃないんですか」と問いただされると、「それもある」と正直に認めた。後藤にしてみれば、上申書提出の動機はどうであれ、要は、殺人事件を告発したその内容が真実であれば、何も問題はないだろう、ということだ。

しかし、三上の弁護人から、「(時間稼ぎで) 死刑の執行を先延ばしにしたいから、今回の件をでっちあげたんじゃないのか」と、告発そのものが虚偽ではないかと難癖をつけられたときは、色をなして、「そんなことはない」と声を荒げる一幕もあった。「他の人にも聞いてみてください。頼んだ人がいるんですから。私らは請け負っただけですから」と。

復讐《ふくしゅう》の怨念《おんねん》に燃える後藤にとって、檻の中で長年夢にも見た、報復劇の舞台である。彼が味わうカタルシスはこのとき、ピークに達していたにちがいない。その表情は上気し、若干、紅潮の色を帯びているようにも見えた。

この間、三上は終始、表情を変えず、後藤を凝視しつづけていた。

被告人席と証言台の距離はわずか数メートル。その間には、壁も、ガラスの仕切り板も、衝立《ついたて》さえも何もない。かつては、「三上先生」「良次くん」と呼び合い、蜜月《みつげつ》関係にあった犯罪コンビは、この互いに手が届きそうな距離をはさんで、負のエネルギーを放ちあうのだった。

三上に対する求刑公判が開かれたのは、年が明けた平成二一年一月二九日だった。論告にあたり、検察は、後藤をはじめとする、法廷に呼んだ七人の証言について、「三上被告の関与を明確かつ詳細に証言しており、本件を否定しているのは三上被告一人しかいない」と指弾、無期懲役を求刑した。しかし、この最終弁論でも、弁護側は「被害者に、他殺が疑われるような外傷を残したり、犯行が発覚しやすい自宅を殺害場所に選ぶわけがない」「後藤被告は上申書によって、捜査機関が動いてくれるように、たたけば埃《ほこり》が出そうな三上被告を事件に引っ張り込んだ」と反論。

また無期求刑にも表情を崩さなかった三上本人は、最終陳述に立つと、仁王立ちの状態で、「私が保険金殺人の相談を受けたなら、犯行が発覚しないよう、完全犯罪にする。私の城を殺害場所に選ぶわけがない。家族を安心させる城であるはずの自分の家が殺害場所といわれますが、到底、考えることができません。安全な家に帰って、家族と暮らしたい。私は無実です」とアピールした。

言うに事欠き、〝私が犯人だったら、完全犯罪にできる〟と法の番人の前において堂々と演説するとは……。「発覚するということは、私の犯罪じゃない」ということらしい。片腹痛いとは、このことだ。

判決で、裁判所はこの戯言を一蹴《いっしゅう》した。後藤やその舎弟、栗山家の三人の証言は「迫真性に富み、具体的かつ詳細で、高度の信用性がある」と判断。弁護側が「上申書はでっちあげ」と訴えた点についても、「後藤証人が死刑延期を考えていることや、三上被告へ悪意があるのは確かだが、それを踏まえても、供述の信用性は高い」とし、有期刑では足らないとした検察の主張を容《い》れ、無期懲役の判決を言い渡したのである。

これに対し、三上は「判決はすべて不服」とし、即日、東京高裁に控訴した。

上申書で、警察も知らなかった自らの余罪を告白し、娑婆《しゃば》でのうのうと暮らす共犯らの悪事を暴露して、地獄へ道連れにした後藤。すでに水戸と宇都宮の事件で死刑判決を受けていた彼もまた新たに裁きを受けることになった。

東京拘置所から水戸拘置所に移管され、栗山さんの保険金殺人で逮捕された後藤には、徹底捜査を重視する検察の申請によって、ふたたび接見禁止の措置がとられた。弁護士以外は、面会はおろか手紙のやりとりもできなくなったわけだ。

そうこうするうちに、最高裁に上告中だった水戸事件と宇都宮事件での死刑判決についても、司法の最終判断が下った。平成十九年九月二八日、最高裁は後藤の上告を棄却。これで死刑判決が確定することになったのである。死刑確定囚となってしまうと、基本的に弁護士と親族以外は面会や手紙での交流は許されなくなる。後藤と一般社会、そして私との窓口は完全に閉ざされてしまった。

すでに死刑判決が確定している死刑囚を新たに別の殺人事件で裁判にかける。そのことにどういう意味があるのか——。そうした疑念も呈された、極めて異例の裁判が始まったのは、平成二十一年の四月十三日のことである。起訴から二年以上にも及ぶ公判前整理手続きを経て、ようやく開かれた初公判だった。

開廷前の午前十時半には傍聴券を求めて、水戸地裁の正面玄関横には行列ができるほど。傍聴席はほぼ満員となり、この事件への世間の関心の高さをうかがわせた。

この日、金縁メガネの後藤は、頭を丸め、ダーク・グレーのジャージ姿で入廷した。そして、起訴内容について問われると、「間違いは、別に何もありません」と認めながらも、「酒を栗山さんに無理やり飲ませたのは三上」と内容を一部否認した。

弁護側も、「栗山さんは自ら慢性的に大量の酒を飲んでいた」「酒と栗山さんの死亡に因果関係はない。自殺幇助《ほうじょ》にすぎず、殺人未遂が成立する」と反論して、起訴事実を一部否認。そして、「当時、後藤被告は覚せい剤を使用し、心神喪失か心神耗弱《こうじゃく》で、冷静に行動できる状態になかった」と後藤の責任能力を争い、精神鑑定を求めた。

死刑囚が別の殺人事件の被告になる——。こうしたケースは、果たして過去にあるのだろうか。法曹関係者は、異口同音に「こんな異例なケースは、過去に聞いたことがない。少なくとも、戦後に限っていえば、初のことではないか」と言う。

そもそも刑法は、その五十一条で死刑を執行する場合、他の刑を執行しない旨を定めている。新たな裁判で被告が有罪になり、実刑判決が下されても、実際にはそれを科すことはできないわけだ。死刑以上にさらに重い刑はないからである。

一部メディアもこの問題を提起し、そのうえで、真相解明のため、起訴が必要であるとする検察当局の見解や、刑の執行より捜査や審理を優先すべきだとの識者のコメントなどを紹介した。

〈死刑囚　再び被告席に

死刑執行を延期してまで、死刑確定囚を別事件の被告として裁くことに意味はあるのか？　十三日、水戸地裁で始まる裁判が、異例の論議を呼んでいる。（中略）極刑が科せられた男を裁く意義とは——。（中略）

死刑が確定した被告にこれ以上どんな刑罰を求めるのか。水戸地検の山下輝年次席検事は「別事件での死刑確定は本件の求刑に影響しない。本件の結果の重大性や刑事責任、犯行態様などから量刑を決める」と説明。（中略）

「本件は重大事件で社会的影響も大きい。真相解明すべきだと判断した」と山下次席は強調する〉（東京新聞　平成二一年四月十二日付朝刊）

この捜査当局の姿勢は一〇〇パーセント、是とするところである。そして、私自身も東京新聞の記者から「後藤被告が死刑を引き延ばすため、あなたを利用して事件をつくり上げた、と三上被告が批判しているが、どう考えるか」と質問され、こう答え

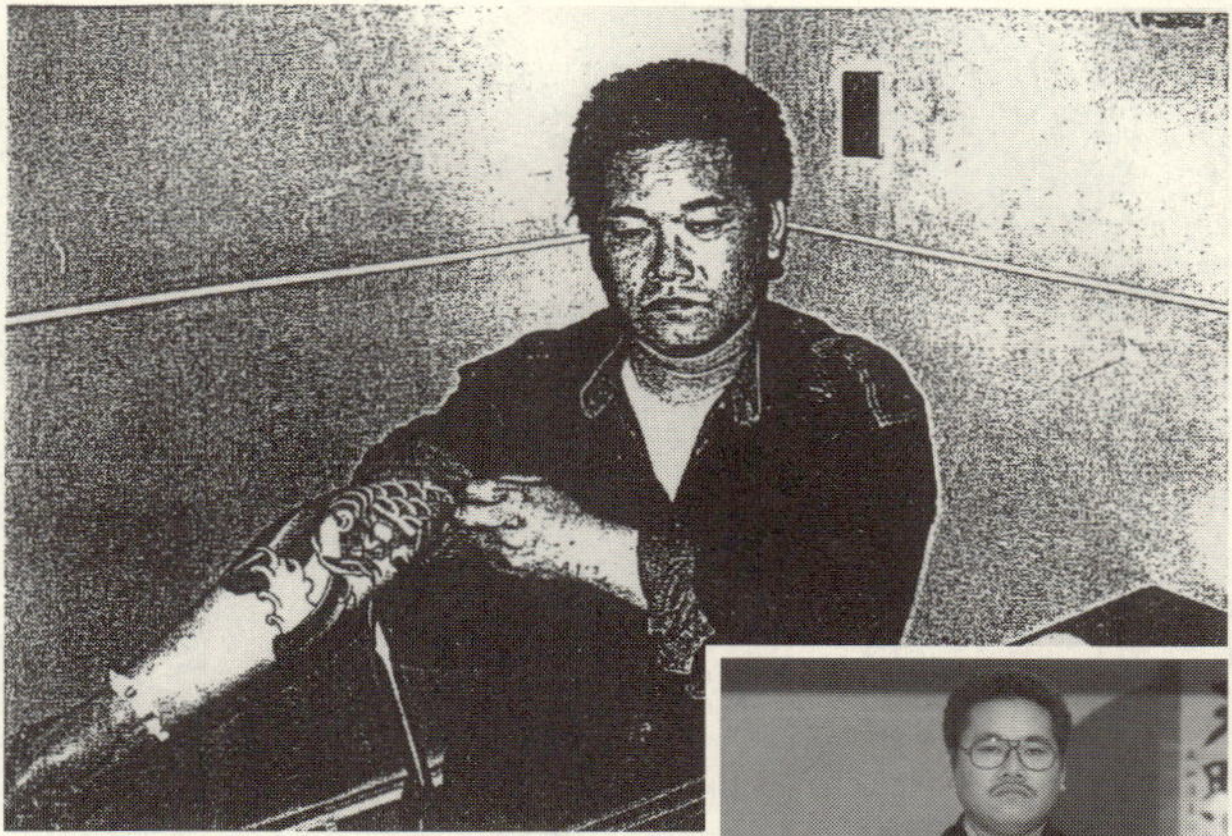

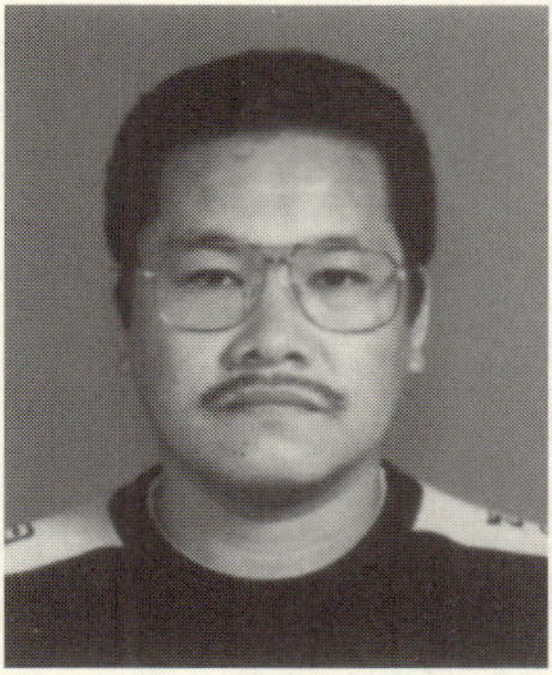

後藤良次——彼もまた“凶悪”の一人だった

ている。

「確かに、結果的には執行を遅らせることにはなると思います。しかし、それを遅らせることと、埋もれていた凶悪な殺人事件を掘り起こし、その真相を解明することを天秤《てんびん》にかければ、当然、後者の方が重いと考えます」

じつは、私も「上申書殺人事件」という稀有《けう》なドラマを構成する一要素としてこの裁判に参加している。すでに家族、親族とは断絶している後藤被告のため、情状証人として出廷して欲しいと、弁護人の大熊裕起氏と坂根《さかね》真也《しんや》氏から要請されたのだ。

私が水戸地裁の証言台に立ったのは、平成二一年六月四日、第五回公判のことだった。後藤とはほぼ二年半ぶりの再会となる。

後藤は血色もよく、塀の中で健康な生活を送っているようだった。

証言台に立つ前に、彼に向かって一礼すると、一瞬、柔和な表情になり、笑みを浮べたように見えた。

私はここで、当時、東京拘置所にいた後藤から余罪事件の告白を受けることになった経緯や、警察への取材結果のレポート提出などについて証言した。また、彼が上申書を発信した動機についても、三上への復讐の念はもちろん、死刑執行を遅らせたいという思いもあっただろうという推察を正直に話した。そのうえで、「死刑判決を受けたことで、〝どうせ死んでいくなら、最後にすべてを洗いざらい明かして、きれいになって死んでいきたい。闇に埋もれている事件を明かすことが、被害者への償いにもなる〟とも話しており、その思いを語る際の後藤被告は真剣そのものだった。そこに嘘はないと思う」

と、自分が犯した犯罪や、被害者への贖罪《しょくざい》の気持ちも、重要な動機のひとつであるはずだということを強調した。

後藤自身も、最終意見陳述で、「被害者の方は戻ってこないが、残された人生を償い、歩いていきたい」と心境を語っている。

確定死刑囚、後藤へ新たな判決が下されたのは、平成二一年六月三十日である。

上下グレーのスエット姿で判決公判に臨んだ後藤は裁判長の判決言い渡しを待った。

「主文、被告人を懲役二十年に処する」

求刑は無期懲役だった。しかし、裁判長は、後藤の上申書提出が自首にあたるとし、刑を減軽したという。上申書の意義が適正に評価されたのだ。

河村潤治裁判長の裁定は概ねこうだった。

「被告人は、栗山裕さんの妻ら家族に、保険金殺人を依頼され、三上静男などと共謀。〇〇年八月十二日午後九時から十三日午前二時ごろ、肝硬変と糖尿病を患った栗山さんにスタンガンを押し当てたり、電気コードを頭部に押し付けて感電させたりしながら、強いて多量に飲酒させた上、アルコール度数九六度のウォッカを無理やり飲ませ、高濃度アルコール摂取による呼吸不全で死亡させた。本件は、保険金目的の殺人事件であり、金銭を得るために人の命を奪うという犯行の動機に酌量の余地は一切ない。肝硬変などを患う被害者に飲酒させ、病死に見せかけて殺害したのであり、計画的かつ巧妙な犯行である。主犯は三上静男被告であるものの、被告人も実行行為の重要部分を担《にな》ったのであるから、相当に大きな役割を果たしている」

後藤の犯罪事実をこう認定し、弁護側が、「覚せい剤使用で心神耗弱だった」と主張した点については、「保険金を目当てにした犯行動機や、犯行前後の行動に照らしても、完全責任能力があったと認められる」と退けた。

しかし、そのうえで、「犯行態様は残酷、悪質で、結果は重大であるが、本件は被告人が県警に上申書を提出したことによって発覚した事件であり、被告人には自首が成立する。自首に至った主たる動機が三上への復讐にあることは被告人自身も認めているところであるが、動機が何であれ、被告人の自首がなければ、事件が明るみに出ることはなかった。この本件の特殊事情に鑑《かんが》みると、自首の事実は量刑上相応に考慮されるべきである。また本件の首謀者は三上であり、被告人は三上に対し従属的であった。しかも分け前も受け取っていない。主犯の三上に比べると、その果たした役割は小さい」と判断。

被告人のため酌《く》むべき事情も認められるとして、前述のとおり、刑を減軽したのである。この間、後藤は身じろぎもせず、裁判長の判決に聞き入っていた。

上申書を提出した行為が評価されたことに、後藤や弁護人らが喜んだのはもちろんだろうが、私もそれに関わった一人として、なにか達成感のようなものを覚えた。とはいえ、先に述べたように、刑法の規定により、この懲役二十年の実刑が執行されることはないのだが……。

後藤が罪一等減じられたことに、水戸地検もさほど大きな不服はなかったようだ。「(後藤被告には)隠れていた犯罪事実を明るみに出した貢献がある。また別の事件で死刑判決も確定しているので、これ以上、当該の裁判を続ける必要がない」として、控訴しなかったのである。しかし、後藤側は、「責任能力などの争点で主張が認められなかった」と、判決を不服として控訴した。

今後、彼の審理は東京高裁で継続されることになり、おそらくそれは最高裁までつづくだろう。ちなみに一足先に東京高裁に審理の舞台を移した三上は、八月二四日に控訴を棄却され、再び無期懲役を言い渡されている。彼が即、最高裁に上告したことは言うまでもない。

しかし、後藤の判決はまだ一審段階ながら、こうして司法の判断が次々と下されたことで、「上申書殺人事件」は一応の終結を見たと私は受け止めている。

ただ残念なのは、上申書で告発された他の二つの事件が解明されなかったことである。

一件目の「大塚某殺害事件」は、警察の捜査にもかかわらず、大塚某が何者なのか、その人定さえ叶《かな》わなかった。それを唯一《ゆいいつ》、可能にするのが、遺体をゴミ焼却場で焼却して、遺棄を手伝ったとされた山田正一だった。しかし、その肝心の山田は、自殺としか考えられないような死を遂げてしまった。山田さえ生きていて、警察の追及が功を奏せば、大塚某の身元が特定出来たかもしれないのだ。かえすがえすも、山田の死は残念でならず、事件の全容解明を目指す関係者にとっては、痛恨の極みだったのである。

二件目の「倉浪さん殺害・不動産略奪転売事件」に関しても、捜査は行き詰まった。後藤が、倉浪さんを生き埋めにしたとされる北茨城の土地を、県警は、平成十九年の三月と四月、後藤を立ち会わせ、数日にわたり、大がかりに捜索している。後藤の記憶違いによる誤差の範囲も想定して、数十メートル四方の広範囲にわたり、土を掘り返したが、結果は徒労に終わった。遺体、あるいは遺骨は発見されなかったのである。

後藤は、「おかしい。そんなはずはない。絶対、あそこにあるはずなんだ」と主張したが、いかんともしがたかった。捜査員の一部からは「そもそも地盤が固く、掘削に適さない土地。遺体どころか、穴を掘ったり、人の手が入った形跡すら見つからない」と疑義の声が漏れた。

しかし、私自身は第五章に書いたとおり、「上申書殺人事件」の裏取り取材の際、三上が所有するその土地に、平成十六年の秋ごろ、ミニユンボが入っていた事実を、近くの住民から直接、聞いていた。

誰かが、ミニユンボを使って、〝何か〟をしたのである。人の手が入っているのを現認している住人がいるのだから、「人の手が入った形跡すらない」という捜査員の証言は、どうにも受け容れがたい。むしろ、「三上側が死体もしくは遺骨をどこか別の場所に移した」「ミニユンボの不可解な動きは、その際のものだ」と考えるほうが自然ではないか。後藤も、これについては法廷で、「遺体が出てこないですからね。

私がパクられちゃってますからね。その間に、どこかへ隠したかも分からないですしね」と、三上が証拠隠滅を図った可能性を示唆《しさ》し、悔しさをにじませている。

　警察は、残りの事件の捜査もなお継続中としているが、実際には、よほどの展開がないかぎり、全容解明は困難だろう。

　茨城県警や水戸地検にはさらなる奮闘を期待したかった。双方とも、物証のほとんどない「栗山さん保険金殺人事件」を立証するのに四苦八苦して疲弊し切ってしまい、余力が残っていなかったというのが、私が受けた印象だ。しかし、証拠隠滅が図られたことを前提に、考古学の遺跡発掘のレベルに近いような、もっと大がかりで徹底した、長期的掘削作業までは敢行されなかったと見受けられる。そこまでなされていれば、遺体があった痕跡を探し出すことができなかっただろうか。

　あるいは、倉浪さんが所有していたさいたまの土地の詐取などで別件逮捕を駆使して、三上や共犯と名指しされた関係者たちへの強制捜査による事情聴取を断行することだって出来たはずである。被害者の申し立てがないとはいえ、土地の略奪、転売は明らかだ。これだけでも立派な犯罪なのだから、捜査当局が自らその手を封印してしまったのは、理解に苦しむ。たとえ、詐欺罪の構成要件に「いかにして騙されたか」という被害者側の証言が必要で、それが得られないとしても、これはあくまで別件だ。

裁判で有罪立証を目指す本丸の犯罪ではない。殺人の立証につなげるための手段・方策と割り切れば、切れるカードであったろう。詐欺の時効を迎える前に、こうしたアプローチを行っていれば、あるいは別の展開が見えたかもしれないのに……。

残る事件への斬《き》り込み方に不満は残るものの、ただ茨城県警が真摯《しんし》に粘り強く、事件に取り組んだのも事実である。それゆえ、「県警の捜査史上、最も困難な大事件」（捜査関係者）と評された保険金殺人は立証されたのだ。平成十二年に栗山さんの不審な死に事件性を見いだせなかったというミスはあったものの、上申書を受けた以降の捜査への執念はそれを挽回《ばんかい》し、あまりうる成果を出したと評価できる。

また一件だけしか立件されなかったことをもって、後藤の上申書の評価が下がるものでもあるまい。なにしろ、いずれも時間が経ち過ぎ、物証に乏しい事案である。考えようによっては、一件だけでも立証されたのは奇跡的であったといえるかもしれない。そして、その捜査結果が「上申書殺人事件」という呼び名で広く報じられ、社会に大きなインパクトを与えた。こうした点に鑑みれば、やはり後藤が発した上申書には極めて大きな意味があったと言えよう。

一、二審で死刑判決を受けた獄中の殺人犯が、別の殺人容疑で逮捕される。これだけでも異例なのに、その余罪捜査の最中に、最高裁で被告の極刑が確定。殺人犯は死刑囚となりながら、また新たに浮上した余罪事件の刑事裁判にかけられ、判決を受ける。

「前例を把握していない」——法務省が戸惑い気味に言うように、前代未聞の展開をたどったこの事件は、司法の長い歴史をひもといても極めて稀有なケースとして、日本の犯罪史上に残る事件の一つになったのである。

深い闇に埋もれていた狂気の犯罪。その深淵《しんえん》に光があてられ、殺人事件は〝発掘〟された。裁きをうけるべき者たちに対し、〝最後の審判〟が下されたのである。栗山さんが味わった地獄の全容が明かされ、その魂は弔われただろうか。

ヤクザの世界でさえ、「大前田の殺し屋」と恐れられた後藤良次。人の命を金に置き換える〝死の錬金術師〟と称された三上静男。「一緒に行こうよ」とばかりに、煉《れん》獄《ごく》の鉄格子のすき間から伸ばされた手に、もう一方の手がからめとられた。

灯された魂鎮《たましずめ》の火の向こうで、今、〝凶悪〟と〝凶悪〟の二人は、ともに光なき修羅の道を地の底へと下っていこうとしている。その先に待っているのは、自殺した藤田幸一であり、不審死を遂げた山田正一であり、そして残酷に屠られた無辜《むこ》の被害者たちの魂である。
あやめもわかぬ暗闇の中、二人の情念の火だけが明滅している。

文庫版あとがき

「死刑には追い込めませんでしたが、もう三上もダメですよ。終わりです。八月二十四日には、東京高裁でも控訴が棄却され、無期懲役刑になりました。今、無期懲役は厳しくなっており、法務当局は、簡単には仮出獄なんてさせない方針ですから。事実上の終身刑です。自分の弟が〝つとめて〟いる仙台の刑務所なんて、もう何年も無期の人間で出所できた者はいませんからね」

平成二十一年九月三日、東京・小菅の東京拘置所。面会室の特殊ガラスの向こうにいる後藤良次は自らその真贋《しんがん》を世に問うた「上申書殺人事件」をふりかえり、三上静男との対決を総括した。顔色も良く、「自分にやれることはすべてやり終えた」という思いからか、その相貌《そうぼう》からはすっかり毒気が抜けていた。「栗山さん保険金殺人事件」の一審判決を一部不服として東京高裁に控訴し、水戸拘置所からここ東拘《トーコー》にふたたび帰ってきた後藤。二年七ヶ月余ぶりとなる、小菅の面会室での再会だった。

水戸事件、宇都宮事件で最高裁への上告が棄却され、すでに後藤は死刑確定囚となっている。そのため、彼はもはや親族や弁護士としか面会や手紙での交流ができなくなり、基本的には社会との窓口は閉ざされてしまった筈《はず》だった。

しかし、平成十八年に「改正刑事施設・受刑者処遇法」が成立。翌年の施行によって、死刑囚に関しても、親族以外の者であれ、「本人の重大な利害に関する用務処理のため必要な人、本人の心情の安定に資する人、交友関係の維持などを必要とする事情のある人」と認められれば、拘置所長の裁量で、面会や手紙のやりとりが許されるようになった。

後藤は新たな事件で水戸地裁に起訴され、裁判が始まった後も、しばらくは検察の請求で「接見禁止」がついたままの状態がつづいていた。これを不当として、裁判所に異議申し立てを行ったところ、ようやく禁止が解除された。それを受け、後藤が私を「親族外『手紙・面会』」の希望者として申請したところ、手紙のやり取りや面会が許可されたのである。扉がふたたび開かれ、後藤と私の交流が再開された。

面会では、さばさばした表情をしていた後藤だが、三上の一審判決が出た直後は複雑な心境をにじませていた。

〈3つの余罪事件で、一つしか立証できず、三上に負けた……腹が立ち涙が出るほど悔しい思いですが、三上自身の判決も「無期懲役刑」ですので、もう二度と社会復帰

「仮出所」も無理、無いでしょうが、悔しいです。

本当に残念でなりませんが、それでも、藤田幸一（筆者注・仮名）の敵を討つ事が出きたと思って折《ママ》ります。

宮本さんを紹介していただいた高橋義博さんに感謝して折《ママ》ります。

宮本さんには、本当にお世話に成り、宮本さんが動いていただいたからこそ、茨城県警に上申書を書いて提出する事が出きたのです。

宮本さん、何を書いて良いか、言葉が出てきません、心より、後藤良次、感謝の気持ちで一杯です。有りがとうございます〉

「親族外『手紙・面会』」の許可が出た後、平成二十一年六月十八日の消印で、まだ水戸拘置所にいた後藤から届いた手紙の内容である。

そこからは、恨み骨髄の三上を極刑に追い込めなかった無念と、それでも牢屋《ろうや》にぶちこみ、娑婆《しゃば》を闊歩《かっぽ》する自由を奪うことができた達成感がからみあった複雑な心情が読みとれた。

この手紙の中で、後藤は、遺体が発見できず、捜索が打ち切られた「倉浪さん殺害・不動産略奪転売事件」についてもこう記していた。

〈「被害者の遺体」さえ出ればと思っていましたが、私が逮捕されてから、時間、年月も経《た》っていますので、三上自身が何処かへ移したのだと思います。何時までも、そのままにして至《ママ》のでは、危ないと思った事と思います。

「遺体」は出ませんでしたが、三上静男も、もう、二度と出られません。

もう一歩だったのでしょうか。宮本さんに、平成十五年頃に会って居るのでしたら、三上も、「無期懲役刑で無く、死刑判決」を受けていたと思います。

藤田幸一の自殺が、平成十六年十月でしたので、多分ですが、「遺体」を移した時に幸一が手伝いをしたのだと思います〉

公判を通じて、三上の弁護人や検察などから、上申書提出の動機について、「死刑の先送りによる自身の延命のため」という側面だけが強調された後藤。この文面からは、それが不本意で、三上告発を決意する最後の引き金となったのは、舎弟のようにかわいがっていた藤田の自殺であり、生活能力のない彼の面倒を見ず、約束を果たさなかった三上への怒りであることを訴えたいという思いが察せられた。それゆえ、告発の準備が平成十六年末以降になり、この遅れが三上に証拠隠滅の時間を許すことになってしまったという後悔の念も入り混じっていた。

しかし、久しぶりに小菅で面会した後藤は、時間も少し経過したためか、そういう悔恨やジレンマを乗り越え、明鏡止水の心境に達しているようにさえ見えた。聞けば、水戸拘置所では、東拘ですでにたしなんでいた短歌にくわえ、水彩画を楽しむようにもなって、花などを描いていたという。

私は、法的、捜査的な観点からだけではなく、「後藤個人にとっての『上申書殺人事件』という名の闘争」についても終止符が打たれてよいものと確信した。

後藤は言った。

「死刑確定囚になって、小菅に帰ってきたら、色々、規制が厳しくなっていましたよ。嫌がらせなんでしょうかね。水戸拘置所では認められていた絵の具の持ち込みも不許可にされました。部屋には監視カメラもついています。今後は、ここで、自分のせいで命を落とした被害者のことを毎日、思って生きていきます」

そして苦笑いして、こうつづけた。

「それにしても、今度、入った部屋は、藤間《ふじま》さんや陸田《むつだ》さんたちと同じ部屋なんですよ。皆、吊《つ》るされて、刑に処された人たちばかりです」

凶悪な殺人事件を犯し、すでに処刑された死刑囚、藤間静波《せいは》、陸田真志《しんじ》などが最後を過ごした部屋。そこで後藤はその時を待つという。それまで、後藤と私の交流はつづくことになるだろう。

私にとっても、この事件は、記者、編集者生活の中で一生忘れられない事件になるはずだ。

昨今、出版業界では、「雑誌ジャーナリズムの衰退」が危惧《きぐ》されている。週刊誌や総合月刊誌の実売部数が減りつづけ、長期低落傾向がつづいていることは紛れもない事実だ。この一年でも、『論座』や『月刊現代』『諸君！』などの歴史ある有力月刊誌が相次いで休刊の憂《う》き目を見た。

こうした窮状を招いている要因として、「雑誌記者、編集者の劣化」を声高に叫ぶ向きもある。むろん、そうした側面がまったくないというわけではなく、常に自戒と反省の念を持ちつづける必要はある。

だが、雑誌が苦境にあえいでいる原因は、ネット情報化社会の到来を迎えた今、もっと複合的に分析されなければならないだろう。なにしろ、この不況である。しかも、活字メディアやテレビが取材して報道する記事の多くが、瞬時にネットで公開され、タダで閲覧できる時代だ。過激さだけを追求して、無責任な情報を流す発信者もいるから、より強い刺激を求める受け手にとっては、ネットは魅力的なメディアだろう。

だが、それゆえ、野放図《のほうず》に肥大したネットにあふれる情報は極端に玉石混淆《ぎよくせきこんこう》となる。

こうした状況がさらに極まれば、私は、その時こそ、逆に雑誌が勝負の局面を迎えると考えている。この時、氾濫《はんらん》する情報の取捨選択に疲れ、信頼度が高い上質の内容だけを欲する読者の期待に応《こた》えられるかどうかがポイントだ。

そのため、常に雑誌は時間と労力をかけて取材し、〝格付け〟した、一定程度、信頼性のある情報を、その雑誌ならではのセンスでおもしろく味付け、加工（捏造《ねつぞう》ではない）して、発信しつづけなければならない。この努力をつづけていれば、多くの読者の支持を得られる時が必ず来るだろう。だから、私はこの今こそ、雑誌メディアが生き残り、社会で復権を遂げる萌芽を摑《つか》みとるチャンスだと考えているのである。

それは、なにも〝対ネット〟の話ばかりではない。新聞やテレビなどのメディアと比べても、雑誌は充分競《せ》り合い、勝ち残れる特性や利点を持っている。

手前味噌《みそ》になり恐縮だが、私は今回の「上申書殺人事件」の報道は、雑誌にしかできない仕事だったと思っている。この取材には、その開始から月刊誌『新潮45』での記事掲載までに約八ヶ月もの時間をかけた。むろん、時間をかけたことだけをもって「必要十分な取材」であるとは言えない。しかし、長期綿密な調査を行うことも、相応の信頼性をもつ情報を発信するためには重要な要素である。この点、定期異動の多い新聞やテレビでは、一つのテーマに集中して、記者やチームが取材を継続することは比較的難しいと言わざるを得ない。私も取材当時、この件だけに専念していたわけではなく、他の仕事もこなしながら、空いた時間でこの取材にあたっていた。それでも、新聞、テレビの記者より、環境面では恵まれていたといえる。

また、立件どころか表面化さえしていない殺人事件で、疑わしい人物について報道するかどうか、それをメディアが決断するにあたっては、極めて難しい判断を迫られる。たとえ匿名《とくめい》にするにせよ、細心の注意や配慮が必要なことは言うまでもない。

一般に社会的影響力が雑誌より大きいと考えられている新聞社やテレビ局では、報道にあたって、クリアすべき事実の裏取りのハードルは、雑誌より高いと思われている。基本的には警察が間違いなく立件することを見極めたうえでの報道となり、その決定は自主判断というより、捜査当局のお墨付きが得られるかどうか、それ次第ということになりがちだ。よって当局への取材とその関係が優先され、彼らの意向にも配慮しなくてはならない。報道における判断に規制がかかり、自主性は失われてしまう。

その点、フリーハンドで臨める雑誌は、最後まで自主判断が貫ける。事件を、捜査着手前に『新潮45』が公表できたのもそのおかげである。

この「上申書殺人事件」が社会に大きなインパクトを与えたのは、獄中から発せられた上申書によって警察が動き、捜査でその内容どおりの犯罪が確認され、立件されたからである。つまり、警察が捜査したからこそであり、報道前の私の心配はもっぱら、「警察が動いてくれるかどうか」、この点にあった。なにしろ、上申書の発信者は、放っておいても死刑になる凶悪殺人犯である。当局にすれば、死刑先延ばしという狙《ねら》いも見え見えで、その動機は不純に映る。警察には、本当かどうか分からない厄介な件には手を出さず、無視するという選択肢もあった。だから、私は警察の尻《しり》をたたき、重い腰をあげさせるためにどうすればいいか、そればかりに腐心し、悩んだのである。

その結果、警察に取材内容のレポートを提出することで事件を通報し、弁護士経由で後藤の上申書が受理されたところで、記事を公表することにした。情報を公開して、当局が事件から逃げる道をふさぐ。こうして、警察が情報を握りつぶさないようにすることを狙ったのだ。今となっては、そんなことをしなくても茨城県警は真摯《しんし》に動いたはずだと信じられるが、一度きりの勝負なので、念には念を入れたのである。結果、他の新聞、テレビもこぞって後追い報道し、事件に火がついた。警察が懸命に捜査に邁進《まいしん》したことは、これまで述べたとおりだ。

これが警察の記者クラブなどに加盟し、日ごろから当局と深い関係を築いている新聞、テレビでは、同じような展開に持ち込めたかどうかは甚だ怪しい。これらの記者が警察に情報提供し、上申書が受理された時点でも、「捜査に影響を及ぼすから、立件のメドがつくまで報道するのは控えてほしい。そのかわり、強制捜査に着手する際には、おたくに抜かせるから」とスクープをエサに縛りをかけられれば、そのメディアはしがらみから動くに動けず、ずるずると当局のGOサインを待ち続けることになるかもしれない。結果、いつまでも報道の機会を得られず、案件が一般に表面化しないまま、そのうち立件の機会そのものが失われてしまった危険性もあるのだ。

以上が、この「上申書殺人事件」を「雑誌だからこそできた事件報道」と私が考える所以《ゆえん》である。

雑誌には、まだまだ存在意義があり、社会に果たす役割は今後一層、大きくなると確信している。自分自身、スクープや、おもしろくて意義深い良質の記事をこれからも発信していきたいと心がけている。また今、この瞬間にもその種の報道を虎視眈々《こしたんたん》と狙い、準備している雑誌メディアがあるはずだ。雑誌に携わるすべての人間が強い気概を持ちつづけられれば、必ず業界をとりまく閉塞《へいそく》状況は打破できると信じている。

「雑誌ジャーナリズムは死なない」

その矜持《きょうじ》が問われている。

平成二十一年九月

『新潮45』編集長　宮本太一

解説

佐藤優

本書『凶悪』は、少なくとも過去十年に私が読んだ殺人事件を扱ったノンフィクションのなかで最大の衝撃を受けた作品である。

資本主義社会においては、すべてをカネに転換することが可能である。保険金殺人で人間の命をカネに換える「死の錬金術師」が現実に存在するのだ。しかも、その主犯が法の裁きを受けずに市民社会の中で平穏に暮らしていく。このピカレスク小説のような話が現実に存在したのだ。

この犯罪が明るみにでたのは、主犯とともに殺人を実行した後藤良次氏の告白によるる。しかも、この告白は、警察官や検察官に対して行われたのではなく、一人の編集者に対して行われた。編集者は通常、黒衣《くろこ》に徹する。

ノンフィクションには大きく分けて、第三者ノンフィクションと当事者手記がある。ノンフィクションの王道は、第三者ノンフィクションで、出来事に直接関係がない作家が、丹念な取材に基づいて真実を明らかにするという手法だ。当事者手記は、第三者ノンフィクションと比べると、当事者による主観がどうしても強く出るので、読み物としてはおもしろくても、真実を明らかにするという観点からは一段劣るものとされる。因《ちな》みに、私のデビュー作『国家の罠《わな》　外務省のラスプーチンと呼ばれて』（新潮文庫）は、典型的な当事者手記だ。しかし、私は事実関係について、自己に不利なことを含め提示し、自らの立場や偏見が読者にわかるように書けば、そこから読者は私の偏見を矯正してテキストを読んでくれると考えている。第三者ノンフィクションに関しても、資料の選択、記述の視座など、書き手の主観から完全に離れることはできない。要はどうやって、現実に少しでも近づくことができるテキストを提供するかがノンフィクション作家にとっての課題なのである。

殺人の実行者が、主犯について告白するというような場合、通常、当事者手記の手法を用いる。他の誰も知らない「秘密の告白」について当事者手記だと表現しやすいからだ。もっとも重要な秘密をもっている人が文章を上手につづることができない場合もある。そのとき、編集者は、その問題に通暁《つうぎょう》したライターをつける。ライターは自らの我を極力殺して、情報をもち、発信しようとする人の内在的論理をできるかぎり精確に反映させようとする。従って、ライターは著者ではない。

いま爆発的ベストセラーになっている村上春樹氏の長編小説『1Q84』（新潮社）の中に『空気さなぎ』という小説がでてくる。小説の中に小説があるという入れ子構造になっている。小説家志望の予備校講師天吾は文学新人賞応募作品の下読みをしている。そして十七歳の少女が投稿した『空気さなぎ』という作品に惹《ひ》きつけられる。知り合いの編集者の勧めで、天吾は『空気さなぎ』を書き直す。そのとき、天吾は自らの趣味で余計なことを書き加えたり、削除したりしないように細心の注意を払う。あくまでも原作者が「ふかえり」であることを天吾が尊重しようとしたからである。『凶悪』を読むと、本書の著者である宮本太一氏の後藤良次氏に対する姿勢が、天吾と「ふかえり」の関係を連想させる。

宮本氏は、後藤氏との関係について、〈面会室の厚いガラス板という障壁で仕切られた後藤と私。／時間の制約にも縛られた二人がともに苦労しながら、忘却の彼方《かなた》に消え去っていたはずの事件について、時空を超え、記憶を喚起し、裏づけをとり、互いを補完しつつ、立証を行っていくという、異例の共同作業から約四年の月日が経過していた〉（本書316頁）と記す。確かにその通りだ。ただし、拘置所のアクリル板で隔てられた「塀の内側」と「塀の外側」はまったく別の世界である。

私自身、「鬼の特捜」（東京地方検察庁特別捜査部）に逮捕され「小菅ヒルズ」（東京拘置所）の独房に512日間暮らしたことがある。当初は新北舎三階、その後、新館のB棟八階に移動した。いずれの獄舎にも確定死刑囚や死刑相当事案で公判中の人々がいた。囚人はそれこそ、人それぞれである。確定死刑囚でも、なぜ殺人を犯してしまったかについて真摯《しんし》に考え、それを短歌につづっている人もいた。精神のバランスを崩し、一日中、ふくろうのように「ホー、ホー」と鳴いている人もいた。また、確定はしていないが、一審で死刑を言い渡されて、高等裁判所の審理のために東京拘置所に移送されてきた未決囚は、毎日看守に「確かに私は二人殺しました。しかし、二人目については殺意はなかったんです。どうして私が死刑にならなくてはいけないのですか」と切々と訴えていた。

独房では、囚人同士が話すことは「通声《つうせい》」という違反行為になる。看守の虫の居所が悪いと図書の閲読禁止や差し入れを認めないなどの懲罰が加えられる可能性がある。それだから、ラジオが流れている時間帯以外は、獄舎はとても静かだ。どうしても話をしたい囚人は、報知器のランプをつけて、「請願」という口実で話をする。耳を澄ましていると、いろいろな話が聞こえてくる。娑婆《しゃば》で自分はいかに成功していたかという自慢話、無実の訴えがほとんどだ。囚人には話がうまい人が多い。独房で一日中、あれこれ考えているので、頭の中できれいな物語ができあがるのであろう。

私の向いの独房に十億を超える詐欺《さぎ》事件の被告人がいた。独房には雑巾《ぞうきん》が二枚ある。一つはミシンで布を縫い合わせた厚手の雑巾だ。もう一つは「青雑巾」と呼ばれる喫茶店で出るおしぼりを青くしたような布だ。細かいところの掃除にこの雑巾が役に立つ。この囚人は、毎日、便器にこの雑巾を流す。そして、看守に「間違えて流してしまいました」と言う。

看守は、最初、「トイレの配水管はつまりやすいんだ。雑巾が詰まったらコンクリートを割って、配水管を取り替える大工事になるんだぞ」と厳しく注意した。囚人は「すいません」と言って、また、翌日、雑巾を流す。そういうことが一週間も続くと看守もお願い口調で、「ねえ、あなた、頼むから青雑巾をトイレに流すのはやめてくれ」と言うようになる。すると囚人は、「頭がいたいんです。横臥《おうが》許可を願います」と言う。拘置所規則によると午前中、囚人は横になることができない。ただし、看守が特別に横臥許可を与えると横になることができる。要するにこの囚人は、「横臥許可を与えるならば、青雑巾をトイレに流さない」という取引を看守に持ちかけたのだ。看守は、「医務の先生を呼ぶか」と言った。医務の先生とは、看護師の資格をもっている職員のことだ。仮病は通用しない。囚人の持ちかけた取引に看守は応じなかったのだ。もっとも看守を含む拘置所の職員はこの囚人に対しては言葉づかいも特にていねいにするように気を遣い、居心地のよい独房生活を送るようになった。まず、「青雑巾を誤ってトイレに流す」という人為的障害を作りだし、それをやめるからと言って取り引きを求める技法は、交渉術として秀逸だ。北朝鮮が核兵器や弾道ミサイルを作り出してから、「これらの兵器を使わないから俺たちの要求を飲め」という形態の恫喝《どうかつ》外交も、この青雑巾戦術の応用編だ。

塀の外に出て、職業作家になってからも、出版社気付でときどき獄中から手紙が送られてくる。無罪なのに囚《とら》われの身になっているので助けてくれという手紙が過半数であるが、死生観や思想書を読んで感じたことをつづっている内容のものもある。獄中では思考が凝縮する。読書以外、娯楽がほとんどなく、物を考える時間も十分ある。それだから、囚人の潜在的にもっていた表現者としての能力が刺激される。そこで嘘《うそ》のようなほんとうの話とほんとうのような嘘の話が入り交じった作品を作り上げる人も出てくる。このような話にひっかけられないようにすることが職業編集者には求められる。

後藤良次氏から、別件の殺人についての告白を聞いたとき、宮本氏は編集者の職業的良心に従って、徹底的な裏取りをした。そして、後藤氏の証言に基づいて、ノンフィクション作品を書き始めた。『凶悪』の中で、宮本氏が三つの魂の葛藤《かっとう》に悩んでいる様子が行間から浮かび上がってくる。

まず第一は、書き手としての魂だ。後藤良次氏という貴重な情報源に接し、宮本氏は作家としての好奇心を搔《か》き立てられた。誰も知らないことを文字にして読者に提示することは、作家にとって麻薬のような魅力がある。後藤氏の独特の個性に宮本氏は惹きつけられていく。新たな殺人事件を自白することで、死刑を引き延ばそうとしているのではないかという疑念をあえて、提起している。そして、行間から、「そうではない。後藤良次はそのような命根性のきたない男ではない」という宮本氏の小さな声が聞こえてくる。また、元愛人の取材を通じ、後藤氏が人間的魅力をもっていることが伝わってくる。

第二は、編集者としての魂だ。後藤氏に惹きつけられていくことの危険性を認識し、宮本氏は徹底的な裏取りをする。地図を差し入れ、後藤氏の記憶を喚起し、犯行に関連した現場を歩く宮本氏は、殺人担当の刑事を彷彿《ほうふつ》させる。

第三は、日本国の公民としての魂だ。このような不正が許されてはならないという憤りだ。書き手、編集者として二つの魂だけならば、スクープ報道を行い、捜査当局の怠慢を弾劾《だんがい》すればよい。しかし、そうではなく、後藤氏が告発する殺人者には、法による正当な裁きを受け、責任をとってもらわなくてはならない。宮本氏は後藤良次氏も死刑になるのは当然であると自らの立場を明確にする。しかし、宮本氏を信頼して貴重な証言をしてくれた後藤良次氏に人間としての愛情をもちつつも、社会の正義、そして編集者としての職業的良心からこういう立場をあえて表明したのだと私は理解している。

私自身が、刑事裁判を経験した関係で、被告人が無罪主張をしている限りは、無罪推定の原則で発言することにしている。しかし、本作品については例外だ。それは、私が宮本太一氏の編集者としての能力と良心を信頼しているからだ。テキストの論理構成にも崩れがない。私は本書に書かれていることが真実であると信じている。

後藤氏と宮本氏の共同作業によって、いくつかの真実が法廷で明らかになったことはとても重要だ。たとえば栗山裕氏を殺害したときの状況だ。

カーテンや絨毯《じゅうたん》を扱うインテリア・ショップの経営に失敗し、裕氏が作った借金は約六千万円にも及んだ。自分たち家族も連帯保証人になっている。住んでいる家も金融機関の抵当に入っており、このままでいけば、一家離散となるのは目に見えていた。

家族の月の収入は約五十万円。それなのに、借金の毎月の返済金はその二倍以上の百万円を超えていた。

〈法廷では、彼ら三人が、精神的にも肉体的にも追い詰められ、その果てに凶行が決行された様が浮き彫りにされていった。

裕さんが最後の局面で、「死にたくない」「母ちゃんに会いたい」「お盆の墓参りに行きたい」「家に帰りたい」と命乞《いのちご》いした際、実行犯らが激怒して、スタンガンなどで虐待し、とどめのウォッカのびんを口に突っ込んだシーンが明かされると、妻の澄江や長女の久美子は目じりに手をやり、すすり泣きした。

「生き地獄から脱したかった」――うめくように法廷でもらした婿《むこ》養子の光明の言葉が頭にこびりついた。〉（本書323頁）

誠実なノンフィクション作品が、捜査当局を動かし、正義の回復に貢献したと私は考える。その意味で、『凶悪』は平成のノンフィクションに新しい頁を開いたと思う。

（平成二十一年九月、作家・元外務省主任分析官）

この作品は平成十九年一月新潮社より刊行された。

「週刊新潮」編集部編

黒い報告書

いつの世も男女を惑わすのは色と欲。城山三郎、水上勉、重松清、岩井志麻子ら著名作家が描いてきた「週刊新潮」の名物連載傑作選。

「週刊新潮」編集部編

黒い報告書 エクスタシー

「週刊新潮」の人気連載が一冊に。男と女の欲望が引き起こした実際の事件を元に、官能シーンたっぷりに描かれるレポート全16編。

「週刊新潮」編集部編

黒い報告書 エロチカ

愛と欲に堕ちていく男と女の末路――。実在の事件を読み物化した「週刊新潮」の名物連載から、特に官能的な作品を収録した傑作選。

「週刊新潮」編集部編

黒い報告書 インフェルノ

色と金に溺れる男と女を待つのは、ただ地獄のみ――。「週刊新潮」人気連載からセレクトした愛欲と官能の事件簿、全17編。

佐藤優著

国家の罠
―外務省のラスプーチンと呼ばれて―

毎日出版文化賞特別賞受賞

対ロ外交の最前線を支えた男は、なぜ逮捕されなければならなかったのか？ 鈴木宗男事件を巡る「国策捜査」の真相を明かす衝撃作。

佐藤優著

自壊する帝国

大宅壮一ノンフィクション賞・新潮ドキュメント賞受賞

ソ連邦末期、崩壊する巨大帝国で若き外交官は何を見たのか？ 大宅賞、新潮ドキュメント賞受賞の衝撃作に最新論考を加えた決定版。

佐藤 優著

紳士協定
—私のイギリス物語—

「20年後も僕のことを憶えている？」あの夏の約束を捨て、私は外交官になった。英国研修中の若き日々を追想する告白の書。

佐藤 優著

いま生きる「資本論」

働くあなたの苦しみは「資本論」がすべて解決！ カネと資本の本質を知り、献身を尊ぶ社会の空気から人生を守る超実践講義。

佐藤 優著

君たちが知っておくべきこと
—未来のエリートとの対話—

受講生は偏差値上位0.1％を生きる超難関校の若者たち。彼らの未来への真摯な問いかけに、知の神髄と社会の真実を説く超・教養講義。

福田ますみ著

でっちあげ
—福岡「殺人教師」事件の真相—
新潮ドキュメント賞受賞

史上最悪の殺人教師と報じられた体罰事件は、後に、児童両親によるでっちあげであることが明らかになる。傑作ノンフィクション。

村上陽一郎著

あらためて教養とは

いかに幅広い知識があっても、自らを律する「慎み」に欠けた人間は、教養人とは呼べない。失われた「教養」を取り戻すための入門書。

藤原正彦著

管見妄語
常識は凡人のもの

早期英語教育は無駄。外交は譲歩したら負け。ポリティカリー・コレクトは所詮、きれい事。一見正しい定説を、軽やかに覆す人気コラム。

山本譲司著
累犯障害者
罪を犯した障害者たちを取材して見えてきたのは、日本の行政、司法、福祉の無力な姿であった。障害者と犯罪の問題を鋭く抉るルポ。

青木冨貴子著
731
―石井四郎と細菌戦部隊の闇を暴く―
731部隊石井隊長の直筆ノートには、GHQとの驚くべき駆け引きが記されていた。戦後の混乱期に隠蔽された、日米関係の真実！

白石仁章著
杉原千畝
―情報に賭けた外交官―
六千人のユダヤ人を救った男は、類稀なる〈情報のプロフェッショナル〉だった。杉原研究25年の成果、圧巻のノンフィクション！

NHKスペシャル取材班著
日本海軍400時間の証言
―軍令部・参謀たちが語った敗戦―
開戦の真相、特攻への道、戦犯裁判。「海軍反省会」録音に刻まれた肉声から、海軍、そして日本組織の本質的な問題点が浮かび上がる。

NHKスペシャル取材班編著
日本人はなぜ戦争へと向かったのか
―外交・陸軍編―
肉声証言テープ等の新資料、国内外の研究成果をもとに、開戦へと向かった日本を徹底検証。列強の動きを読み違えた開戦前夜の真相。

森功著
黒い看護婦
―福岡四人組保険金連続殺人―
悪女〈ワル〉たちは、金のために身近な人々を脅し、騙し、そして殺した。何が女たちを犯罪へと駆り立てたのか。傑作ドキュメント。

岩波 明著
心に狂いが生じるとき
―精神科医の症例報告―
その狂いは、最初は小さなものだった……。アルコール依存やうつ病から統合失調症まで、精神疾患の「現実」と「現在」を現役医師が報告。

美達大和著
人を殺すとはどういうことか
―長期LB級刑務所・殺人犯の告白―
果たして、殺人という大罪は償えるのか。人を二人殺め、無期懲役囚として服役中の著者が、自らの罪について考察した驚きの手記。

清水 潔著
桶川ストーカー殺人事件
遺言
「詩織は小松と警察に殺されたんです……」悲痛な叫びに答え、ひとりの週刊誌記者が真相を暴いた。事件ノンフィクションの金字塔。

清水 潔著
殺人犯はそこにいる
―隠蔽された北関東連続幼女誘拐殺人事件―
新潮ドキュメント賞・日本推理作家協会賞受賞
5人の少女が姿を消した。冤罪「足利事件」の背後に潜む司法の闇。「調査報道のバイブル」と絶賛された事件ノンフィクション。

佐木隆三著
わたしが出会った殺人者たち
昭和・平成を震撼させた18人の殺人鬼たち。半世紀にわたる取材活動から、凶悪事件の真相を明かした著者の集大成的な犯罪回顧録。

長谷川博一著
殺人者はいかに誕生したか
―「十大凶悪事件」を獄中対話で読み解く―
世間を震撼させた凶悪事件。刑事裁判では分からない事件の「なぜ」を臨床心理士の立場から初めて解明した渾身のノンフィクション。

森下典子著
日日是好日
―「お茶」が教えてくれた15のしあわせ―
五感で季節を味わう喜び、いま自分が生きている満足感、人生の時間の奥深さ……。「お茶」に出会って知った、発見と感動の体験記。

鳥飼玖美子著
歴史をかえた誤訳
原爆投下は、日本側のポツダム宣言をめぐるたった一語の誤訳が原因だった――。外交の舞台裏で、ねじ曲げられた数々の事実とは!?

中島義道著
働くことがイヤな人のための本
「仕事とは何だろうか?」「人はなぜ働かなければならないのか?」生きがいを見出せない人たちに贈る、哲学者からのメッセージ。

中島義道著
私の嫌いな10の人びと
日本人が好きな「いい人」のこんなところが嫌いだ!「戦う哲学者」が10のタイプの「善人」をバッサリと斬る、勇気ある抗議の書。

中島義道著
カ イ ン
―自分の「弱さ」に悩むきみへ―
自分が自分らしく生きるためには、どうすればいいのだろうか? 苦しみながら不器用に生きる全ての読者に捧ぐ、「生き方」の訓練。

養老孟司
宮崎 駿著
虫眼とアニ眼
「一緒にいるだけで分かり合っている」間柄の二人が、作品を通して自然と人間を考え、若者への思いを語る。カラーイラスト多数。

新潮文庫最新刊

凶《きょう》　悪《あく》

―ある死刑囚の告発―

新潮文庫　し－31－8

平成二十一年十一月一日 発行
令和 三 年 四 月二十日 四十一刷

著者 「新潮《しんちょう》45」編集部《へんしゅうぶ》

発行者 佐藤隆信
発行所 株式会社 新潮社
郵便番号 一六二―八七一一
東京都新宿区矢来町七一
電話 編集部(〇三)三二六六―五四四〇
読者係(〇三)三二六六―五一一一
http://www.shinchosha.co.jp
価格はカバーに表示してあります。
乱丁・落丁本は、ご面倒ですが小社読者係宛ご送付ください。送料小社負担にてお取替えいたします。

印刷・東洋印刷株式会社　製本・株式会社大進堂

ISBN978-4-10-123918-7 C0195